Étapes de vie au travail

DANIELLE RIVERIN-SIMARD

Etapes de vie au travail

EDITIONS
SAINT-MARTIN

ÉTAPES DE VIE AU TRAVAIL

Collection : « Éducation permanente »
Composition et montage : Composition Solidaire inc.
Maquette de la couverture : Zèbre Communications inc.
Corrections : Denise Sirois

ISBN 2–89035–111–4

Dépôt légal : Bibliothèque nationale du Québec, 3e trimestre 1984.

Imprimé au Canada.

Le Fonds F.C.A.C. pour l'aide et le soutien à la recherche a accordé une aide financière pour l'édition de cet ouvrage, dans le cadre de sa politique visant à favoriser la publication en langue française de manuels et de traités à l'usage des étudiants de niveau universitaire.

Notre catalogue vous sera expédié sur demande :
Les Éditions coopératives Albert Saint-Martin
4073, rue Saint-Hubert, Montréal (Qc) H2L 4A7
(514) 525-4346

DISTRIBUTION EN LIBRAIRIE :
Diffusion Prologue inc.
2975, rue Sartelon
Ville Saint-Laurent, H4R 1E6
Tél. : 332-5860 — Ext. : 1-800-361-5751

Avant-propos

Y a-t-il une séquence sous-jacente dans la progression de l'adulte tout au long de sa vie au travail ? Peut-on parler d'une trajectoire continue comprenant une série d'étapes spécifiques ? Si oui, quelle est-elle et comment s'explique-t-elle ? Quel est le lien exact entre cette séquence et le processus de l'éducation permanente ? Peut-on parler d'un savoir-être vocationnel ?

C'est à ces diverses questions que le présent volume veut apporter certains éléments de réponse ; ils sont basés sur les résultats d'une recherche triennale ayant rejoint près de huit cents adultes. Nous espérons que son contenu saura susciter une réflexion chez le lecteur afin que chaque information livrée puisse être critiquée, sélectionnée ou rejetée mais non pas négligée. De nombreux collaborateurs ont participé à cette étude, nous les signalons au fur et à mesure du volume et nous leur témoignons ici toute notre gratitude. Ce volume est dédicacé tout particulièrement à trois êtres chers : Roger, Yanik et Sonia.

Préface

Il y a des livres qui sont plus que des livres, parce qu'ils vous rejoignent dans votre expérience la plus vitale, tout en vous offrant des pistes nouvelles de compréhension et d'action. Voilà ce que je me disais en tournant la dernière page de cet ouvrage sur la vie adulte, sur les pratiques du travail, sur l'éducation permanente. Ce que j'ai pu lire de travaux et d'expertises depuis 25 ans pour éclairer mes propres expériences d'éducateur, d'intervenant social et de consultant dans ce champ si important du développement vocationnel de l'adulte ! Je n'hésite pas à adopter un point de vue très personnel au départ de cette préface, en faisant le pari que les nombreux lecteurs susceptibles d'être intéressés par une telle recherche seront, eux aussi, rejoints dans leur propre itinéraire personnel, par delà leurs intérêts professionnels en la matière.

Pour être honnête, je dois dire que j'ai abordé l'ouvrage de Andrée Pelerin et de son équipe de chercheurs avec le même regard distancé et critique que je tiens à garder devant tous les manuscrits que je reçois pour fin d'évaluation scientifique, qu'il s'agisse d'une participation à un jury, à un comité de lecteur ou à quelque autre instance d'expertise. Mais cette fois, j'ai dû me battre avec mon souci d'objectivité, tellement j'étais tour à tour fasciné, bousculé,

« confronté », choqué, interpelé, contredit, confirmé, interrogé jusque dans mes options les plus profondes. J'y trouvais par delà tous les débats et écoles scientifiques dont l'ouvrage fait état avec une rare pertinence — toute en nuances — j'y trouvais une réflexion et une pratique à la fois « nouvelles » et d'une telle évidence, à la fois originales et d'un tel bon sens, à la fois intuitives et solidement fondés, au point que je suis amené à considérer cet ouvrage comme unique en son genre, et en même temps digne de grand intérêt pour tout adulte. Sans compter tous les lecteurs « professionnels » qui pourraient en faire un coffre d'outils d'intervention, que ce soit en éducation permanente, en andragogie, en relations industrielles, en gestion, en psychopédagogie, en intervention sociale, en animation communautaire, en relation d'aide.

L'ouvrage nous fait connaître d'abord la recherche empirique qui a servi d'assise principale au cadre de compréhension, d'interprétation et d'intervention proposé par la suite. La démarche elle-même est très pédagogique, parce qu'elle nous plonge, d'entrée de jeu, dans le champ d'expérience des adultes d'aujourd'hui, donc aussi la nôtre. Et on y restera en prise jusqu'à la toute fin du livre. Celui-ci débouche sur un ensemble très bien articulé de pratique cohérentes, pertinentes et efficaces d'intervention éducative, bien au-delà du champ de travail lui-même qui n'en demeure pas moins le lieu privilégié.

D'où le réalisme de cette recherche-action qui s'est elle-même validée avec rigueur non seulement par rapport à ce champ concret d'expérience qu'est le travail, mais aussi par rapport aux données recueillies objectivement auprès d'adultes de divers âges, conditions, milieux et secteurs de travail. L'auteure a très bien expliqué sa méthodologie, son cadre théorique, sa problématique et ses fondements critiques. Je ne m'arrête pas à cet aspect qui intéresse, à bon droit, mais seulement les lecteurs « scientifiques » ferrés en méthode de recherche.

Ce qui m'a d'abord frappé, c'est la connivence entre ce que les adultes interrogés ont pu dire de leur propre itinéraire vocationnel de travail, d'éducation, et de vie tout court, d'une part, et d'autre part, l'interprétation intelligente, fouillée, sagace, empathique, dynamique, critique et constructive de l'auteure. L'ouvrage fourmille d'*insights* qui me semblent très justes et très éclairants par delà sa rigueur intellectuelle sans cesse confrontée aux positions de grands maîtres en la matière. Les références sont nombreuses et très judicieuses, mais jamais elles n'importunent le lecteur moyen qui s'intéresse moins à la tuyauterie qu'à son contenu vital, nourrissant et stimulant.

Voici donc une recherche triennale menée auprès de 800 adultes québécois, âgés de 23 à 67 ans, selon un échantillon qui a retenu les variables suivantes : l'âge, le sexe, le statut socio-économique et le secteur de travail. La recherche a dégagé 9 strates d'âges pour retracer le cheminement vocationnel de ces adultes. Celui-ci, tel que je l'ai compris, inclut l'expérience de travail, les temps forts de formation, le développement personnel et aussi dans une certaine mesure, parce qu'un peu mise en veilleuse, l'itinéraire de socialisation à travers les engagements et orientations de base de l'adulte. L'auteure fait état de la pauvreté des recherches sur l'expérience adulte, en regard de la pléthore d'études sur l'enfance, l'adolescence et même la vieillesse et la mort. Cet ouvrage répond d'une façon remarquable à cet énorme besoin et défi que Erikson a déjà souligné en ces termes : « Il est étonnant de constater à quel point la psychologie occidentale s'est gardée d'envisager la vie humaine comme un cycle global ». Voir aussi les études de Labouvie-Vief et Schell, Levinson, Crain, Gould, Sheehy, Herr et Cramer, etc.

Les trois premiers chapitres présentent une trame de base des diverses étapes du cheminement vocationnel. Suit la présentation d'un modèle de développement qui débouche sur des pratiques qui me semblent aussi précieuses que judicieuses pour comprendre, assumer, intégrer et orienter un itinérarire d'adulte dans le tournant actuel et en regard des requêtes d'avenir. Neuf étapes d'une durée approximative de cinq ans jalonnent la trajectoire vocationnelle marquée par trois circonvolutions orbitales, et surtout par deux battements majeurs : phase de questionnement et phase de consolidation que recoupe une autre alternance entre le recentrage sur les nouvelles finalités à poursuivre et la maîtrise des moyens pour les atteindre. Les finalités à réévaluer ou à réinventer sont le centre d'intérêt des années 28-32 : à la recherche d'un chemin prometteur ; 43-47 : en quête au fil conducteur de son histoire ; 53-57 : à la recherche d'une sortie prometteuse ; 63-67 : aux prises avec la gravité vocationnelle de la retraite. En contrepoint, on trouve les périodes d'évaluation des moyens et de consolidation à 23-27 ans : atterrissages au travail ; 33-37 ans : aux prises avec la course occupationnelle ; 38-42 ans : essai de nouvelles lignes directrices ; 48-52 ans : modification de sa trajectoire ; 58-62 ans : transfert du champ gravitationnel. Il faut noter ici que l'alternance, questionnement et consolidation, se retrouve aussi à l'intérieur de chacune des neufs étapes.

Après une analyse très fine des diverses combinatoires de cette trame de base, de ses deux cycles : inter-étapes et intra-étapes, la recherche fait état de la grande variété des contenus, des orientations et des centres d'intérêt, en y intégrant le rôle des événements dissonants ou réorganisants, l'impact des échecs et des ratés du parcours, la variation des rythmes, le développement multidirectionnel, etc. Il faut de profondes harmonies pour soutenir de fortes dissonances. L'ouvrage soutient bien ce fascinant paradoxe.

Une lecture superficielle de l'ouvrage pourrait se méprendre quant au critère âge qui semble prendre beaucoup de place. L'auteure précise, plus d'une fois, qu'un adulte peut réaliser une évolution vocationnelle très positive tout en vivant des étapes d'une façon distincte et à des âges différents. Avec à propos, l'ouvrage conjugue temps-espace, ce qui confère l'impact dynamique de la relativité Einsteinienne. Sans compter le fait que la culture occidentale toute centrée sur le temps découvre l'importance de l'espace... vital, du milieu, de l'environnement, du champ quotidien d'expérience. Ce qui déborde la visée écologique, tout en lui empruntant le besoin d'organicité que les modèles mécaniques et sectorialisés de la société taylorienne ont étouffé. Il n'y a pas que le corps physique qui soit organique. L'expérience humaine l'est aussi, *sans s'y enfermer toutefois*. Car la conscience et la liberté permettent de passer de la nature à l'aventure avec ses propres créations, ses inédits, ses projets qui font les cultures et les civilisations. Cette économie humaine est reprise avec des yeux neufs dans cet ouvrage, sur le terrain même des expériences les plus vitales de l'adulte.

Un bémol : j'aurais souhaité que la coordonnée « *milieu (x)* » soit traitée avec autant d'attention que celle des *événements*. Ce qui implique une reconnaissance plus évidente de la dimension sociale du cheminement vocationnel. L'auteure a fait un choix différent, d'ailleurs très bien fondé.

L'ensemble de la démarche se structure autour d'une position centrale qui traverse à la fois la recherche empirique et sa ligne d'interprétation, à la fois le modèle de développement vocationnel lui-même et les pratiques privilégiées d'éducation permanente, à savoir « l'intensité potentiellement équivalente de la croissance vocationnelle au fil des âges ». Avec Levinson, l'auteure affirme « qu'aucune période de la vie n'est meilleure, ni plus importante qu'une autre ; chacune a une place nécessaire et contribue au développement d'une façon spécifique, mais selon des variations infinies dépendamment du caractère idiosyncratique de chaque individu ». D'où le refus d'établir une sorte de séquence hiérarchique des étapes de la vie au travail comme chez Kohlberg et Piaget. Refus encore plus évident du biologicisme qui enferme l'expérience humaine dans le schème physique : croissance, sommet et déclin. Ce qui n'empêche pas l'auteure de reconnaître chez la majorité des répondants l'inclination à adopter la logique de « ce modèle médical » alors que, chez les sujets-exceptions (l5 %), il y a une prise plus ferme et plus constante sur la nouvelle dynamique qui marque chacune des étapes de la vie.

Avec honnêteté et résolution, cette recherche-action affirme, explique et fonde son parti pris « humaniste » pour une pratique de développement vocationnel continu, en accordant même une place privilégiée aux phases de questionnement. Fernand Dumont, dans son ouvrage remarquable : *L'anthropologie en l'absence de l'homme*, soulignait cette donnée cruciale de la civilisation et de la culture, à savoir le fait que la personne est un être qui est toujours en train de se définir. Et c'est là que l'être humain exprime son énorme potentiel de croissance et de dépassement. Je suis très sensible à cette pratique de vivant quand je songe à la logique de mort qui habite l'Occident d'aujourd'hui, y compris ma propre société où l'on désespère même d'en arriver à la moindre communauté de travail même à l'hôpital ou dans la petite école de quartier ; une société où le salaire risque de devenir la seule motivation de cette expérience fondamentale qu'est le travail dans la vie adulte. Valoriser un développement vocationnel de qualité, ce n'est pas mettre en veilleuse le chômage (et les enjeux du pain), mais c'est marquer plus profondément son caractère tragique de déshumanisation radicale.

Comme préfacier, je suis pratiquement le premier à prendre la parole dans un ouvrage conçu, vécu et écrit par un autre. D'où ma réticence, malgré l'invitation expresse de l'auteure dans son avant-propos, à faire état de certains désaccords. Ce qui pourrait s'exprimer plus facilement dans une recension avec droit de réplique. Mais j'ajoute, tout de suite, que mes réserves restent mineures en regard de l'admiration que je garde pour cette recherche magistrale de Danielle Riverin-Simard. Tout au plus, voudrais-je signaler le peu de place accordée au fond de scène sociologique des grands changements structurels et culturels du tournant actuel qui ne sont pas sans retentir sur le cheminement vocationnel des adultes d'aujourd'hui. Mais, à bien y penser, je me dis que les études de cet ordre ne manquent pas et que c'est à nous de poursuivre une telle réflexion que les limites de l'ouvrage ne permettaient pas, sans doute. Je garde quand même un petit doute très, très personnel quant à cette mise en veilleuse, fût-ce une attention un peu plus poussée à la dimension sociale qui est plus qu'une extension de l'individualité. Cote d'alerte nécessaire dans la *me generation*, et dans cette culture narcissique du *psychological man*. Une société est plus que la somme des projets individuels. La crise de nos institutions en témoigne. Mais il se pourrait que Danielle Riverin-Simard ait raison face à mes préventions sociologiques en adaptant ici une démarche pédagogique plus réaliste. Elle rejoint les adultes là où ils sont et elle mise sur cette nouvelle dynamique de l'individualité, de l'autonomie et de l'autodéveloppement vocationnel, qui, selon le pari de l'auteure, pourrait bien déboucher sur de nouvelles fécondités sociales et sur un intérêt inédit pour l'entrepreneur-ship dont nous avons tellement besoin dans notre société. Me voilà obligé, à mon tour, de mettre en veilleuse mes petites réserves, et de dire franchement que cet ouvrage, je vais le garder à la main pour longtemps, non pas seulement à titre de référence, *mais d'outil on ne peut plus utile et précieux*, non seulement en éducation permanente et dans l'organisation du travail, mais aussi dans l'ensemble de l'expérience de l'adulte.

Cette recherche-intervention, de par sa qualité, son caractère « unique », et sa réponse à une attente encore insatisfaite, débordera nos frontières. C'est mon dernier souhait

Jacques Grand'Maison
Université de Montréal.

Introduction

Travail et éducation permanente

L'importance d'étudier le développement personnel de l'adulte au travail tient à l'étanchéité des liens entre le travail et l'éducation permanente. Ces liens ont été maintes fois soulignés dans les écrits pertinents et jouent un rôle primordial dans le processus d'apprentissage de l'adulte. Selon Dumazodier (1977, p. 123), le travail est « le producteur de richesses et le créateur privilégié des rapports sociaux ; ses besoins doivent donc être à la base de toute formation continue ». Le contenu même des activités de l'éducation semble d'ailleurs être basé essentiellement sur le travail. Tough (1981, p. 298) affirmait qu'une grande partie de l'apprentissage continu est reliée à l'occupation. Cross (1982, p. 22) conclut, après un relevé d'études pertinentes, que l'éducation ou la formation reliée à l'emploi domine présentement la scène de l'éducation des adultes.

D'ailleurs, les adultes eux-mêmes établissent plusieurs liens entre les activités d'apprentissage et leur emploi (Bureau de recensement des États-Unis 1977, p. 389). Cela semble même être un des premiers motifs d'engagement dans ces activités. Selon Knox (1980, p. 383) et Wirtz(1975), une des raisons majeures d'apprentissage est d'augmenter son efficacité dans l'exercice d'un rôle social prédominant,à savoir celui de travailleur. De plus, dans la majorité des recherches, au-delà de la moitié des adultes déclarent qu'ils s'adonnent à des activités d'apprentissage à cause de leur carrière (Aslanian et Brickell, 1980 ; Carp, Peterson et Roelfs, 1974 ; Cross, 1979 ; Johnstone et Riviera, 1965). Par exemple, selon McCoy et autres (1980), parmi les principales motivations de retour aux études, les transitions reliées à la carrière étaient dans 57 % des cas reliées à des transitions de vie au travail. D'après Moon (1980), non seulement il y a un lien direct entre les périodes de transition de vie au travail et les intentions d'apprendre, mais cette motivation est de loin la plus importante ; cet auteur explique ce phénomène ainsi. Les adultes croient que leur travail est l'aspect de leur vie le plus turbulent qui les incite à effectuer un très grand nombre de transitions ; c'est ainsi que la situation occupationnelle devient le déclencheur le plus important du besoin d'apprendre. Que ce soit par le biais de l'éducation des adultes ou de l'autodidaxie, l'individu a besoin d'apprendre pour maintenir son emploi, en obtenir un nouveau, obtenir de l'avancement, donner un meilleur rendement, s'adapter ou se retirer.

Les liens entre le travail et l'éducation permanente sont également perçus sur un plan collectif ou communautaire. Selon Tough (1981,p. 299), le type d'apprentissage relié à l'emploi est très valorisé par la société parce que le rendement et les attitudes qui y sont associés sont d'une grande importance pour l'économie de toute nation. Par ailleurs, dans cette perspective où les liens entre le travail et l'éducation permanente sont primordiaux, il ne faut certes pas oublier certaines hypothèses futuristes qui ne sont pas sans intérêt. Selon Toffler (1980, p. 242), il est sûr que des transformations révolutionnaires affecteront et le bureau et l'usine dans les prochaines années. Par exemple, les centres électroniques, situés à l'intérieur des maisons privées, transformeront radicalement la pratique et le concept du travail (Toffler, 1980, p. 254). Devant ces prospectives, il apparaît d'autant plus évident que les liens perdureront entre les phénomènes de l'éducation permanente et du travail. Le premier favorisera une meilleure intégration de la réalité complexe du monde socio-économique actif ; le deuxième proposera de nombreux stimuli pour s'engager dans une démarche soutenue d'apprentissage. Ce sera d'ailleurs là l'une des meilleures garanties d'une évolution mutualiste continue de ces deux entités.

Parallèlement à l'affirmation des liens entre ces deux réalités, l'importance du travail dans la vie de l'individu a été maintes fois

exprimée. Pour l'adulte, le travail constitue l'influence la plus fondamentale sur le développement et le changement du moi tout au long
des cycles de vie (Brim, 1976); et ce, indépendamment du degré de
signification que l'individu lui accorde (Hall, 1976) ou du type d'impact que la situation occupationnelle exerce sur la personne (With-
bourne et Weinstock, 1979, p. 221). Selon ces auteurs, les expériences de travail ont un effet continu et généralisé sur l'identité personnelle, le style de vie et les attitudes.

Développement vocationnel et éducation permanente

Malgré l'étanchéité des liens entre le travail et l'éducation permanente, peu d'auteurs ont fait valoir l'importance de se préoccuper
particulièrement du développement personnel de l'adulte au travail,
soit le développement vocationnel. Pourtant la connaissance de la
spécificité de ce développement est essentielle pour la formation des
adultes étant donné précisément que les motivations essentielles des
démarches éducatives y sont si étroitement reliées.

Les écrits ont par ailleurs été plus loquaces quant à l'importance
de la compréhension du développement personnel global de l'adulte
pour quiconque s'intéresse à la formation. Par exemple, il est
reconnu qu'une des premières compétences professionnelles de l'éducateur d'adultes est de connaître la perspective des étapes de développement (Egan et Cowan, 1979; Houle, 1977; Lehman et Lester,
1978; Lurie, 1977; McCoy et autres, 1980). De plus, selon la Commission d'étude sur la formation des adultes (CEFA, 1982) et Cross
(1982), le formateur doit comprendre les fondements mêmes du processus évolutif de l'adulte s'il veut être en mesure de réaliser le rôle
qui lui est dévolu, à savoir celui d'assister l'adulte dans une démarche
continue et permanente. Par ailleurs, plusieurs auteurs ont fait largement mention des liens étroits entre les stades de vie de l'adulte
et l'apprentissage (Chickering et autres, 1981; Houle, 1977; Perry,
1981; Weathersby, 1981). Enfin, Reinart (1980, p. 6) prétend que les
recherches et les théories sur la psychologie du développement
reliées à toutes les phases de vie, sont susceptibles de contribuer
grandement à appuyer les concepts et les activités de l'éducation
permanente.

Il faut par ailleurs souligner le nombre limité d'études relatives
au développement de l'adulte. Selon Neugarten (1980, p. 1), les études empiriques relatives aux changements de la période adulte sont

sont très peu nombreuses et ont surtout utilisé des échantillons très limités touchant une population presque exclusivement mâle de classe moyenne. Quant aux études portant plus spécifiquement sur le développement vocationnel de l'adulte au fil des âges, il faut dévoiler, voire même décrier (comme nous le verrons dans le chapitre IV), la carence flagrante de recherches pertinentes.

C'est pourquoi il est apparu nécessaire de procéder à une telle investigation. Des subventions provenant de différentes sources (Conseil de recherches en sciences humaines du Canada, la Formation de chercheurs et action concertée du Québec, le Conseil québécois de la recherche sociale et le Budget spécial de la recherche de l'Université Laval) ont permis de s'engager dans une recherche triennale dont le but était d'identifier un certain nombre d'étapes du vécu au travail selon les âges et d'élaborer, à la lumière des résultats, un modèle de développement vocationnel des adultes. (Il va sans dire que des remerciements très spéciaux sont tout particulièrement adressés aux appréciateurs anonymes des comités d'évaluation rattachés à l'un ou l'autre de ces organismes).

Particularités de la recherche triennale

Cette recherche, dont les résultats font l'objet de ce volume, a rejoint sept cent quatre-vingt-six (786) sujets se répartissant à peu près également dans neuf strates d'âges et selon trois variables : il y avait 375 sujets féminins et 411 sujets masculins ; le secteur privé comptait 252 sujets, le secteur public 292 et le secteur para-public 242 ; il y avait 262 sujets appartenant à la classe aisée, 285 à la classe moyenne et 239 à la classe économiquement défavorisée. Les adultes exerçaient des métiers ou professions très diversifiés.

La cueillette des données a été effectuée au moyen d'entrevues semi-structurées portant sur le vécu vocationnel dans une rétrospective et une prospective de cinq ans chacune. L'examen des résultats a été exécuté tout d'abord par une analyse de contenu, puis il a été inspiré par une approche heuristique. Ainsi, pour bien clarifier et conceptualiser les résultats, ils ont été rassemblés afin de pouvoir dégager une impression globale ou holistique (Maslow, 1970, p. 152), ou une vision intégrée suivant une appropriation intuitive du matériel (Moustaka, 1968 p. 112). (Les détails relatifs à la méthodologie de la recherche font l'objet de l'annexe A).

Présentation du contenu

L'identification des étapes de développement vocationnel au fil des âges fera l'objet des trois premiers chapitres. Un modèle de développement vocationnel de l'adulte sera présenté dans un quatrième chapitre servant de base aux suggestions pratiques formulées dans la dernière partie du volume. Mais auparavant certains avertissements doivent être signalés à l'intention du lecteur.

Tout d'abord il faut noter qu'au moment où ce volume a été écrit (1983), l'analyse comparative des données relatives au sexe, à la classe socio-économique et au secteur de travail, n'était pas encore terminée. Les résultats présentés ici sont donc globaux et valent pour l'ensemble des adultes de l'échantillon. Les informations différenciées relatives aux hommes et aux femmes, aux adultes socio-économiquement favorisés ou non, ainsi qu'aux personnes oeuvrant dans les secteurs public, para-public ou privé, sont donc malheureusement absentes de ce volume.

Quant aux résultats décrits pour chaque strate d'âge, il faut spécifier qu'ils sont valables pour l'ensemble de l'échantillon mais ne correspondent jamais parfaitement à aucun individu en particulier. D'ailleurs Newman (1982, p. 618) rappelait que la richesse des histoires personnelles de vie doit toujours être superposée à ces patrons généraux de développement. De plus, si le lecteur se sent offusqué par l'utilisation de classes d'âge, il est important de bien spécifier que le but du volume n'est certes pas de vouloir catégoriser les adultes selon un indice si superficiel (le rôle exact de l'âge dans le processus du développement vocationnel est largement explicité au chapitre IV). D'ailleurs, les chercheurs intéressés aux phases de la vie s'entendent tous pour dire que l'âge n'est qu'un indice brut (Cross, 1982, p. 171). Il y a par ailleurs des auteurs (Brim, 1976 ; Baltes et Schaie, 1973) qui vont jusqu'à décrier fortement toute association ou allusion relatives aux âges par crainte que ces dernières ne soient mal interprétées. De plus, le lecteur averti sait pertinemment qu'aucune recherche ne peut conclure d'une façon absolue et que la présence de limites méthodologiques est inhérente à toute investigation scientifique. L'objectif de la présentation des résultats n'est certes pas de vouloir couler tous les adultes dans un même moule. (Le chapitre IV explicite largement les postulats relatifs aux variations infinies du développement de même qu'à ses aspects multidirectionnel et multi-rythmique). Un des principaux buts visés par ce volume est plutôt de faire connaître une certaine évolution dans le vécu au travail au fil des années. Il est évident que ce devenir peut être expérimenté, par chacun d'entre nous, à des âges fort différents ou selon des modalités très distinctes. Cet éventail d'étapes de vie au travail est, par ailleurs, susceptible de s'avérer, pour l'intervenant auprès d'adultes, le point de départ d'une réflexion sur sa propre évolution vocationnelle et surtout sur celle des adultes avec lesquels il est en contact.

Enfin, un dernier avertissement concerne l'utilisation des termes de l'« espace » pour expliquer les diverses étapes du développement vocationnel de l'adulte. Comme on le verra dans les premiers chapitres de ce volume, ces dernières sont décrites au sein d'une trajectoire continue qui se poursuit autour de certaines planètes composant, en quelque sorte, un univers vocationnel cosmique. Cette métaphore est apparue l'une des plus adéquates pour mettre en lumière une des principales conclusions de la recherche triennale. Ce résultat veut que, tout au long de sa vie au travail, l'adulte vive fréquemment des remises en question très intimes. Ces états presque permanents de questionnement vécus par l'adulte ont été associés aux phénomènes de ballottement ou d'apesanteur expérimentés par les voyageurs de l'espace.

Trajectoire vocationnelle au fil des âges

Pour mieux saisir cette trajectoire qui fera l'objet des trois premiers chapitres, on donne ici un aperçu général des diverses étapes parcourues au fil des âges. Cette trajectoire est une forme de réponse apportée à la question prioritaire suivante, qui a retenu tout particulièrement l'attention depuis la dernière décennie. Y a-t-il une séquence sous-jacente dans la progression de l'adulte tout au long de sa vie comme c'est le cas au niveau de l'enfance et de l'adolescence ? Un relevé des écrits pertinents effectués par McCoy, Ryan, Sulton et Winn (1980), indique que, même si les chercheurs ont varié leur terminologie, ils ont répondu positivement à cette question et ont précisé que cette séquence s'explique par la présence de divers cycles. Sur le plan vocationnel, Havighurst (1964), Miller et Form (1964) et Super (1957) ont également identifié une certaine séquence d'évolution occupationnelle via des stades de vie. Comme on le verra dans les trois premiers chapitres de ce volume, les résultats de la recherche triennale apportent très manifestement une réponse tout aussi positive à la question de la présence d'une séquence sous-jacente dans la progression de l'adulte tout au long de sa vie au travail. Elle peut se résumer comme suit : le développement vocationnel

*définit
dev
vocation*

de l'adulte comprend une série d'étapes spécifiques qui sont autant de passages prévisibles de son vécu occupationnel. Ces étapes donnent ainsi un indice du contenu différencié du processus du développement vocationnel au fil des âges.

Cette séquence, située dans la marche continue du temps, peut se comparer à une trajectoire incluant des transferts de planètes, ces dernières représentant les principaux lieux où se réalise le développement vocationnel. Vers 23 ans, l'adulte vient tout juste d'effectuer son premier transfert de la planète école vers la planète travail. De 23 à 52 ans, l'adulte effectue deux circonvolutions majeures autour de la planète travail. Il s'agit tout d'abord d'une circonvolution pédestre (23 à 37 ans) dominée par un contact direct et exploratoire avec les réalités, parfois très dures, du marché du travail. Vient ensuite une circonvolution orbitale (38-52 ans) dominée par des processus réflexifs permettant d'utiliser et d'intégrer les expériences des premiers contacts à la lumière de pratiques nouvelles. Autour de la planète travail, on pourrait faire graviter de nombreux astéroïdes qui constitueraient autant de sites secondaires où se réalise le développement vocationnel. Ces astéroïdes seraient, par exemple, le travail non rémunéré, l'éducation des adultes institutionnalisée ou via les activités associatives, les loisirs, etc. Par la suite, de 53 à 67 ans environ, l'adulte effectue des manoeuvres de transfert interplanétaire. Il est successivement à la recherche d'une sortie prometteuse de la planète travail ; il effectue un transfert de champ gravitationnel pour être, finalement, aux prises avec la gravité de la planète retraite.

Cette trajectoire vocationnelle au fil des âges est représentée dans le schéma I. Elle comprend neuf étapes d'une durée approximative de cinq ans qui se résument comme suit :

1. une circonvolution pédestre où l'adulte de 23 ans arrive en provenance de la planète école et atterrit sur la planète travail au point A pour continuer sa circonvolution pédestre en passant par les points B et C.

    A-----B : Atterrissages sur la planète travail (23-27 ans)

    B-----C : À la recherche d'un chemin prometteur (28-32 ans)

    C-----A : Aux prises avec une course occupationnelle (33-37 ans) ;

2. une circonvolution orbitale où l'adulte reprend son vaisseau spatial délaissé, au point A, pour entamer une circonvolution orbitale en passant par les points D et E.

    A-----D : Essai de nouvelles lignes directrices (38-42 ans)

    D-----E : En quête du fil conducteur de son histoire (43-47 ans)

    E-----F : Affairé à une modification de trajectoire (48-52 ans) ;

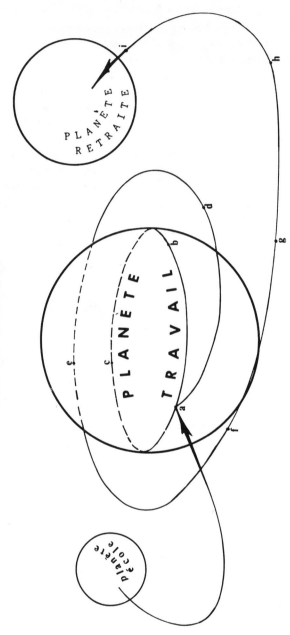

Univers vocationnel

A----B : Atterrissages sur la planète travail
B----C : À la recherche d'un chemin prometteur
C----A : Aux prises avec une course
A----D : Essai de nouvelles lignes directrices
D----E : En quête du fil conducteur de son histoire

E---F : Affairé à une modification de trajectoire
F----G : À la recherche d'une sortie prometteuse
G---H : Transfert de champ gravitationnel
H---I : Aux prises avec l'attraction de la planète : R
I----- : ....

3. des manoeuvres de transfert interplanétaire où l'adulte prépare sa sortie de la planète au point F ; il s'affaire ensuite au transfert de champ gravitationnel en passant par les points G et H pour enfin être sur le point d'atterrir sur la planète retraite.

F-----G : À la recherche d'une sortie prometteuse (53-57ans)

G-----H : Transfert de champ gravitationnel (58-62 ans)

H-----I : Aux prises avec la gravité vocationnelle de la planète retraite (63-67 ans).

On pourrait hypothétiquement poursuivre la trajectoire vocationnelle au-delà de 67 ans. Par exemple, il serait possible d'imaginer les étapes suivantes : atterrissages sur la planète retraite (68-72 ans),à la recherche d'un chemin prometteur (73-77 ans), essai de nouvelles lignes directrices (78-82 ans), affairé à une modification de trajectoire (83-87 ans), à la recherche d'une sortie prometteuse (88-92 ans), etc. Mais les résultats de l'étude ne touchent pas les sujets au-delà de 67 ans.

1

Circonvolution pédestre

Une circonvolution pédestre autour de la planète marché du travail signifie pour l'adulte de 23-37 ans des contacts nouveaux ou exploratoires avec les réalités parfois très difficiles du contexte socio-économique. Elle s'effectue durant les premières années de vie occupationnelle et permet à l'adulte de se confronter ou de se mesurer à ce monde économique. Cette circonvolution est l'occasion d'observer et d'analyser de nombreux phénomènes. Elle offre également l'opportunité de s'engager activement dans certaines batailles visant la promotion, l'implantation ou le renouvellement des programmes organisationnels. Grâce à cette exploration directe du marché du travail, l'adulte de 23-37 ans apprend à connaître les liens réels à entretenir avec la hiérarchie (dominés-dominants, pairs, supérieurs, etc.). Il s'affaire à tenir ses connaissances à jour en regard de la nouvelle technologie grâce à l'expérience acquise ou par le biais de l'éducation permanente. Il investit parfois dans la création et le lancement de nouveaux projets et accepte, pour un temps, le jeu de la structure du marché du travail. Il tente de gravir les échelons de la hiérarchie, il vise certains sommets, etc.

Cette circonvolution pédestre comprend trois étapes : l'atterrissage sur la planète marché du travail (23-27 ans) ; la recherche d'un chemin prometteur (28-32 ans) ; aux prises avec une course occupationnelle (33-37 ans).

Atterrissages sur la planète travail (23-27 ans)

La classe des 23-27 ans a suscité plusieurs réactions dans les écrits en sciences humaines (Chickering et Havighurst, 1981 ; Levinson, 1978 ; Super, 1981). Cette période est qualifiée différemment selon la prédominance des propos reliés aux disciplines de la psychologie, de l'économie ou de la sociologie. Ainsi, cet âge est crucial pour le développement personnel, important en regard de la société productive et coloré en termes d'unicité de la nouvelle génération. Les résultats de la recherche triennale indiquent, par ailleurs, que le vécu vocationnel des adultes de cet âge correspond à une période de questionnement portant sur les moyens les plus appropriés d'effectuer sa rentrée ou d'atterrir sur la planète dite « marché du travail ».

En effet, le discours central tenu par l'adulte de 23-27 ans semble vraiment celui d'une personne qui provient d'un autre monde ou d'une autre planète (école ou premiers emplois temporaires) et qui tente d'effectuer des manoeuvres d'atterrissage sur la planète marché du travail. Ce voyageur ou ce nouvel arrivant a comme bagage toute son histoire personnelle (ses valeurs, ses aspirations, son éducation familiale, sa formation scolaire et professionnelle, etc.) ainsi qu'une certaine connaissance indirecte de cette planète où il doit s'établir. Comment pourra-t-il utiliser ce bagage compte tenu de ses exigences personnelles et des impératifs du contexte socio-économique ? Et surtout, comment arrivera-t-il à faire correspondre l'idée qu'il s'était faite de cette planète et sa façon d'y vivre ? Ces deux interrogations centrales sont au coeur même des préoccupations de l'adulte de 23-27 ans et vont se dégager, comme on le verra dans les paragraphes suivants, tout au long de l'expression de son vécu vocationnel.

Il faut tout de suite préciser que la crise économique actuelle, entraînant un chômage important chez les jeunes, a pour effet de retarder leur entrée sur le marché du travail. Il est à préciser que les résultats de la recherche triennale sont extraits d'entrevues auprès d'adultes qui détenaient déjà un emploi. Ce qu'il importe par ailleurs de souligner est que, tout en ayant obtenu un gagne-pain, l'adulte de 23-27 ans se déclare dominé ou envahi par de nombreuses interrogations lors du choix des premiers emplois ou du site dans la zone d'atterrissage. En effet, les 72 sujets interviewés (28 hommes, et 44 femmes ; 23 étant de la classe économiquement défavorisée, 43 de la classe moyenne, 6 de la classe aisée et 22 du secteur para-public) déclarent que les moments de remise en question, en termes de durée et d'intensité, sont plus élevés que les moments de plus grande quiétude. Cette déclaration est valable pour tous les mois ou années vécus au travail. De plus, non seulement les moments de remise en question dominent durant la rétrospective mais leur présence est fortement prévue par les sujets pour au moins les cinq prochaines années.

Quant à la nature de ce questionnement, il consiste surtout en une recherche des moyens les plus adéquats pour pouvoir se poser sur une piste d'atterrissage qui facilitera le plus possible la réalisation de leurs buts occupationnels.

Perception d'un décalage

Une des premières caractéristiques du vécu occupationnel de cet âge est la perception d'un décalage entre l'identité vocationnelle définie sur les bancs de l'école (ou lors de ses différentes activités socio-culturelles ou familiales) et le moi actuel aux prises avec des situations concrètes et typiques du marché du travail. « Cela m'a demandé trois ans pour m'adapter à mon travail... » (N.B. Tout au long des trois premiers chapitres, les guillemets représentent soit des citations complètes ou des extraits de phrases exprimées par les sujets interviewés).

Ce décalage exige plusieurs réaménagements impliquant des alternances plus ou moins fréquentes entre deux états. Les premiers sont caractérisés par des remises en question et les seconds par une plus grande quiétude lorsque des solutions temporaires sont arrêtées. Ainsi 99 % des sujets indiquent avoir effectué la passation d'une zone de remise en question à une zone de plus grande quiétude ou vice versa. Ce pourcentage se distribue comme suit : 5 %, 13 %, 25 %, 24 % et 32 % déclarent avoir effectué respectivement 1, 2, 3, 4 ou 5 fois la passation d'une zone à l'autre.

Par ailleurs, un des premiers effets de la perception de ce décalage est de ressentir une certaine urgence à plier bagage et à effectuer, dans la mesure du possible, des changements de site dans la zone d'atterrissage. L'adulte de 23-27 ans ressent habituellement une grande volonté de donner un sens à sa vie au travail ou une direction vocationnelle correspondant à ses aspirations, ses valeurs et son identité déterminées durant les âges antérieurs. De plus, durant l'exécution des premières tâches occupationnelles, l'adulte de 23-27 ans nourrit toujours de forts doutes sur la pertinence du moyen qu'il a choisi pour atteindre ses finalités. Ainsi cet adulte s'avère constamment soucieux d'identifier d'autres emplois ou alternatives. « Durant la première année, tu te cherches autre chose en même temps... on se demande si on est à notre place ou si on doit changer... on ne sait plus quelle direction prendre ».

L'adulte de 23-27 ans semble donc s'interroger fréquemment pour arriver à découvrir de nouvelles pistes d'atterrissage plus adéquates. Selon que les expériences sont heureuses ou malheureuses, la fréquence et l'intensité des remises en question varient. « Lorsque tu commences, tu as énormément de choses à apprendre... ça peut entraîner des périodes de découragement... ce qui t'amène à te poser beaucoup de questions... » Cette alternance entre des périodes de questionnement et des moments plus calmes semble parfois être perçue comme un signe de développement vocationnel. « Il faut se poser beaucoup de questions pour évoluer ».

Il est important de noter que ces nouveaux éléments, émergeant de son expérience occupationnelle, n'amènent pas nécessairement l'adulte à douter de la pertinence de ses finalités vocationnelles préétablies. Il semble s'imposer un moratoire à cet égard ; ses énergies semblent plutôt canalisées en vue de la concrétisation de ses objectifs déterminés avant l'entrée sur le marché du travail. Cet adulte semble juger que ce n'est pas le temps de réaménager son identité vocationnelle à la lumière des nouveaux événements ; c'est plutôt le moment de tenter plusieurs essais d'application. Par exemple, certains adultes prétendent qu'ils ont suffisamment traîné sur les bancs d'école et qu'ils vivent une période où « il faut se retrousser les manches ».

Minimisation des effets négatifs d'apprentissage

L'adulte de 23-27 ans a hâte de dénicher l'emploi idéal qui lui permettra de réaliser ses finalités vocationnelles préétablies. Cette hâte est évidemment vécue avec un espoir mitigé compte tenu d'un contexte socio-économique souvent difficile. Durant cette attente, cet adulte cherche à minimiser les effets négatifs des premières manoeuvres plus ou moins pertinentes ou réussies. Car malgré la complexité du marché du travail, il considère souvent ces déplacements comme des signes d'échecs causés par une certaine instabilité personnelle. Ainsi, il insiste régulièrement pour prévenir que les premiers emplois ne sont pas nécessairement le reflet de sa réelle identité vocationnelle. Par exemple, un sujet croit très important de faire saisir à son entourage que l'emploi qu'il occupe présentement ne lui sert que de tremplin ou de soutien économique permettant d'accéder à autre chose (études, voyages, thérapie, etc.). « J'en ai besoin de ma permanence d'emploi pour pouvoir faire autre chose... peut-être lorsque je me serai retrouvé moi-même, cette permanence-là sera de trop... » Ainsi, l'adulte de 23-27 ans est inquiet de l'impact créé par ses premières actions professionnelles et il semble conscient que ses premiers emplois s'avéreront implacablement les bases de son identité vocationnelle en tant que nouveau citoyen de la planète travail.

Perception du présent en regard du futur

Tout au long de ces manoeuvres d'atterrissage, l'adulte de 23-27 ans cherche à se laisser guider par ses aspirations idéales. Ces dernières semblent s'avérer des méta-finalités, c'est-à-dire des buts absolus, inébranlables ou éternels. Pour lui, la perception du présent est surtout reliée au futur à construire. Cet adulte a en tête un rêve ou une vision de son futur vocationnel qui peut se traduire de différentes manières : ce peut être gagner un prix Nobel, contribuer de quelque façon au bien-être de l'humanité, fonder une compagnie florissante, etc. Cet adulte semble alors avoir une grande tolérance pour sélectionner son emploi optimal : « Je vais travailler beaucoup pour trouver ce que je désire... ». De plus, l'adulte de 23-27 ans est assuré qu'il est effectivement en pleine exploration et il se sent guidé vers un site toujours plus idéal à l'intérieur de la zone d'atterrissage. « Je suis toujours à la recherche du meilleur emploi, dans des conditions meilleures et avec un salaire meilleur... » En cela l'adulte de 23-27 ans semble croire qu'il se dirigera, au cours des prochaines années, vers un point culminant qui lui serait presque dû ou garanti. Cette assurance d'atteindre un sommet occupationnel prochain l'incite donc à canaliser l'essentiel de ses énergies sur ce point. Il définit alors son présent occupationnel presque strictement en fonction de cette « terre promise ». Il a tendance à se décrire comme étant, aujourd'hui, inférieur ou en état d'incomplétude par rapport à ce sommet. Il ne semble pas considérer son vécu actuel comme ayant, en soi, un rôle spécifique et essentiel à jouer, indépendamment de cette direction vers un idéal. De plus, le besoin de minimiser les effets négatifs de ses premiers atterrissages semble dénoter que l'adulte de 23-27 ans prévoit la manifestation de sa réelle identité seulement au moment de la réalisation de ce futur point optimal. Et les seules preuves valables de cette identité, étant absentes dans l'immédiat, apparaîtraient vers le milieu ou la fin de la trentaine lors de l'obtention d'emplois prestigieux.

Vulnérabilité à l'égard de l'opinion d'autrui

Tout au long de ces essais d'atterrissage, l'adulte de 23-27 ans semble très vulnérable à l'opinion d'autrui. « Tu ne peux être sûr de toi, au début, tu commences... » Tout en étant convaincu d'être un citoyen productif et économiquement indépendant, l'adulte de cet âge semble peu connaître ses compétences ou ses habiletés sur le plan concret ni ses intérêts en termes opérationnels. Il se retrouve donc momentanément en attente de preuves de sa réelle identité vocationnelle. Cette expectative donne prépondérance à l'évaluation de personnes significatives (tels les parents, les patrons et collègues, etc.) vis-à-vis sa propre estimation. Par exemple, le rôle des parents est encore très important à cet âge, ne serait-ce que pour permettre à l'adulte de 23-27 ans de leur prouver sa compétence comme adulte travailleur ayant réussi à se tailler une place sur le marché du travail et à subvenir à ses besoins. De plus, cet adulte accorde une importance parfois démesurée aux patrons et aux collègues. Il confère un caractère presque magique aux effets d'un bon climat de travail et d'une interrelation positive avec le patron ; cet adulte semble croire que ces deux facteurs seront en quelque sorte les grands responsables de son développement vocationnel. De plus, les réactions des patrons et collègues ont souvent un impact surprise ; leurs critiques ou commentaires relatifs à ses manières d'effectuer les tâches laissent souvent cet adulte bouche bée. « Quand on commence, il faut apprendre des choses comme ça, sur le champ, et cela donne un choc... » D'ailleurs, c'est souvent l'évaluation d'autrui qui accentue la perception d'un décalage entre l'identité vocationnelle préétablie et la concrétisation de cette identité dans les tâches quotidiennes du travail. De plus, l'adulte de 23-27 ans tient à souligner qu'il y a souvent une incohérence flagrante entre l'évaluation de sa compétence par les responsables de leur formation (professeurs) et celle des gens en milieu de travail (patrons). Concernant cette évaluation d'autrui, les réactions de l'adulte de 23-27 ans sont diverses. Généralement, elles vont, comme on l'a souligné dans les pages précédentes, dans le sens d'une recherche de nouvelles pistes d'atterrissage. « J'ai voulu démissionner trois fois dans la même année... » Parfois, les réactions revêtent l'aspect d'une acceptation passive et même désabusée. « Je ne demande pourtant pas grand-chose... » Dans d'autres occasions, un sentiment d'insécurité semble devenir plus envahissant. « L'année dernière, j'avais rêvé d'aller voir ailleurs mais j'ai très peur d'y aller... » À d'autres moments, l'évaluation d'autrui semble intimider l'adulte de 23-27 ans. Alors il n'ose prendre d'initiatives et attend que les patrons ou collègues lui donnent l'opportunité de pouvoir enfin démontrer ses réelles compétences. Dans l'attente cet adulte piétine sur place et ressent parfois une vive colère. « Je suis très agressive parce qu'on ne me donne pas de responsabilités au travail... » Quelquefois les réactions à l'évaluation d'autrui peuvent stimuler la planification d'une carrière chargée et dynamique. « Je vis une période où je veux me prendre en main professionnellement... je vais travailler beaucoup pour avoir les résultats que je désire... »

Les pilotes-exceptions

Certains adultes de 23-27 ans doivent être décrits comme des pilotes-exceptions (environ 15 %) et ils correspondent globalement au vécu vocationnel des 23-27 ans. Leur discours central est vraiment celui d'une personne qui provient d'un autre monde et qui effectue des manoeuvres d'atterrissage sur la planète travail. Cependant il faut noter certaines nuances qui permettent de différencier ces pilotes-exceptions de la majorité.

Soulignons tout d'abord que ces adultes conservent toute la maîtrise d'eux-mêmes lorsqu'ils doivent affronter le problème du décalage entre l'identité vocationnelle préétablie et celle du nouveau citoyen de la planète travail. Malgré le choc créé par cet écart, ils ont plutôt tendance à tenir compte de ces nouveaux éléments d'information auxquels ils sont confrontés. Cette situation entraîne ces adultes à se questionner d'une façon différente et toujours plus avertie afin d'envisager plus adéquatement la recherche des moyens les plus pertinents qui leur permettront de concrétiser cette identité vocationnelle préétablie.

De plus, les pilotes-exceptions ressentent, à un degré moins intense, la nécessité de minimiser les effets négatifs de leurs manoeuvres d'atterrissage car pour eux, tout essai a sa valeur en soi. Ils ne conçoivent pas que leur identité vocationnelle soit déjà fixée ou stabilisée dès les premières situations occupationnelles. Ils ont une estime d'eux-mêmes suffisamment élevée pour reconnaître qu'une expérience est importante dès qu'elle est vécue pour apprendre ou en retirer quelque chose. Ils perçoivent déjà que ces essais seront multiples et nécessaires tout au cours de leur vie occupationnelle. Ils surtout que leur développement sera toujours en progression, tout au long des années au travail.

Les pilotes-exceptions accordent également une grande importance à leur vie vocationnelle à venir mais ils ne manifestent pas pour autant une certaine tendance à sous-estimer la valeur de leurs actions actuelles. Ils évitent ainsi le piège de vivre leur présent au futur. Ces pilotes-exceptions semblent près de la réalité quotidienne du marché du travail ; sans nier l'importance de la prospective, ils tiennent davantage compte du présent en tant qu'élément essentiel pour un futur toujours meilleur.

Images du vécu vocationnel

L'image du vécu vocationnel semble double ; il y en a une qui correspond à la majorité des adultes de 23-27 ans et l'autre aux pilotes-exceptions. Cette double image est apparue plus évidente en considérant les différences des deux groupes sur les aspects suivants : perception du présent en regard du futur et minimisation des effets négatifs des premières manoeuvres d'atterrissage. La majorité des adultes de 23-27 ans semblent surtout se définir en fonction du futur alors que les pilotes-exceptions semblent davantage respecter la spécificité de leurs activités quotidiennes et la valeur positive des premiers essais ou choix d'un site d'atterrissage. Pour leur part, la majorité des adultes de ce groupe semblent donc avoir adopté une image de leur vécu vocationnel qui s'apparente à celle de la courbe de croissance biologique. Il faut noter que cette dernière se veut ascendante jusque vers 35 ans, en état de stabilité relative entre 35 et 55 ans et déclinante par la suite. Ainsi la majorité des adultes de 23-27 ans semblent concevoir leur vécu vocationnel comme étant actuellement sur une pente montante jusqu'à l'atteinte probable d'un point culminant d'ici les prochaines années. Parmi l'ensemble des propos cités antérieurement, différents indices indiquent que cette image du vécu vocationnel est véhiculée par l'adulte de 23-27 ans. Ces indices peuvent se résumer ainsi : 1. la perception du présent en fonction d'un futur à construire, où l'individu vit davantage en fonction de ses rêves au détriment de son développement vocationnel actuel ; 2. la perception d'un point optimal assuré où l'individu de 23-27 ans se définit par rapport à ce sommet comme étant moindre ou en état d'incomplétude ; 3. l'omission de considérer son vécu actuel comme ayant un rôle spécifique et essentiel à jouer dans le développement vocationnel de la période adulte ; 4. la minimisation des effets négatifs où l'adulte se sent obligé d'indiquer que ses premiers emplois ne doivent pas être compris comme le reflet de sa réelle identité vocationnelle, cette dernière ne pouvant vraiment se manifester qu'au moment de l'atteinte du point optimal.

Par ailleurs, l'image du vécu vocationnel véhiculée par les pilotes-exceptions ne semble pas correspondre à celle de la courbe de croissance biologique. Cette représentation visuelle ressemble plutôt à une trajectoire continue où chaque étape est essentielle, spécifique et revêt une importance égale pour l'évolution occupationnelle à réaliser. Ceux-ci perçoivent la période présente comme un tout unique qui a sa valeur, sa spécificité et ses critères particuliers d'évaluation.

Devant cette double image du vécu vocationnel des adultes de 23-27 ans, peut-on parler d'un prix à payer pour ceux qui optent pour une visualisation de leur développement basée directement sur la courbe de croissance biologique ? Si oui, ce prix serait-il le suivant ? 1. Se définir en attente d'un point culminant supposément garanti par le Père Noël ou autre personnage fabuleux ; 2. rêver d'une performance et d'une actualisation futures tout en oubliant de réaliser son présent ; 3. être moins affairé à déceler la spécificité du développement typique à son âge et à y investir ses énergies en conséquence ; 4. se définir dans un état amoindri en regard du point optimal hypothétique de 35 ans et donc être plus vulnérable à l'évaluation d'autrui ; 5. avoir l'impression de ne pouvoir ressentir un certain épanouissement vocationnel dans l'immédiat.

Discours vocationnel relié à l'apprentissage

Au sein du discours vocationnel des adultes de cet âge, les propos reliés à l'apprentissage sont fort nombreux et divers. Ils se rattachent évidemment à l'une ou l'autre des caractéristiques majeures du vécu vocationnel typiques à leur âge (dont on a fait mention dans les pages précédentes).

Durant ses atterrissages sur la planète travail, l'adulte de 23-27 ans insiste tout d'abord sur les différences gigantesques entre les apprentissages réalisés à l'école et ceux requis pour la pratique d'un métier ou d'une profession. « C'est différent, c'est épouvantable... quand on commence, on ne sait rien... » Cet adulte est alors envahi par de nombreuses interrogations qui lui indiquent la somme fabuleuse d'apprentissages qu'il doit assimiler. Il considère que la première année au travail est une période de formation encore plus intense qu'à l'école. De plus, il se sent obligé d'apprendre très rapidement et d'une façon très dirigée car il se sent très vulnérable et soumis à l'opinion d'autrui. « Que tu le veuilles ou non, il faut que tu apprennes selon les directives exactes du patron... » Cet adulte verbalise parfois sa grande crainte de ne jamais pouvoir emmagasiner le bagage de connaissances de ses aînés. Enfin ce décalage entre les apprentissages réalisés et requis amène l'adulte de 23-27 ans à souligner l'évolution de ses sentiments face à l'éducation. Il indique souvent qu'il avait hâte d'en finir avec l'école mais que maintenant le désir de se perfectionner apparaît plus impératif.

Par ailleurs, cette différence entre les apprentissages réalisés et requis fait rapidement découvrir à l'adulte de 23-27 ans que le marché du travail est tout comme l'école, un milieu d'acquisition de connaissances et de compétences. Il est alors très déçu lorsque ses premiers emplois ne s'avèrent pas enrichissants car il croit fermement qu'il a un point culminant à atteindre. Il croit qu'il faut non seulement accepter, mais souhaiter, l'apprentissage d'éléments toujours nouveaux. De plus, cet adulte conçoit déjà la mobilité occupationnelle comme étant la clé de la réalisation de nombreux apprentissages.

Parfois, l'adulte de 23-27 ans exprime avec conviction que les activités éducatives ne l'attireront jamais car elles ont toujours été sans intérêt : « Je n'aime pas étudier... je préfère rester ce que je suis... c'est-à-dire être au chômage comme tout le monde... j'aurais été un chômeur instruit, rien de plus... » Par ailleurs, les pilotes-exceptions sont déjà inscrits dans une démarche d'éducation permanente : « Je suis consciente que je devrai toujours me perfectionner... » Cet adulte ressent un vif intérêt pour l'éducation des adultes. Parfois, il y est déjà très engagé : « J'étudie constamment aux cours du soir... » La planification de sa carrière ou les impératifs de son métier l'incitent à s'inscrire dans des activités d'éducation. « Je dois me perfectionner, c'est obligatoire dans mon métier... » Ces démarches semblent actuellement plus accessibles alors que les rôles familiaux ou parentaux ne sont pas encore très exigeants.

Résumé

Le discours central de l'adulte de 23-27 ans a trait aux atterrissages sur la planète du marché du travail. Cet adulte est un nouvel arrivant ayant pour bagage toute son histoire personnelle (valeurs, aspirations, éducation familiale et formation professionnelle, etc.). Il vit un plus ou moins grand choc devant la perception du décalage entre son identité vocationnelle préétablie et la concrétisation de cette

identité en tant que nouveau citoyen de la planète travail. Ce décalage l'amène à vivre de nombreuses remises en question et à ressentir parfois l'urgence de plier bagage et de transférer vers d'autres
sites. L'adulte de 23-27 ans cherche à minimiser les effets négatifs
de ces manoeuvres d'atterrissage plus ou moins réussies car souvent
il considère ces déplacements comme des signes d'échecs causés surtout par une instabilité personnelle. Il ressent également une grande
différence entre les acquis réalisés à l'école et ceux requis au travail.
Il est surpris de constater que l'apprentissage est une réalité souvent
prépondérante ou même obligatoire sur le marché du travail. Tout
au long de ses déplacements, il cherche à continuer à se laisser guider
par ses aspirations idéales ou par ses rêves. Il n'est pas question pour
l'instant de réviser les finalités vocationnelles préétablies ; il s'interroge surtout sur les moyens de les réaliser. Différemment des pilotes-
exceptions, il se définit actuellement sur une pente ascendante où
même la perception du présent est envahie par celle du futur.

À la recherche d'un chemin prometteur (28-32 ans)

En général, les diverses disciplines des sciences humaines offrent
peu de données relatives aux caractéristiques vocationnelles des
adultes de 28-32 ans. Par ailleurs, certains domaines d'application
professionnelle ont été moins discrets à leur égard. Ainsi la gestion du personnel considère la période de 28-32 ans comme étant
l'âge du *mentee*, c'est-à-dire une étape de vie où l'adulte s'associe à
un praticien expérimenté et un peu plus âgé qui lui sert de guide,
de maître et de mentor (Schein, 1978). De plus l'éducation des adultes s'est largement intéressée à cette clientèle majoritaire dans le but
de connaître davantage ses besoins, intérêts et aspirations en termes
de formation et de perfectionnement (Weathersby, 1980 ; CEFA,
1982). Les travaux de Dominicé et Fallet (1981) et de Fallet (1983)
en sont un exemple très riche. Pour sa part, la recherche triennale
a voulu contribuer à faire ressortir la spécificité du vécu vocationnel
des adultes de 28-32 ans. Ainsi, les résultats indiquent que le vécu
vocationnel des adultes de cet âge correspond à une période de questionnement portant sur les finalités de leur vie personnelle et vocationnelle. Essentiellement les 89 sujets interviewés (dont 45 hommes
et 44 femmes ; 20 de la classe économiquement défavorisée, 44
de la classe moyenne et 25 de la classe aisée ; 23 du secteur privé,
40 du secteur public et 26 du secteur para-public) s'interrogent sur
leurs buts vocationnels et sur la possibilité de trouver un chemin

prometteur leur permettant de se réaliser dans un secteur de pointe. L'adulte se demande : quelles sont mes aspirations, mes capacités et mes compétences qui m'habiliteraient à accéder à ce chemin prometteur ?

L'adulte de cet âge vit un phénomène de préhension des multiples réalités du marché du travail et de ses règles internes (jeux de coulisses, avenues ouvertes ou fermées, circonstances favorisantes ou atténuantes, climat socio-politique, etc.). Il cherche maintenant à découvrir, à détecter ou à cerner comment il peut réussir à tirer son épingle du jeu dans cette jungle qu'est le marché du travail. Il essaie d'identifier dans quel champ d'activités il serait le plus compétent et le plus habile afin de concilier le mieux possible ses capacités et les emplois qui s'offrent à lui. Ainsi, l'adulte de 28-32 ans est surtout préoccupé à déterminer des buts occupationnels qui mettraient à profit son originalité et son unicité dans le contexte socio-économique actuel. Ces buts devraient également lui permettre d'être sur la voie d'une performance maximale, ou encore à la recherche d'un chemin vocationnel prometteur.

Cette préoccupation soulève, pour l'adulte de 28-32 ans, toute la question de la finalité rattachée à son identité vocationnelle. Une telle question relative à une redéfinition de ses finalités entraîne généralement des propos ambigus et confus par rapport à ceux traitant des moyens de concrétiser des buts déjà circonscrits. Il semble relativement facile d'exprimer des interrogations pertinentes sur les derniers propos alors que les premiers apparaissent complexes. De plus, ce type de remises en question reliées à une redéfinition de ses finalités vocationnelles semble très peu toléré socialement. L'adulte de 28-32 ans se dit souvent stressé vis-à-vis des exigences parfois très impératives de la société voulant qu'un individu se « branche » ou se case vite et bien. Cet adulte semble assuré que les remises en question fondamentales semblent bel et bien être perçues par la collectivité comme des pertes de temps caractéristiques des indécis, des instables et des éternels frustrés.

Ainsi, l'adulte de 28-32 ans semble avoir de nombreuses et sérieuses interrogations à résoudre. Cela expliquerait peut-être le fait que les sujets de l'échantillon déclarent (tout comme ceux de la strate précédente) que les moments de remise en question, en termes de durée et d'intensité, sont plus élevés que les moments de plus grande quiétude concernant les cinq dernières années vécues au travail et durant l'année en cours. De plus, non seulement les moments de remise en question dominent durant la rétrospective mais on anticipe fortement leur présence pour au moins les cinq prochaines années.

Quant à la nature des remises en question relatives à cet âge, elle est surtout reliée à des méta-finalités, c'est-à-dire à des buts vocationnels fondamentaux ayant une répercussion majeure sur l'orientation générale de la vie occupationnelle. Cela exige, en un premier temps, que l'adulte de 28-32 ans réalise une synthèse de son identité vocationnelle. Cette synthèse serait le résultat de l'interaction des divers éléments auxquels il est confronté ; ces éléments sont, par exemple, les premières expériences de travail, les réactions des personnes significatives, l'auto-évaluation, etc. En un deuxième temps, ces remises en question demandent d'identifier ou de déceler le chemin le plus prometteur en vue d'atteindre un développement vocationnel accéléré.

Interrogations sur sa valeur réelle

Simultanément à l'évaluation de ses capacités spécifiques, l'adulte de 28-32 ans s'affaire à identifier ses limites et procède ainsi à la circonscription de son identité vocationnelle. Il veut détecter la voie le menant à l'exploitation de sa performance maximale en tenant compte de sa valeur la plus réelle possible. Par exemple, plusieurs adultes disent qu'ils ne « deviendront jamais président car ils ont commencé trop au bas de l'échelle ». D'ailleurs, lorsque l'adulte estime ses chances d'accéder à un chemin prometteur, il est généralement pessimiste. Cette évaluation se fait selon une certaine inquiétude en regard de ses réelles capacités ; parfois, il se manifeste une prise de conscience très stressante,surtout lorsqu'il est devant le pénible constat « d'une efficacité qui va déjà en diminuant ».

Ces interrogations sur sa valeur réelle amène l'adulte de 28-32 ans à rechercher fébrilement une reconnaissance sociale. Avant tout, il semble tenir à manifester et à faire reconnaître sa performance occupationnelle maximale par des personnes significatives, tels les collègues, les supérieurs immédiats et hiérarchiques, la famille, les amis, etc. Cet adulte fait souvent remarquer que « ce n'est pas important qu'on se sente bon en dedans de soi, mais il faut que l'on soit perçu comme compétent » ; « lorsqu'on a fait sa place, on a moins à se battre ; les gens savent qu'on est aussi capable qu'eux ».

Prépondérance des capacités sur les intérêts

Étant donné que l'adulte de 28-32 ans cherche à détecter le chemin le plus adéquat où il pourrait faire valoir son identité vocationnelle unique, il s'ensuit une certaine prépondérance de la préoccupation de ses capacités et compétences sur celle de ses intérêts. En effet, il semble que l'adulte de 28-32 ans, soucieux d'être sur la voie de sa propre performance maximale, essaie d'abord de développer ses habiletés avant même l'actualisation de ses préférences occupationnelles. Ainsi, il se sent parfois poussé à vouloir activer d'autres aspects du moi vocationnel afin d'identifier prioritairement des aptitudes ou des forces insoupçonnées ou nouvelles. L'exploration de l'évolution de ses intérêts apparaît une opération secondaire et nettement moins urgente. Cette activation des aspects inexploités du moi situerait alors cet adulte sur d'autres avenues possibles de son développement vocationnel car « il ne se sent pas à la limite de ses capacités », ni « au bout de ses compétences ».

Cette prépondérance des capacités et compétences sur les intérêts exige donc plusieurs réaménagements. Cela implique la présence d'alternances, plus ou moins fréquentes, entre des moments caractérisés par des remises en question et d'autres périodes marquées par une plus grande quiétude. Ainsi, 98 % des sujets de l'échantillon indiquent avoir effectué la passation d'une zone de remise en question à une zone de plus grande quiétude ou vice versa. Ce pourcentage se distribue comme suit : 4 %, 24 %, 26 %, 27 % et 17 % déclarent avoir effectué cette passation avec une fréquence respectivement simple, double, triple, quadruple ou quintuple.

De plus, la recherche d'un chemin vocationnel prometteur est parfois vécue avec une certaine impatience, exigeant de procéder dans des délais assez brefs et relativement précis. L'adulte de 28-32 ans se trace généralement un calendrier ou un cheminement critique. « Il faut que je me branche d'ici deux ans ». « D'ici un an, je prendrai mon avenir en charge ». Cette exigence va jusqu'aux ultimatums : « Si l'an prochain je n'ai pas eu de promotion, je serai malheureux ». Cette précipitation se manifeste également par une avidité de jeter toutes ses énergies dans la mêlée ou par une hâte de mettre pleins feux sur ce chemin prometteur qu'il espère trouver incessamment. Comme on l'a déjà signalé, ce chemin lui apparaît comme étant la clé qui lui permettra l'exploitation de sa performance maximale. Parfois l'adulte de 28-32 ans espère « mourir au sommet de sa gloire » ; souvent, il tient à « donner un excellent rendement dans tout ce qu'il fait » ou à « fournir toujours plus que ce qui est demandé ».

La recherche de ce chemin prometteur crée également l'impression d'avoir gaspillé du temps lors des années antérieures. Selon le verdict de l'adulte de 28-32 ans, ses énergies passées n'étaient pas déployées d'une manière suffisamment intense ou orientées de façon assez précise. Cette critique des années antérieures se verbalise, par exemple, comme suit : « Je n'utilisais pas mon esprit créateur au travail » ; « j'étais au travail, sans y être vraiment » ; « je me laissais aller au gré de ce qui se passait, je laissais les autres me diriger ».

Par ailleurs, cette recherche d'un chemin prometteur s'accompagne de l'accentuation des rôles sociaux, surtout familiaux. La présence d'enfants, et la responsabilité économique qui en découle, viennent s'ajouter à la double complexité d'identifier et de développer ses capacités et compétences pour se situer sur la route le menant à sa performance maximale. Selon des modalités différentes, l'adulte de 28-32 ans se plaint généralement de la difficulté de « planifier une carrière avec une famille » ou de « concilier la famille et le travail ».

Les chercheurs-exceptions

Certains adultes de 28-32 ans doivent être décrits comme des chercheurs-exceptions (environ 15 %) dans leur recherche d'un chemin vocationnel prometteur. Ils correspondent globalement au vécu vocationnel des 28-32 ans ; en effet, leur discours central est vraiment celui d'une personne qui est à la recherche d'un chemin prometteur et qui est aux prises avec un questionnement portant sur les finalités de son développement vocationnel. Mais quelques nuances viennent différencier ces chercheurs-exceptions des autres adultes de 28-32 ans.

Tout d'abord, ces derniers semblent éviter le piège de la prépondérance des capacités et des compétences sur les intérêts. Lorsqu'ils s'affairent à l'actualisation de leurs habiletés, ils ne négligent pas pour autant leurs préférences occupationnelles. De plus, ces derniers se sentent moins pressés de mettre pleins feux lorsque leur chemin prometteur sera trouvé. Cette recherche est moins vécue comme une attente mais plutôt comme une période très intense et spécifique en soi. Quant au phénomène de l'accentuation des rôles sociaux, les chercheurs-exceptions tentent des compromis afin de ne retenir que l'essentiel des exigences prescrites par la collectivité. Ils peuvent ainsi se réserver une portion de temps ou un « espace » vocationnel suffisant ; par là, ils se donnent des conditions plus favorables de développement.

Par ailleurs, ces chercheurs-exceptions procèdent à l'investigation de leur chemin prometteur par des démarches mieux articulées, plus confiantes et actives. Ces derniers semblent s'aider d'une auto-évaluation positive de leurs forces et du pouvoir de leurs gestes dans l'avenir. L'impression de temps perdu dans les années antérieures ne semble pas les contrarier ; au contraire, cela leur sert d'expérience pour mieux optimaliser leurs actions en regard des objectifs personnels totaux. Les ultimatums ne sont pas basés uniquement sur l'attente des interventions du milieu (par exemple, attente d'une promotion) ; ces objectifs, fixés sur calendrier, sont surtout basés sur l'évaluation de leurs propres initiatives et sont vécus comme des priorités élevées mais réalistes. En cela, les chercheurs-exceptions espèrent un chemin prometteur les menant sur la voie de leur performance non pas maximale mais optimale. Enfin, leur développement est moins conçu en regard d'une reconnaissance sociale mais plutôt en fonction d'une promotion personnelle qu'ils réalisent au moyen de leurs propres critères originaux de performance. Ainsi lorsque ces chercheurs-exceptions se prescrivent des activités visant l'exploitation de leurs capacités et compétences, ils le font en vue d'augmenter leur estime de soi ou encore pour être davantage disponibles à des avenues plus nombreuses et plus variées d'actualisation de soi.

Images du vécu vocationnel

Tout comme dans la strate précédente, l'image du vécu vocationnel semble double ; il y en a une qui correspond à l'ensemble des adultes de 28-32 ans et l'autre aux chercheurs-exceptionns.

La première image s'apparente à un vécu vocationnel qui suivra au fil des âges une courbe sensiblement parallèle à celle de la croissance biologique. La majorité des sujets de 28-32 ans semblent croire que le développement vocationnel est sur une pente ascendante jusque vers 35 ans, qu'il se maintiendra sensiblement au même niveau de 35 à 55 ans et qu'il subira un déclin par la suite. Les indices qui laissent croire que cette image est véhiculée par les 28-32 ans peuvent se résumer de la façon suivante : 1. recherche d'un chemin vocationnel prometteur facilitant la réalisation de sa performance maximale et non optimale ; cette investigation d'un maximum versus un optimum est habituellement le signe d'une perception d'un sommet à atteindre dans un avenir rapproché ; 2. besoin que cette performance éventuelle soit appréciée socialement sans quoi l'adulte craint de se définir ou de se classer comme un piètre performant pour le reste de sa vie au travail ; cette crainte semble nourrie par une conception de la présence d'un sommet occupationnel situé à un moment relativement déterminé dans la vie de l'individu et au-delà duquel il est impossible, ou du moins très difficile, de se faire valoir ;

3. établissement d'un calendrier précis de cette reconnaissance sociale qui semble s'avérer un cheminement critique dont le résultat ultime serait l'approche d'un certain summum vers 35 ans.

Ce sont là autant d'indices qui laissent croire que l'adulte de 28-32 ans entrevoit l'atteinte d'un sommet vocationnel, apparaissant sensiblement au même moment que celui de sa croissance biologique. Tout comme les sujets-exceptions de la strate précédente, les chercheurs-exceptions ont une image différente de leur vécu vocationnel adulte. Cette image est celle d'une trajectoire continue où chaque étape est essentielle, spécifique et d'une importance égale pour l'évolution occupationnelle à réaliser. Ces chercheurs-exceptions semblent échapper à l'adoption de cette conception d'un développement basé directement sur la courbe de croissance biologique. Ils perçoivent la présente période qu'ils traversent comme un tout unique en soi qui a sa valeur, sa spécificité et ses critères particuliers d'évaluation.

Peut-on parler d'un prix à payer pour ceux qui adhèrent à cette façon de voir leur développement basée directement sur la courbe de croissance biologique? Ce prix à payer serait-il le suivant? 1. Boycotter ses intérêts et même ses finalités vocationnelles pour exploiter d'une façon maximale ses capacités et compétences lui permettant de se situer sur un chemin vocationnel prometteur; 2. se définir en fonction d'un point culminant éventuel tout en négligeant son évolution vocationnelle présente; 3. être à la recherche d'un chemin prometteur qui pourrait s'avérer un mirage vocationnel; 4. limiter la recherche de ce chemin au profit d'une planification à court terme (sommet des 35 ans) plutôt que d'inclure dans cette investigation la perspective de l'ensemble de sa vie au travail?

Discours vocationnel relié à l'apprentissage

La recherche d'un chemin vocationnel prometteur pouvant mener l'adulte de 28-32 ans à la réalisation d'une performance maximale s'accompagne généralement d'un fort besoin d'apprendre. En effet, pour cet adulte, « un emploi est intéressant aussi longtemps qu'on apprend ». Le « perfectionnement le préoccupe et le rend heureux au travail ». Cette nécessité d'étudier risque même de devenir une « obsession continue ». Cette avidité de savoir et de parfaire sa formation est parfois identifiée comme un désir de répondre à une pression sociale concernant l'obligation, explicite ou tacite, de se

perfectionner. « Il faut se recycler... les patrons le demandent constamment et il faut leur répondre ». « On ne peut pas parler d'avancement sans perfectionnement ».

Située dans cette perspective, l'éducation permanente se définit
souvent comme une réalité qui se voudrait à la fois quotidienne et
fondamentale. Tout en étant peu accessible, ce phénomène est tout
de même décrit en des termes élogieux. L'éducation des adultes est
perçue comme un moyen privilégié d'apprendre d'une façon intense
et de relever un type valorisant de défis. De plus, devant la prépondérance accordée par l'adulte de 28-32 ans aux capacités et compétences, l'éducation des adultes apparaît en soi comme une heureuse formule pour développer les habiletés nécessaires permettant de se
situer dans un secteur de pointe. Dans la recherche d'une reconnaissance sociale de sa performance, l'éducation des adultes se révèle un
moyen avantageux de faire reconnaître sa performance sociale. En
effet, l'obtention d'un diplôme se présente souvent comme une forme
de promotion recherchée, non pas par des patrons immédiats ou hiérarchiques du marché du travail, mais par les patrons académiques
que sont les professeurs ou les administrateurs des programmes
institutionnalisés.

De plus, l'éducation des adultes apparaît comme un médium privilégié pour satisfaire, à plus ou moins long terme, leur hâte de mettre
pleins feux et de se fixer des ultimatums précis. La comptabilisation
des crédits ou l'attestation d'études s'avèrent parfois un calendrier
ayant moins d'imprévus que celui des événements anticipés sur le
marché du travail.

Les chercheurs-exceptions insistent pour que leurs activités d'apprentissage soient davantage reliées à leurs aspirations personnelles et moins influencées par les pressions sociales. Ils semblent
plus intéressés à un système d'apprentissage individualisé et surtout
plus enclins à l'autodidaxie. Leur besoin d'apprendre est souvent
associé à une soif d'atteindre des objectifs ambitieux permettant de
vérifier les capacités et compétences nécessaires à la découverte
d'un chemin vocationnel prometteur. Ces chercheurs-exceptions
se disent « à la recherche de promotion dans le sens de renouveau,
de défis ». Cette volonté de réaliser des ambitions se présente parfois
d'une façon très marquée : « la journée où je n'ai plus rien à me prouver, je me cherche un autre emploi ». Certains propos illustrent bien
ce goût du défi : « Dans le travail, s'il y a moyen de prendre une
orientation différente, tu donnes le coup et tu essaies de passer
pour te prouver à toi-même que tu es capable ; c'est valorisant les
défis ».

Résumé

L'adulte de 28-32 ans est essentiellement à la recherche d'un chemin prometteur. Il s'interroge sur ses buts vocationnels et sur l'identification de ses capacités et compétences qui lui permettront de réaliser un développement vocationnel accéléré. Il vit un phénomène de préhension des multiples réalités du marché du travail et de ses règles internes (jeux de coulisses, climat socio-politique, etc). Il cherche maintenant à cerner comment il peut réussir à tirer son épingle du jeu dans cette jungle qu'est le marché du travail. Il s'impose des ultimatums pour y parvenir et a hâte de mettre pleins feux. Il est en quête d'une reconnaissance sociale et il essaie d'identifier en quoi il serait le plus compétent ou le plus habile pour réussir avec opportunisme des adéquations entre ses forces et un certain corps d'emplois. L'adulte de 28-32 ans est ainsi préoccupé à détecter des buts occupationnels qui mettraient à profit son originalité et son unicité dans le contexte socio-économique et ce, malgré l'accentuation des rôles sociaux et surtout familiaux. Ces buts occupationnels devraient lui permettre d'être sur la voie d'une performance maximale ou à la recherche d'un chemin vocationnel prometteur. Dans cette perspective, l'éducation des adultes apparaît souvent comme un moyen d'y parvenir.

Aux prises avec une course occupationnelle (33-37 ans)

Les écrits relatifs au vécu vocationnel des adultes de 33-37 ans ont souvent souligné l'aspect exaltant, voire même légendaire, du rendement typique à cet âge et ce, dans les divers domaines. Par exemple, on relate que les plus créatifs ont effectué leurs travaux originaux au milieu de la trentaine (Stein, 1968). Les organismes tiennent à déceler les « princes héritiers » (c'est-à-dire les futurs piliers ou dirigeants des petites ou grosses organisations) lorsque ces derniers ont environ 35 ans (Schein, 1978 ; Jago, 1982). Une opinion généralement véhiculée veut que le rendement optimal du travailleur se situe également autour du même âge (Cherniss, 1980 ; Levinson, 1978 ; etc.). De plus, malgré de récentes controverses sur le plan cognitif (Labouvie-Vief et Chandler, 1978 ; Nunnally, 1982), l'avalanche des travaux portant sur la crise de la quarantaine contribuent à accentuer l'impression que les adultes de 33-37 ans vivent une période plus prometteuse et plus remplie si on les compare à ceux au mitan de leur vie (Corey, 1982 ; Herr et

Cramer, 1982). Mais au-delà de cette perception peut-être trop facilement positive, les écrits pertinents font peu mention du réel vécu vocationnel des adultes de 35 ans (Cherniss, 1980 ; Davis et Barret, 1981).

La recherche triennale voulait contribuer à combler ce fossé. Ses résultats indiquent que le vécu vocationnel des adultes de 33-37 ans correspond à une période de questionnement portant sur les meilleures façons ou modalités de mieux exécuter une course vocationnelle. En effet, les 73 sujets de l'échantillon de cet âge (45 hommes et 28 femmes ; dont 20 de la classe économiquement défarorisée, 24 de la classe moyenne et 29 de la classe aisée ; 19 du secteur privé, 30 du secteur public et 23 du secteur parapublic) semblent se percevoir, tout à coup, au sein d'une piste de course où les règles du jeu paraissent s'établir selon deux critères : a) l'obligation d'avancer à un rythme accéléré, b) surmonter rapidement les obstacles. Le but de cette précipitation serait de réussir à récolter toute une série d'exploits occupationnels afin de les garder en réserve ; cette banque pourra être utilisée dans les années futures si le rendement devient moins spectaculaire ou encore, si d'éventuels échecs surviennent. Même si les espoirs de gagner des trophées couvrent une gamme très variée, il n'en demeure pas moins une certaine unanimité en regard de leur nature ; ces derniers sont surtout décrits en termes de prestige ou d'utilité sociale.

Les questionnements portant sur les modalités de vivre cette course sont très nombreux. D'ailleurs, les sujets de l'échantillon déclarent (tout comme ceux de la strate précédente) que leurs moments de remise en question, en termes de durée et d'intensité, ont été plus élevés que les moments de plus grande quiétude au cours des cinq dernières années vécues au travail et de l'année en cours. De plus, non seulement ces moments de remise en question dominent durant la rétrospective, mais leur présence est grandement prévue au moins pour les cinq années à venir.

Quant à la nature des remises en question, elle est surtout reliée aux effets anticipés de la course occupationnelle. D'après l'adulte de 33-37 ans cette accélération aurait pour effet de maximiser les différences individuelles, car une course met davantage en évidence le degré de motivation du participant, sa préparation, le niveau de volontariat ou de non-volontariat et les divers niveaux de réussite ou d'échec emmagasinés. Cette maximisation des différences individuelles agit comme une épée de Damoclès parce qu'elle laisse planer sur l'adulte de 33-37 ans le spectre d'un impitoyable classement dans l'une ou l'autre catégorie de compétence. Et, qui plus est, l'adulte de 33-37 ans semble croire que ce classement sera définitif et valide jusqu'à la retraite et même au-delà. Un autre effet de cette course est que l'adulte de 33-37 ans ne semble pas avoir de temps disponible pour en questionner les finalités, étant donné qu'il est en plein feu de l'action. Les moments de réflexion seraient essentiellement réservés aux exigences les plus prépondérantes, soit l'étude des « métamodalités », c'est-à-dire des moyens de réussir le mieux possible cette période trépidante. Cette investigation semble se vivre d'une façon très intense et même stressante car l'adulte se sent poussé à agir, à la fois vite et bien.

Une autre conséquence de cette course est la restriction de l'éventail des pistes vocationnelles. Alors qu'à 23-27 ans la perception du temps se faisait à l'égard du futur à construire, cette même perception est maintenant marquée par le présent à occuper pleinement. Ce début de conscientisation du temps limité provoque l'obligation de se restreindre dans les choix occupationnels et, conséquemment, la nécessité de développer une partie de son moi vocationnel au détriment d'autres ressources potentielles. « À un moment donné, on se rend compte qu'on n'est pas capable de réaliser tous ses projets ».

Différents facteurs apparaissent responsables de cette course occupationnelle. Parfois, elle semble commandée par une motivation intrinsèque à évoluer : « J'ai besoin continuellement de me développer au plan professionnel ». Par ailleurs, l'obligation de se hâter semble la résultante des premières perceptions des limites physiques que l'adulte croit devoir camoufler par des efforts supplémentaires permettant de fournir un rendement digne de la compétence et de la force des personnes de 20 ans. L'adulte semble présumer que le rythme de l'évolution occupationnelle s'apparente, et même s'identifie, à celui de la courbe de croissance biologique dont le sommet se situe vers 35 ans. On pourrait même croire que l'adulte de 33-37 ans accentue son investissement au travail afin que cette accélération serve de compensation à la fuite du temps. « Il y a une question d'âge : dans cinq ans, j'aurai cinq ans de plus... si alors je n'ai pas réussi à monter... à remonter la côte... cela m'inquiète beaucoup... » Enfin, cette course vocationnelle semble parfois commandée par des attentes sociales perçues comme étant très fortes et impératives. Les pressions de la collectivité semblent laisser percevoir à l'adulte que, sur un plan occupationnel, il vit peut-être la dernière chance de faire sa marque et de s'établir une structure occupationnelle ultime et durable.

Perception des chances de bien se classer

La perception des chances de bien se classer dans cette course occupationnelle est très variée. Ces différences ou variations oscillent entre un pessimisme largement exprimé et un optimisme plus rare ou très mitigé.

Ainsi l'adulte de 33-37 ans poursuit souvent cette course en étant assuré à l'avance que tout « est fichu, que tout est perdu ». De plus, il prétend que les possibilités d'obtenir ce trophée s'éloignent à une vitesse vertigineuse et même s'annuleront complètement. « Il y a cinq ans, j'avais un commerce qui n'allait pas si mal... il y a eu un feu... j'ai presque tout perdu... » Mais, fait quelque peu surprenant, cet adulte poursuit tout de même sa course à un rythme effréné, en étant apparemment motivé par l'un ou l'autre des facteurs qui en sont responsables. De plus, malgré cette perception parfois pessimiste, l'adulte semble s'imposer un moratoire quant à l'expression de ses réactions agressives et aux remises en question relatives aux finalités de sa vie vocationnelle : « C'est encore mieux retirer des prestations d'assurance-chômage que de tout remettre ta carrière en cause... » Ce moratoire semble être la soupape nécessaire pour contrer les nombreux questionnements qui submergent parfois l'adulte de 33-37 ans. Ce dernier semble quelquefois ressentir le besoin et même l'attrait d'une accélération dans sa vie occupationnelle : « J'étais bien à mon ancien emploi... mais je trouvais que cela n'allait pas assez vite... j'ai besoin de produire et d'avancer... »

Peu importe les chances de bien se classer, il semble bien qu'elles provoquent, de toute façon, des variations dans les degrés de questionnement. En effet, dans une course les événements se précipitent et, avec eux, toute une gamme d'échecs ou de réussites ; il en résulte une remise en question du comportement occupationnel. Ainsi, cette perception plus ou moins pessimiste des chances de bien se classer exige plusieurs réaménagements souvent précipités. Cela implique alors la présence d'alternances plus ou moins fréquentes entre des moments caractérisés par des remises en question et d'autres périodes marquées par une plus grande quiétude. Ainsi, 84 % des sujets de l'échantillon indiquent avoir effectué la passation d'une zone de remise en question à une zone de plus grande quiétude ou vice versa. Ce pourcentage se distribue comme suit : 11 %, 25 %, 22 %, 14 % et 12 % déclarent avoir effectué cette passation avec une fréquence respectivement simple, double, triple, quadruple et quintuple.

De plus, il faut souligner que la situation trépidante et exigeante de la course implique parfois l'introduction d'une auto-évaluation à caractère plus strictement ipsatif. En effet, le coureur se concentre davantage sur sa propre performance et la compare avec celle des années antérieures afin de conserver ou de corriger son rythme. « À 35 ans, tu veux nécessairement que ta réponse au problème soit supérieure à celle que tu aurais faite à 25 ans... » Alors quelquefois la perception des chances de bien se classer utilise peu de critères normatifs (c'est-à-dire la moyenne des autres coureurs) dans l'évaluation de sa propre performance.

Course sans possibilité d'arrêt

Au sein de cette situation trépidante, l'adulte de 33-37 ans ne semble pas pouvoir se permettre des points d'arrêt. Il vit cette course un peu comme l'escalade d'une montagne où un véritable répit signifierait non seulement un repos mais un recul et même une chute. « Si quelqu'un est stationnaire, toujours dans le même poste... il régresse... »

De plus, le moment de la course vocationnelle arrive souvent en même temps où les rôles relatifs aux responsabilités familiales apparaissent tout aussi accaparants, impératifs et urgents que les exigences reliées à l'emploi. Un homme expliquait « qu'il a dû laisser tomber des possibilités de carrière pour le bien-être de sa famille » et une femme ceci : « J'ai pris de nouvelles responsabilités... cela m'amène à voyager et à travailler parfois le soir... depuis ce temps-là, je me sens très partagée entre mon travail et mon enfant... »

De plus, l'adulte de 33-37 ans, étant aux prises avec une course vocationnelle, cherche parfois désespérément à s'affirmer dans les rôles les plus valorisants pour lui. Il tente parfois de vivre des événements-clés dans sa carrière et ce, dans l'optique évidente de laisser le message ultime d'un être de valeur. « De par la formation, peu importe laquelle, il faut viser des événements-clés car on est capable de faire quelque chose d'utile ». En général, l'adulte de 33-37 ans reconnaît que le travail prend une place majeure dans sa vie : « Tu passes les trois quarts de ton temps au travail, c'est important... » La recherche d'événements-clés est habituellement exprimée en termes de déploiement d'efforts notables et d'acceptation de compression d'horaire. « Depuis que j'occupe cet emploi, j'ai tout coupé mes activités sociales car j'ai beaucoup trop d'ouvrage... je n'ai pas le temps... je suis pogné dans le système... »

Course vers un plateau

Cette course vocationnelle semble être vécue par l'adulte de 33-37 ans comme devant le mener à un point d'arrivée précis. « À 35 ans, tu sais ce que tu vas devenir... tu connais ta place sociale... » Cette notion d'un plateau à atteindre fait également osciller l'individu entre différentes intensités de remises en question car toutes les actions occupationnelles sont évaluées en regard de la possibilité d'atteindre cet objectif ultime. Selon les alternatives, l'individu interroge à nouveau les moyens choisis pour exécuter cette course.

Parfois ce point d'arrivée est déjà réalisé et l'adulte de 33-37 ans le perçoit alors généralement comme le point final de la course. « Je suis arrivée à mon objectif, je ne demande pas plus que ce que j'ai présentement... » Cet adulte semble croire qu'il ne lui reste alors qu'à se laisser glisser vocationnellement au fil des années futures. « Je pourrais garder cet emploi jusqu'à 65 ans et puis, un jour, jouir d'une retraite bien gagnée... » Ce plateau signifie souvent le summum de l'activation de ses habiletés occupationnelles : « Mon rendement n'augmentera plus... je crois que cela va rester stagnant... »

Devant l'éventualité d'atteindre ces objectifs élevés ou exigeants, la situation actuelle est souvent décrite comme plus enviable que celle des années antérieures. En effet, un des éléments marquants des propos de l'adulte de 33-37 ans est la narration de ses malheurs, gros ou petits, vécus à la période précédente. « Il y a environ 4 ans, cela a été une grosse période de retrait... j'ai dû prendre un recul face à ce qui se passait pour moi... »

Par ailleurs, ce plateau laisse toutefois percevoir que la situation actuelle est tout de même moins enviable que celle de la retraite. En effet, un autre élément surprenant de l'adulte de 33-37 ans est sa préoccupation relative à la retraite alors qu'il est en plein coeur d'une course vocationnelle. Parfois cet adulte y voit là une récompense des efforts, heureux ou malheureux, fournis : « Ah... ce serait merveilleux la retraite à 50 ans... » Par ailleurs, l'adulte de 33-37 ans parle de la retraite en termes d'une planification prudente associée aux premiers signes de faiblesse physique. « La retraite, tu ne prépares pas cela à 64 ans, mais à 35 ans... Plus tu vieillis, plus tu penses à la retraite... »

Les coureurs-exceptions

Certains adultes doivent être décrits comme des coureurs-exceptions (environ 15 %) dans leur course occupationnelle. Ils correspondent globalement au vécu vocationnel des 33-37 ans ; en effet, leur discours central est vraiment celui d'une personne qui est aux prises avec une course occupationnelle et avec des remises en question portant sur les modalités de réalisation des buts vocationnels. Mais certaines nuances viennent différencier ces coureurs-exceptions des autres adultes de 33-37 ans.

Tout d'abord, le but de leur course vocationnelle est surtout de viser un dépassement de soi toujours plus difficile et un apprentissage plus riche et varié. Ainsi, la nature du trophée est moins exprimée en termes de prestige ou d'utilité sociale. Elle est davantage verbalisée en termes de l'acquisition d'une plus grande rapidité dans l'actualisation du moi personnel et vocationnel. De plus, les coureurs-exceptions évitent le piège de boycotter le questionnement portant sur les finalités de leur vie vocationnelle. Ils ne se limitent pas seulement à une remise en question portant sur les modalités de mieux réussir cette course, mais ils défendent farouchement une période de temps réservée à une réflexion intense qui serait à l'abri des exigences urgentes et envahissantes. Les coureurs-exceptions sont également conscients qu'il y a maintenant un éventail plus restreint des pistes vocationnelles. Cette lucidité les incite à accorder beaucoup plus de sérieux à leurs choix occupationnels continus ainsi qu'aux conséquences immédiates ou lointaines.

Par ailleurs, les coureurs-exceptions n'acceptent pas l'idée qu'ils se dirigent vers un plateau qui représenterait le summun de l'actualisation de leurs habiletés occupationnelles. Au contraire, le point final de la course s'avère simultanément le point de départ pour la continuation de leur développement vocationnel. Ces derniers jugent également qu'ils ont peu de possibilités d'arrêt. Cette perception ne semble pas due à une crainte de vivre un recul ou une chute libre, mais serait plutôt motivée par le souci d'utiliser au maximum toutes les occasions susceptibles d'actualiser toujours davantage leur développement. Les coureurs-exceptions tentent également de vivre des événements-clés. Mais ils le font non pas dans le but de laisser le message d'un être de valeur ; ils veulent surtout se prouver à eux-mêmes qu'ils possèdent les qualifications nécessaires pour accélérer leur processus de développement.

Images du vécu vocationnel

Comme dans le cas de la strate précédente, l'image du vécu vocationnel semble double. Il y a d'abord celle qui correspond à l'ensemble des adultes de 33-37 ans et celle des coureurs-exceptions.

La première image s'apparente à celle d'un vécu vocationnel qui suivra au fil des âges une courbe sensiblement parallèle à celle de la croissance biologique. La majorité des sujets de 33-37 ans semblent croire que le développement vocationnel est sur une pente ascendante jusque vers 35 ans, qu'il se maintiendra sensiblement au même niveau de 35 à 55 ans et qu'il connaîtra un déclin par la suite. Les indices qui laissent croire que cette image est véhiculée par les adultes de 33-37 ans peuvent être résumés de la façon suivante : 1. impression de se diriger, dès la fin de cette course, vers un plateau et un plafonnement vocationnel où les habiletés occupationnelles évolueront à un rythme moins rapide que par le passé ; 2. perception de viser un trophée capital et utile dont l'atteinte semble possible surtout dans l'immédiat et moins dans l'avenir ; 3. sentiment de vivre le dernier moment vocationnel optimal avant la retraite ; les années situées entre ce moment optimal et le départ final sont prévues sans histoire et sans évolution marquante ; 4. nécessité de viser des événements-clés comme étant le seul moment opportun de les expérimenter (avant, cet adulte se croyait trop jeune ; après, il se jugera trop vieux).

Tout comme les exceptions de la strate précédente, les coureurs-exceptions ont une image différente de leur vécu vocationnel adulte. Cette image est celle d'une trajectoire continue où chaque étape est essentielle et spécifique, et d'une importance égale pour l'évolution occupationnelle à réaliser. Ces coureurs-exceptions semblent donc échapper à l'adoption de cette conception d'un développement basé directement sur la courbe de croissance biologique. Ils perçoivent la présente période qu'ils traversent comme un tout unique en soi qui a sa valeur, sa spécificité et ses critères particuliers d'évaluation. Ainsi ces coureurs-exceptions semblent surtout éviter le piège de se définir à proximité de l'atteinte d'un plateau optimal ou ultime de performance. Ils préfèrent diversifier la planification de leurs défis afin d'en faire un bilan constant permettant de se développer sans cesse et de donner un rendement toujours meilleur dans leur processus de réalisation du moi vocationnel. « J'aime prendre des défis... le travail a beaucoup, beaucoup d'importance pour moi... alors constamment, je me remets en question... »

Peut-on parler d'un prix à payer pour ceux qui optent pour une image de leur développement basée directement sur la courbe de croissance biologique ? Si oui, serait-il le suivant ? 1. Disperser son développement vocationnel en essayant de récolter toute une série d'exploits occupationnels plus ou moins en harmonie avec sa poussée intrinsèque de développement ; 2. risquer de perdre toute motivation éventuelle à la poursuite de son développement en visant un plateau qui serait le summum de toute sa carrière actuelle et future ; 3. se définir comme un « éternel échoué » ou un « parvenu stagnant » selon le degré de réussite ou d'échec de l'objectif visé (trophée) ; 4. donner une importance trop prépondérante au présent en lui accordant un rôle très déterministe sur l'ensemble des activités occupationnelles futures ; 5. omettre de planifier son avenir immédiat et lointain en croyant qu'il est prédéterminé par la situation présente ; 6. définir la période actuelle comme un test ultime qui déterminera son identité et son statut vocationnel pour le reste de sa vie occupationnelle.

Discours vocationnel relié à l'apprentissage

Au sein de cette course occupationnelle, la personne de 33-37 ans voit souvent en l'éducation permanente un des moyens les plus sûrs de se classer, vite et bien, sur la carte des plus prestigieux parmi ses pairs. « Je devrai me perfectionner car je veux devenir à mon meilleur... » Par ailleurs, il est important de souligner que, tout en étant perçu comme un moyen efficace, l'éducation des adultes n'est pas nécessairement considérée comme accessible.

Quelquefois l'éducation des adultes apparaît comme une bouée de sauvetage. « Pour moi, c'était vital de retourner aux études... » Cette réalité est également conçue comme une dernière chance de se classer, pour le reste des annnées à venir, dans une catégorie de compétence acceptable. L'éducation est également perçue comme une mesure facilitant la possibilité de s'affirmer dans les rôles-clés les plus valorisants. Par ailleurs l'apprentissage est envisagé dans une perspective plus globale d'éducation permanente et est interprété comme un moyen d'acquérir de nouvelles habiletés qui s'avéreront de plus en plus nécessaires avec l'avénement de technologies toujours plus récentes. « Je trouve cela essentiel, le perfectionnement dans mon travail... » Le choix des activités est basé sur la possibilité de saisir la complexité de ses tâches occupationnelles et de donner un meilleur rendement. « C'est très important que je me serve des cours dans le concret... » L'éducation est également perçue comme le lien privilégié qui permet l'approfondissement des questions socio-politiques et économiques de base.

Devant la perception d'une course sans possibilité d'arrêt, les coureurs-exceptions voient en l'éducation des adultes un milieu stimulant leur permettant de se prémunir contre les moments de défaillance ou de recul. De plus, les activités d'apprentissage sont parfois considérées comme un lieu privilégié pour découvrir un aide précieux ou un bon entraîneur de course. Habituellement, ce dernier est un patron ou un collègue de travail, mais, occasionnellement, il sera un formateur d'adultes.

Résumé

L'adulte de 33-37 ans semble se retrouver, bon gré mal gré, aux prises avec une course occupationnelle. Il semble se trouver, tout à coup, au sein d'une piste de course où les règles du jeu sont évidemment l'obligation d'avancer à un rythme accéléré et de surmonter rapidement les obstacles. Essentiellement, il s'interroge sur les modalités d'exécuter le mieux possible une course occupationnelle. L'éducation permanente prend ici une signification très intense car elle est perçue comme un moyen efficace de se classer, vite et bien, parmi les meilleurs. Le but majeur de cette course serait de réussir à récolter toute une série d'exploits occupationnels pouvant constituer une banque en prévision d'un rendement qui peut s'avérer moins spectaculaire dans les années à venir. L'adulte de 33-37 ans identifie son âge à une période de summum de performance occupationnelle. Les exploits vocationnels, en droit de trophée, s'expriment surtout en termes d'acquis de prestige ou de réussite sociale. Cette course aurait comme effet de maximiser les différences individuelles ; la perception des chances de bien se classer va du plus pessimiste au plus optimiste. Cette course aurait également comme effet de restreindre l'éventail des pistes occupationnelles. Alors qu'à 23-27 ans, la perception du temps se faisait à l'égard du futur à construire, à 33-37 ans, cette perception est davantage marquée par le présent à occuper pleinement. Cette course semble le mener vers un plateau qui lui garantirait un statut occupationnel jusqu'à la retraite. Enfin, cette course est vécue comme l'escalade d'une montagne où un véritable répit signifierait un recul et même une chute.

Conclusion

Au terme de cette circonvolution pédestre, l'adulte de 23-37 ans a obtenu une première connaissance complète des lois officielles et sous-jacentes du marché du travail. Il s'est fabriqué une première image globale et complexe de cette planète travail et s'est confronté à l'ensemble des éléments présents. Cette circonvolution pédestre a, par ailleurs, comporté de nombreuses remises en question permettant de s'inscrire dans une démarche d'éducation permanente. Elle a été très exigeante pour l'adulte de 23-27 ans qui a épuisé presque tous les moyens mis à sa disposition. Ce dernier a également dû inventorier plusieurs issues pour ressortir le plus indemne possible de cette exploration. L'éducation des adultes, quoique peu accessible, est souvent apparue comme une formule efficace pour la poursuite de son évolution. Cette circonvolution a davantage fait prendre conscience de la nécessité continue de bâtir, d'apprendre et d'expérimenter. L'adulte de 23-37 ans a été maintes fois soucieux d'éviter le piège de la structure socio-économique visant à l'engouffrer dans un rôle où il ne connaîtrait qu'aliénation et sous-estime de soi.

Cette circonvolution pédestre comprenait trois étapes. Lors de l'atterrissage sur la planète travail, l'adulte de 23-27 ans a effectué plusieurs manoeuvres afin de s'ajuster au décalage entre la perception de la planète travail et sa réalité quotidienne. Il a tenté de s'y installer tout en se demandant constamment s'il ne devrait pas être ailleurs. Lors de la recherche d'un chemin prometteur, l'adulte de 28-32 ans se demandait souvent si cette investigation impliquait un but impossible à atteindre. L'objectif de cette recherche était de détecter les habiletés ou compétences uniques et plus spécifiques qui lui permettraient de se situer dans un secteur de pointe. Lorsqu'à 33-37 ans, il a été aux prises avec une course occupationnelle, il s'est maintes fois demandé comment se sortir indemne de cette course car souvent il ne percevait que très peu de chances de pouvoir obtenir le trophée convoité.

Cette circonvolution pédestre comportait donc à la fois les côtés positifs et négatifs de toute exploration ; l'emballement et l'espoir côtoyaient les embûches et les nombreuses appréhensions.

2

Circonvolution orbitale

Pour l'adulte de 38-52 ans, une page est vraiment tournée. Il a terminé une première circonvolution pédestre autour de la planète travail. Il entreprend maintenant une deuxième et dernière circonvolution qui sera maintenant orbitale. Cette dernière sera dominée par des processus réflexifs permettant d'utiliser et d'intégrer les expériences des premiers contacts (23-37 ans) à la lumière d'expériences nouvelles. L'adulte de 38-52 ans se sent poussé à poursuivre son cheminement vocationnel mais, cette fois, à titre d'explorateur expérimenté. Il est maintenant plus habilité à évaluer : 1. l'ampleur du décalage entre ses aspirations et les exigences du marché du travail (23-27 ans) ; 2. la difficulté de découvrir un chemin vocationnel prometteur (28-32 ans) ; 3. les chances de terminer gagnant au terme d'une course occupationnelle (33-37 ans).

Avec tout le bagage d'expériences accumulées, cet adulte perçoit maintenant qu'il doit entreprendre un autre type de cheminement occupationnel. Le but de la première circonvolution était de se confronter et de se colmater aux éléments présents de la planète travail. La seconde vise essentiellement la poursuite de l'évolution vocationnelle avec une vision plus globale, plus approfondie et surtout plus personnalisée. L'adulte de 38-52 ans est conscient qu'il doit continuer son développement vocationnel en s'inscrivant dans une orbite autour de la planète travail. Il doit se tenir à une certaine distance de sa surface afin d'être plus à l'écoute du type d'interaction qu'il établit avec cette dernière. Au sein de cette entreprise orbitale, l'éducation permanente prend une coloration particulière.

Ainsi, cette deuxième circonvolution orbitale autour de la planète travail comprend les trois étapes suivantes : essai de nouvelles lignes directrices (38-42 ans) ; en quête du fil conducteur de son histoire (43-47 ans) ; modification de sa trajectoire (48-52 ans).

Essai de nouvelles lignes directrices (38-42 ans)

Depuis la dernière décennie, les écrits abondent sur l'adulte de 40 ans. La crise de la quarantaine et les particularités du mitan de la vie ont intrigué plusieurs chercheurs et praticiens (Herr et Cramer, 1982). On s'est longuement intéressé aux changements radicaux de carrière dans la pratique de l'orientation professionnnelle et de la psychologie industrielle (Sinick, 1975). Sur le plan théorique, les travaux se sont surtout attardés aux processus de développement personnel et vocationnel des hommes de 40 ans. Toutefois un nouvel intérêt croissant se manifeste en regard des particularités des femmes du même âge (Paoli, 1982). Par ailleurs, l'ensemble des auteurs s'accordent pour affirmer que vers le mitan de la vie, il se manifeste une crise ou une transition qui a des répercussions notables sur les plans socio-économique (Spicuzza et Dewe, 1982) et personnel (McCoy, 1982 ; Neugarten, 1975). On dispose actuellement d'une panoplie de progammes d'intervention spécifiquement conçus pour les gens de la quarantaine (Herr et Cramer, 1982). Mais que se passe-t-il au juste dans le vécu vocationnel des adultes de 38-42 ans ? La recherche triennale voulait contribuer à apporter d'autres éléments éclairants sur cette période, en la traitant plus spécifiquement sous l'angle de la vie au travail.

Les résultats indiquent que les 114 sujets de 38-42 ans (58 hommes et 56 femmes ; 29 de la classe économiquement défavorisée, 33 de la classe moyenne et 52 de la classe aisée ; 44 du secteur privé, 34 du secteur public et 36 du secteur para-public) s'interrogent essentiellement sur la manière de faire l'essai de nouvelles règles vocationnelles ou lignes directrices. Pour l'adulte de 38-42 ans une page est vraiment tournée. La fin de la course vocationnelle de la période précédente a marqué une étape. L'adulte veut maintenant faire l'essai de nouvelles lignes directrices plus personnalisées et construites à la lumière de ses expériences passées. Après avoir atterri sur la planète marché du travail (23-27 ans), recherché un chemin prometteur (28-32 ans) et effectué une course vocationnelle (33-37 ans), l'adulte de 38-42 ans se retrouve face à une série d'échecs ou de réussites, partiels ou totaux. « À 40 ans, quelle leçon je dois retirer de tout cela... j'ai peur de continuer à m'illusionner... »

Un processus de réaménagement des illusions ou de recomposition d'une philosophie de vie au travail devient un aspect important du développement vocationnel typique à l'adulte de 38-42 ans. Il s'interroge alors sur son identité vocationnelle, ses valeurs de travail et sa vie occupationnelle en général. Cette remise en question fondamentale fait révéler aux sujets de l'échantillon que les moments de questionnement, en termes de durée et d'intensité, sont plus élevés que les moments de plus grande quiétude pendant au moins les cinq dernières années vécues au travail ainsi que durant l'année en cours. De plus, non seulement les moments de remise en question dominent la rétrospective mais leur présence est grandement prévue pour une prospective d'au moins cinq ans.

Quant à la nature de ces remises en question, qui apparaissent prioritaires, elles sont surtout reliées à des méta-modalités, c'est-à-dire à des moyens à la fois globaux et adéquats permettant de mieux circonscrire ou de procéder à l'essai des nouvelles finalités ou lignes directrices. Ces finalités font également l'objet de questionnement mais elles semblent secondaires pour l'adulte de 38-42 ans ; elles sont souvent définies d'une façon expéditive et à la pièce afin de procéder à leur essai dans l'immédiat. Ce double questionnement, très exigeant et très limité dans le temps, place l'adulte de 38-42 ans dans une situation similaire à celle d'un coureur venant tout juste de terminer son trajet. À ce moment, ce dernier ne peut reprendre instantanément une cadence normale ; il doit continuer sa course, à un rythme moins intense, mais plus rapide que la normale. Étant encore sur l'élan de sa course occupationnelle de la période précédente (33-37 ans), l'adulte de 38-42 ans croit qu'il dispose de peu de temps pour réfléchir sur la nature des nouvelles lignes directrices et se croit tenu de les choisir ou de les définir à la hâte. Son but prioritaire semble être essentiellement de procéder immédiatement à l'essai de ces nouvelles règles vocationnelles.

De plus, les questions soulevées durant ce stade sont marquées par une conscientisation accrue de la fuite du temps et une tendance au désespoir tranquille. L'adulte de 38-42 ans ne peut plus se dire comme auparavant : « Je veux être ce que je suis » en attribuant un caractère infini à ses années de vie. Il se demande plutôt : « Ai-je vraiment fait le bon choix... est-il encore temps de changer ? » La nécessité de réviser le bien-fondé de son emploi entraîne immédiatement la question de la mobilité occupationnelle. Parfois les changements d'emploi sont considérés comme un préalable à une saine évolution vocationnelle. « Si tu ne changes pas d'emploi, à un moment donné, tu deviens limité... » Les opportunités du contexte socio-économique revêtent alors une grande importance au sein de cette question. Par ailleurs, le thème de la mobilité est lié aux caractéristiques personnelles. Parfois l'adulte de 38-42 ans se définit comme un être très souple : « Je pense que je vais toujours m'organiser pour me promener d'un secteur à l'autre... » En d'autres occasions, cet adulte se juge cloué ou rivé à son emploi actuel.

Rôle omniprésent de l'âge

Cet âge apparaît donc un moment névralgique pour faire le point sur le plan occupationnel. « Qu'ai-je atteint à ce moment de ma carrière ? » « De quelle manière je veux continuer ma vie au travail ? » Toutes ces questions sont accentuées par le temps qui fuit et confèrent à l'âge un rôle omniprésent dans l'essai de nouvelles lignes directrices. Pour l'adulte de 38-42 ans, sa situation chronologique a un effet modérateur et parfois ralentisseur. Il croit être maintenant parvenu à une période de maintien. Il se trace alors de nouvelles lignes directrices qui apparaissent moins motivantes pour l'accélération de son développement vocationnel. L'âge intervient également dans les degrés de mobilité occupationnelle car « à 40 ans, c'est difficile de se trouver un emploi » et en plus, « cela mobilise beaucoup d'énergie ». L'adulte de cet âge prétend que le fait d'être éloigné de ses 20 ans joue négativement dans l'évaluation de sa performance au travail. Il se dit assuré que « son rendement sera non seulement stable mais perdra même de l'efficacité » au fil des années. De plus, le facteur âge apparaît capital dans la diminution de la motivation à se surpasser. « Plus tu es jeune, plus tu essaies, plus tu en prends... là, je ne cours plus après les gros défis... » L'avancement en âge augmenterait, par ailleurs, le degré de tolérance au travail. « Il aimerait être plus agressif comme il l'était vers 20-25 ans ». Parfois, le mitan de la vie apparaît lourd à porter surtout au point de vue de la santé. L'adulte de 38-42 ans se dit quelquefois « vidé, épuisé physiquement ».

Élaboration et essai d'une charte vocationnelle

Parallèlement à la recomposition et à l'essai d'une nouvelle philosophie de vie vocationnelle, l'adulte de 38-42 ans procède à l'élaboration de ses propres règles ou lois vocationnelles qui lui dicteraient quoi faire ou ne pas faire au travail. Cet adulte semble vouloir baliser sa route occupationnelle afin d'établir sa propre charte qui se traduit par la présence incessante de commentaires justificateurs accompagnant la narration des faits et gestes occupationnels. Chacune de ces explications représenterait un élément de cette charte. « Il ne faut pas tout vouloir dans la vie... » « Il faut que j'évite les changements d'emploi ; cela me fait peur... » « Il me faut de la compétition pour vivre... » « Il faut consulter car personne ne peut être compétent à tout point de vue », etc.

Il va de soi que cette charte vocationnelle peut prendre des colorations très différentes. Ainsi ses composantes ou lignes directrices peuvent être tantôt défaitistes, tantôt pro-actives, tolérantes ou optimistes. Et selon l'intensité de l'une ou l'autre de ces colorations, il y a une alternance plus ou moins fréquente entre des moments caractérisés par des remises en question et d'autres périodes marquées par une plus grande quiétude. Ainsi 89 % des sujets de l'échantillon indiquent avoir effectué la passation d'une zone de remise en question à une zone de plus grande quiétude ou vice versa. Ce pourcentage se distribue comme suit : 11 %, 22 %, 18 %, 26 %, 12 % déclarent avoir effectué cette passation avec une fréquence respectivement simple, double, triple, quadruple ou quintuple.

Lignes directrices défaitistes

L'adulte de 38-42 ans adopte fréquemment des lignes vocationnelles défaitistes dans son cheminement au travail. À la suite d'échecs perçus comme entiers, les illusions ou les espoirs sont non seulement absents mais défendus. Il se sent prisonnier des nombreux pièges de la société capitaliste, de son histoire économico-sociale et de ses premières expériences au travail. L'adulte de 38-42 ans considère parfois son emploi comme un gouffre, c'est-à-dire comme un lieu caractérisé par l'impossibilité de s'exprimer et de s'épanouir. « Je suis pris... je pensais m'habituer... c'est impossible ». Les règles vocationnelles inscrites sont parfois si défaitistes que le seul espoir réside dans la possibilité de s'extraire un jour du marché du travail. Ces lignes directrices sont souvent subséquentes à de nombreuses injustices socio-économiques vécues. L'adulte de 38-42 ans se plaint des inégalités dans les conditions de travail. La question de l'accord de sa personnalité avec les tâches occupationnelles fait également l'objet de nombreuses et profondes déceptions. Les relations avec les patrons provoquent régulièrement du dépit : « Les directeurs... ils ne vous regardent même pas... on fait partie du mobilier, c'est frustrant... » La possibilité d'apprendre ou de développer de nouvelles compétences au travail a été constamment nulle. « Durant toutes les années où j'ai été ici... je n'ai rien appris... zéro... » Enfin l'adulte de 38-42 ans prend parfois à partie son orientation professionnelle inadéquate comme étant la cause de la composition défaitiste de ces nouvelles lignes directrices.

Lignes directrices tolérantes

Parfois l'adulte se définit des lignes directrices qui lui commandent une acceptation presque totale des événements occupationnels, car « dans la vie, il faut faire des sacrifices ». La survie économique de la famille devient la seule motivation pour s'accrocher au travail et « il endure tout pour que sa famille aille bien ». L'adulte n'espère définitivement plus de promotions parce qu'il juge que « c'est tout simplement impossible ». D'autres propos plus tolérants touchent le respect inconditionnel et indulgent de la hiérarchie. Parfois l'adulte de 38-42 ans va jusqu'à souligner l'aspect positif et nécessaire des « épreuves qui font mieux comprendre la vie ». Enfin on signale que la paie est un élément compensatoire facilitant une certaine tolérance au travail.

Lignes directrices optimistes

Quelquefois l'adulte se dicte des lignes directrices lui permettant de poursuivre un cheminement occupationnel avec plus d'espoir ; certaines règles sont même définies en termes de mobilité verticale. Un embarras manifeste accompagne parfois l'énonciation des règles optimistes. « Je suis presque gênée d'aller aussi bien... » Enfin, en de rares occasions, l'adulte de 38-42 ans est assuré que cet enrichissement continu, vécu depuis de nombreuses années, se poursuivra indéfiniment.

Lignes directrices pro-actives

Il arrive que l'adulte de 38-42 ans se prescrive un cheminement vocationnel très progressiste. Il semble intransigeant sur la nécessité de le poursuivre peu importe les embûches et il exprime cette obligation d'une façon habituellement très catégorique. Les lignes pro-actives visent une évolution continue et elles tendent souvent à garantir les opportunités de créativité et d'actualisation de soi. Quand il ne « peut plus innover en milieu de travail, il ne se laisse pas étouffer, il part ». D'autres lignes pro-actives tendent à créer un certain degré idéal de satisfaction personnelle. Parfois ces règles exigent de conserver un rythme très accéléré et intense de développement. « Il lui faut alors beaucoup de défis ».

Par ailleurs, il y a une deuxième catégorie de lignes pro-actives qui semblent plus audacieuses. Elles commandent rien de moins que l'assujettissement des événements occupationnels. « Je ne me laisse plus bousculer par les événements, mais je les contrôle...j'ai appris à les voir venir et à les prévenir... c'est toute la différence... ». De plus ces lignes pro-actives enjoignent l'adulte à ajuster les événements ou situations à sa personnalité ; en somme elles exigent d'être « le seul maître à bord de ses activités occupationnelles. » Il veut « se fixer lui-même ce qu'il veut faire de sa vie ». Enfin, ces lignes pro-actives exigent surtout de créer soi-même ses propres conditions d'activation du développement vocationnel.

Les explorateurs-exceptions

Certains adultes de 38-42 ans doivent être décrits comme des explorateurs-exceptions (environ 15 %) dans l'essai de nouvelles lignes directrices. Ils correspondent globalement au vécu vocationnel des 38-42 ans mais plusieurs nuances viennent les différencier de la majorité. Tout d'abord, ces explorateurs se classent d'une façon moins catégorique dans l'un ou l'autre type de lignes directrices. De plus, ils considèrent que le questionnement portant sur le choix adéquat des nouvelles règles vocationnelles est, en soi, une forme d'évolution. Ils s'avèrent ainsi des maîtres d'oeuvres ou des chefs d'orchestre qui savent judicieusement amalgamer les différentes lignes directrices selon les circonstances. Parfois, ce sont les lignes défaitistes qui sont jugées les plus appropriées. C'est le cas, par exemple, des adultes qui souhaitent ardemment la mobilité verticale mais la perçoivent simultanément impossible au sein de leur organisme.

Dans d'autres circonstances, les explorateurs-exceptions adoptent des règles vocationnelles plutôt tolérantes. Ainsi, selon les oscillations du marché du travail, ils accepteront plus facilement de mettre davantage l'accent sur des rôles occupationnels différents ou nouveaux. Parfois ils se tracent des lignes optimistes. Alors, ils laissent aisément entendre qu'ils ont de nombreuses autres facettes d'eux-mêmes à exploiter. Dans d'autres cas, les explorateurs-exceptions choisissent des règles vocationnelles pro-actives. Leur attitude est d'exploiter à la fois leurs ressources intérieures et les opportunités qui s'offrent à eux pour inspirer ou stimuler l'évolution de leur milieu de travail. En aucun temps, ils jugent ces nouvelles lignes directrices comme définitives ou valables pour l'ensemble de leur vie au travail. Il font un bilan très positif de l'évolution de leur identité et prévoit, dans l'ensemble, une prospective tout aussi prometteuse. Ils s'efforcent de demeurer très en contact avec leurs caractéristiques personnelles malgré les demandes occupationnelles, à la fois intenses et diversifiées.

Les explorateurs-exceptions confèrent à l'âge un rôle accélérateur du développement vocationnel. Ils se situent dans une période propice à une activation de leur évolution. Ils ne se définissent en aucun temps dans un état de stabilité relative ou de maintien. Selon eux, l'âge permet une mobilité occupationnelle plus avertie, une meilleure efficacité au travail et une utilisation plus rationnelle de leur résistance physique. L'attitude défavorable du milieu en regard de l'âge se transforme, chez ce groupe, comme un défi à relever. « La société nous oblige à rester sur un seuil... moi je n'aime pas ça... car c'est trop important d'évoluer... » De plus, tout en orchestrant un ensemble de lignes directrices, les explorateurs-exceptions sont souvent des personnes qui vont parfois tenter des compromis acrobatiques astucieux pour combiner famille et travail.

Images du vécu vocationnel

L'image du vécu vocationnel est double et similaire à celle des strates d'âge antérieures. Il y en a une qui correspond à l'ensemble des adultes de 38-42 ans et l'autre aux explorateurs-exceptions. La première image s'apparente à un vécu vocationnel qui suit, au fil des âges, une courbe sensiblement parallèle à celle de la croissance biologique. La majorité des sujets de 38-42 ans semblent croire que leur développement vocationnel commence maintenant une période de maintien qui se poursuivra, vraisemblablement, jusque vers 55 ans.

« Autour de 45 ans, une personne arrête de se donner des défis... »
Les indices laissant croire que cette image est véhiculée par les 38-42
ans sont les suivants : 1. perception de vivre une période de maintien
ou de stabilité, antonyme de croissance continue ou accélérée ;
2. croyance en la perpétuité d'un sentiment d'aliénation ou de satisfaction développé au cours des années antérieures ; 3. perception
d'un rôle modérateur ou décélérateur de l'âge sur le développement
vocationnel ; 4. élaboration et essai de nouvelles lignes directrices
déclarées définitives et valides pour la prospective ; 5. perception de
cette prospective comme devant être identique à la période actuelle
et démunie de tout changement ou évolution majeurs ; 6. omission de
considérer les remises en question, relatives à l'essai de nouvelles
lignes directrices, comme de véritables indices d'un développement
vocationnel sain et spécifique à cette période de vie.

Tout comme la minorité de la strate précédente, les explorateurs-
exceptions ont une image différente de leur vécu vocationnel. Cette
image est celle d'une trajectoire continue où chaque étape est essentielle et spécifique et donc d'une importance égale pour l'évolution
occupationnelle à réaliser. Ces explorateurs-exceptions semblent
ainsi échapper à l'adoption de cette conception d'un développement
basé directement sur la courbe de croissance biologique. Ils perçoivent la présente période qu'ils traversent comme un tout unique qui
a sa valeur, sa spécificité et ses critères particuliers d'évaluation.
Ainsi ces explorateurs-exceptions semblent tenir avant tout à la souplesse dans l'essai de leurs nouvelles lignes directrices. De plus, ils
rejettent les pressions sociales qui semblent les classer dans une
période de maintien ou les « laisser "performer" sur un même seuil ».
Pour eux, ces lignes ne peuvent être définitives et restreintes ; au
contraire, elles doivent être temporaires et variées afin d'être constamment et simultanément à l'écoute de l'évolution de leur moi vocationnel ou du milieu occupationnel.

Peut-on parler d'un prix à payer pour ceux qui adhèrent à cette
image de leur développement basée directement sur la courbe de
croissance biologique ? Si oui, ce prix serait-il le suivant ? 1. Se condamner à vivre le mitan de la vie à la fois comme un plafonnement
vocationnel prématuré et un empêchement à la poursuite ou la réorientation de son développement vocationnel ; 2. se cramponner dans
des lignes directrices pouvant s'avérer inaptes ou nuisibles à une évolution vocationnelle future ; 3. être insensible à ses réelles poussées
intrinsèques de développement spécifiques à la période en cours ;
4. être inattentif aux opportunités extérieures qui permettraient
d'éviter un état de maintien ou de stagnation ; 5. croire à une stabili-

sation vocationnelle alors qu'effectivement, il y a véritable évolution via les processus réflexifs reliés à l'essai de nouvelles lignes directrices ; 6. être déçu, frustré ou désabusé et alors omettre de canaliser ses énergies sur le véritable objectif de son évolution vocationnelle.

Discours vocationnel relié à l'apprentissage

Durant ce processus d'essai de nouvelles lignes directrices, les propos reliés à l'apprentissage touchent d'abord la nécessité de réévaluer sa compétence. Le bilan se traduit par des qualificatifs fort variés étant le plus souvent négatifs et rarement positifs. Son savoir est mis en cause. « Il passe de l'orgueil à l'humilité et il s'aperçoit qu'il lui manque beaucoup de connaissances ». Les habiletés de cet adulte sont déclassées par celles des plus jeunes. Par contre, chez les explorateurs-exceptions, les capacités sont jugées sans cesse croissantes. « Ils en connaissent de plus en plus et ils ont de plus en plus confiance... »

Peu importe le résultat de la réévaluation de la compétence, l'éducation des adultes apparaît, pour le travailleur de 38-42 ans, comme un phénomène très éloigné et étranger. Les rares fois où il est question de projets d'éducation, cet adulte les exprime du bout des lèvres, en des termes très vagues et surtout très lointains. Le projet s'accompagne habituellement d'un calendrier relégué aux calendes grecques. « J'ai l'intention de retourner un jour aux études pour augmenter mes compétences... (ton sans conviction)... » Souvent le projet ressemble à une fantaisie ou à un rêve que l'on se plaît à caresser mais dont on est assuré à l'avance du caractère irréalisable. La question de l'âge touche directement la réalité de l'éducation des adultes. Elle semble contrecarrer les projets de recyclage. « Je ne sais pas si je devrais retourner aux études étant donné mon âge... » Elle semble éliminer la motivation à se tailler des plans de formation.

Par ailleurs, lorsque l'adulte de 38-42 ans manifeste l'intérêt de se perfectionner, il semble valoriser essentiellement l'apprentissage par le travail. « J'apprends énormément avec mes clients ». Cet adulte se définit plutôt en fonction de ses habiletés de praticien et nettement moins en regard de diplômes ou spécialités requises. Il prétend se prononcer « en connaissance de cause parce qu'il a de l'expérience ». De plus l'adulte de 38-42 ans tient à souligner que les institutions d'enseignement ne sont pas les seuls lieux d'apprentissage. « Il a appris son travail en regardant les autres et en tentant sa chance car il n'aimait pas l'école ». Il souligne la supériorité des connaissances acquises sur les lieux de travail plutôt que dans les collèges ou les institutions d'enseignement supérieur. Il « ne se sent pas en compétition avec un spécialiste qui sort fraîchement de l'université car il a d'autres choses de mieux à apporter, soit l'expérience ». Par ailleurs, chez les explorateurs-exceptions, le moyen presque unique d'apprendre semble définitivement celui de s'inscrire dans une perspective d'éducation permanente. Ce moyen-clé consiste en une auto-formation, incidente ou planifiée, réalisée lors de l'exécution de ses tâches occupationnelles. Les divers modes organisés d'éducation des adultes via les activités institutionnalisées, associatives ou culturelles,de même que la formation réalisée en milieu de travail, semblent nettement absents de la réalité quotidienne de l'adulte de 38-42 ans.

Résumé

Pour l'adulte de 38-42 ans, une page semble vraiment tournée. Il se retrouve face à une série d'échecs ou de réussistes partiels ou totaux. Il se demande : quelle leçon dois-je tirer de tout cela ? L'adulte de 38-42 ans veut maintenant faire l'essai de nouvelles lignes directrices plus personnalisées et construites à la lumière de ses expériences passées. Un processus de réaménagement des illusions ou de recomposition d'une philosophie de vie vocationnelle devient important. Cet adulte s'interroge alors sur son identité occupationnelle, ses valeurs de travail, etc. Il se demande : est-il encore temps de changer ? Comment est-ce que je veux continuer ma vie au travail ? C'est donc un moment névralgique pour faire le point sur le plan occupationnel.

Toutes ces questions sont accentuées par la fuite du temps et confèrent à l'âge un rôle souvent ralentisseur du développement. L'adulte de 38-42 ans procède à l'élaboration de ses règles ou lois occupationnelles qui constituent sa propre charte vocationnelle. Ses propos sont régulièrement accompagnés d'un commentaire justificateur emprunté à l'un ou l'autre élément de sa charte ou de ses lignes directrices. Ces dernières couvrent une gamme très variée allant des plus défaitistes et tolérantes aux plus optimistes et pro-actives. De plus, étant encore sur l'élan de la course de la période précédente, l'adulte de 38-42 ans semble se donner peu de temps pour réfléchir sur la nature ou les finalités des nouvelles lignes directrices, souvent choisies ou déterminées à la hâte. Son but prioritaire est de déceler les moyens adéquats afin de procéder immédiatement à l'essai de ces nouvelles lignes directrices. Enfin l'adulte de cet âge semble s'inscrire davantage dans une démarche d'éducation permanente grâce aux démarches d'apprentissage réalisées au travail ; d'emblée, il semble carrément rejeter les activités organisées de l'éducation des adultes.

En quête du fil conducteur de son histoire (43-47 ans)

Les écrits relatifs au vécu vocationnel des adultes de 43-47 ans sont peu loquaces et très disparates. Ils sont généralement situés dans l'ombre de la crise de la quarantaine. On a toutefois observé, chez les adultes de cet âge, la continuation du phénomène de changements de carrière, typique semble-t-il, à la période du mitan (Thomas, 1980). On a également noté une certaine augmentation du degré de satisfaction au travail (Lacy et Hendricks, 1980) ainsi qu'une plus grande quiétude vis-à-vis sa propre situation financière (Wright et Hamilton, 1978). Mais, en général, les observations relatives aux gens de cet âge sont plutôt sombres. Par exemple, si on veut définir les stades de carrière au-delà de 40 ans, il semblerait qu'il faille utiliser les termes suivants : rétrogression ou démonition (Hedaa, 1978), « décrochage » ou retrait (Moon, 1980), fin d'un rêve entretenu (Hall et Lerner, 1980), etc. De plus, il semble impossible pour l'adulte de cet âge de s'attribuer des caractéristiques généralement reliées à la jeunesse, tels la vicacité, la croissance, l'héroïsme (Levinson, 1978). Et on dénote même une tendance à s'approprier des connotations négatives habituellement reliées à la vieillesse, telles la vulnérabilité, l'inefficacité, l'inutilité (Levinson, 1978). Par ailleurs, au terme d'un relevé d'écrits pertinents, Crain (1980) met en évidence un autre fait très complexe qu'il décrit de la façon suivante : les ambitions des années antérieures, qui étaient pourtant apparues comme immuables et éternelles, perdent, vers 45 ans, toute leur signification. Ce phénomène se retrouve même chez les adultes dont la réussite sociale semble fulgurante.

Mais qu'en est-il au juste du vécu vocationnel des adultes de 43-47 ans ? La recherche triennale a voulu s'inscrire dans une démarche exploratoire visant à éclairer davantage le type d'évolution vocationnelle typique à cet âge. Les résultats indiquent que le vécu vocationnel des 43-47 ans correspond à une période de questionnement portant sur les finalités de leur vie personnelle et vocationnelle. Essentiellement, les 91 sujets de cet âge (49 hommes et 42 femmes ; 30 de la classe économiquement défavorisée, 28 de la classe moyenne et 33 de la classe aisée ; 29 du secteur privé, 34 du secteur public et 28 du secteur para-public) sont en quête du fil conducteur de leur histoire occupationnelle. Essentiellement, l'adulte de 43-47 ans recherche une explication évolutive de son identité occupationnelle. Il s'inquiète du réel apport ou enjeu des divers moments de son histoire vocationnelle. Cet adulte se demande : quels scénarios ai-je vécus jusqu'à présent ? Quel est le fil conducteur qui me ferait comprendre mon histoire vocationnelle ? L'adulte de 43-47 ans sent un véritable besoin de réintégrer tous les éléments composant son curriculum vitae. Il voudrait prendre conscience des facteurs internes et externes susceptibles d'expliquer sa situation présente ; de plus, ses finalités antérieures demandent à être redéfinies. L'évolution de son moi vocationnel et celle du marché du travail exige un réajustement global. Il s'interroge alors sur le suivi de ses activités antérieures et actuelles afin de faciliter la détermination de buts vocationnels futurs. Tout en étant très conscient du poids de son passé, l'adulte de 43-47 ans voudrait préciser ses méta-finalités, c'est-à-dire les buts ultimes les plus valables pour sa destinée. Ces finalités s'inspireraient en partie de cette découverte, plus ou moins complète, d'une trame cohérente de vie occupationnelle. Toutes ces interrogations, reliées à la recherche du fil conducteur de son histoire, sont fort nombreuses et surtout fondamentales ; elles amènent différentes réactions de la part des sujets de l'échantillon, dont la principale est la suivante. Les moments de questionnement, en termes de durée et d'intensité, sont plus élevés que les moments de plus grande quiétude pour au moins les cinq dernières années au travail et l'année en cours. De plus, non seulement les moments de remise en question dominent durant la rétrospective mais leur présence est largement prévue pour une prospective minimale de cinq ans.

Pour être en mesure de procéder à ces réflexions très exigeantes, on a parfois l'impression que l'adulte de 43-47 ans utilise le pilotage automatique. Il a acquis suffisamment d'expérience pour éviter d'être trop impliqué émotivement dans ses activités occupationnelles. « Avant je n'avais pas le temps de penser beaucoup... il fallait que j'agisse vite... mais maintenant, j'ai plus de temps pour réfléchir... » Avec ce bagage de connaissances acquises au cours des années, il se libère ainsi du quotidien et est plus disposé à essayer de dégager les caractéristiques de l'évolution de son identité susceptibles d'inspirer la détermination de nouveaux buts. L'adulte de 43-47 ans juge que la recherche du fil conducteur de son histoire est d'autant plus nécessaire qu'il doit remettre en question son orientation vocationnelle. Cet adulte a conscience qu'il vit un moment crucial de sa vie vocationnelle : « À un certain âge, tu vois tout autrement... je trouve qu'à 45 ans, c'est le tournant de ta vie... » Ce fil conducteur lui permettrait peut-être d'être en mesure de mieux préciser ses nouvelles finalités.

De plus, ces réflexions portant sur la quête du fil conducteur de son histoire et sur la redéfinition de nouvelles finalités vocationnelles font vivre à l'adulte de 43-47 ans beaucoup de remue-ménages intérieurs. Il alterne entre des moments caractérisés par des remises en question et d'autres périodes marquées par une plus grande quiétude. Ainsi 90 % des sujets de l'échantillon indiquent avoir effectué la passation d'une zone de remise en question à une zone de plus grande quiétude ou vice versa. Ce pourcentage se répartit comme suit : 18 %, 21 % et 17 % déclarent avoir effectué cette passation avec une fréquence respectivement simple, double et triple. Le dernier pourcentage vaut également pour les fréquences quadruple et quintuple.

Au sein de ce processus de recherche du fil conducteur de son histoire, l'adulte de 43-47 ans arrive parfois à identifier des éléments qui sont valables à la fois pour le passé, le présent et le futur. Le plus souvent, cet adulte se limite à identifier des sections de ce fil correspondant à l'un ou l'autre des trois moments de vie précités.

Fil conducteur du passé, présent et futur

Lors de la recherche de ce fil conducteur, l'adulte de 43-47 ans voudrait faire ressortir son type d'évolution vocationnelle qui prévaut simultanément pour le passé, présent et futur. Même s'il arrive difficilement à son but, il perçoit, après analyse, que son évolution dans le temps est soit cyclique, progressive ou graduelle.

Parfois l'adulte de 43-47 ans croit qu'une évolution cyclique peut être l'explication majeure de son développement vocationnel. Ce type d'évolution est devenu perceptible à la suite de nombreuses observations relatives à l'intensité de sa motivation au travail, observations qui se sont surtout manifestées lors des changements d'emploi. Ces variations d'intensité comprenaient des étapes qui se répétaient invariablement. Par exemple, « quand il arrive dans un nouveau travail, il accélère, il fait éclater les choses et ensuite il ralentit ». Ce même type d'évolution se perçoit également lorsque cet adulte prend conscience de son besoin constant de renouveau. Il se juge « cyclique car c'est à tous les cinq ans qu'il change d'emploi ».

Enfin, l'adulte de 43-47 ans est parfois assuré que ce type d'évolution est la garantie d'un développement vocationnel accéléré.

Par ailleurs, un fil conducteur progressiste peut expliquer l'évolution vocationnelle passée, présente et future. La caractéristique de base de ce fil conducteur semble se manifester par la présence constante de défis à relever. Ces derniers garantissent en quelque sorte une certaine progression permanente car ils servent à : 1. « garder l'esprit ouvert » ; 2. cultiver « l'intérêt pour son travail » ; 3. « à se surpasser » ; 4. « maintenir une excellente santé mentale » ; 5. « éviter les moments vides ». De plus, une histoire de vie vocationnelle progressiste peut se traduire par un questionnement perpétuel garant d'une saine critique vis-à-vis son rythme de développement.

Enfin, l'adulte de 43-47 ans identifie parfois un fil conducteur qui laisse dégager une croissance très graduelle dans le temps. Il se rend compte que, petit à petit, « plus il avance en âge, plus il s'enrichit par les expériences... »

Fil conducteur du passé

L'adulte de 43-47 ans semble généralement donner une grande prépondérance à son passé et a même tendance à s'y accrocher ; l'avenir, « c'est un peu l'inconnu ». Pour faciliter la prospection de ce passé, cet adulte doit effectuer de sérieux tête-à-tête avec son évolution antécédente. Il semble personnifier le changement comme si ce dernier était un interlocuteur invisible, muet, impassible et implacablement présent. Il y a des moments où l'adulte de 43-47 ans manifeste une certaine reconnaissance envers le changement ; à d'autres occasions, il donne l'impression de le réprouver carrément.

Lors des moments de complaisance, l'adulte semble apprécier le changement pour différentes raisons. Il le tient responsable d'un mieux-être sur les plans personnel et vocationnel et le voit comme une motivation majeure à la poursuite de son développement. « Je ne suis jamais restée stable, je me suis donc toujours épanouie ». Cet adulte se sent plus expérimenté et il s'en réjouit. « L'enrichissement par les expériences antérieures de travail a parfois été un fait très marquant dans sa vie ». Il a une plus grande connaissance de ses capacités et de ses réactions émotives et peut alors les utiliser d'une façon plus avertie ou plus efficace. Il sait trouver plus rapidement le type de personnes qui le stimulent ; le changement lui permet de « vivre beaucoup moins d'incertitude parce qu'il peut s'appuyer sur son passé... »

Par ailleurs, durant les tête-à-tête avec le changement, l'adulte de 43-47 ans vit de nombreux moments où il est très rébarbatif. C'est un peu comme s'il tenait le changement responsable de son évolution négative et de la dégradation de son moi vocationnel. Il se sent de moins en moins apte à assumer des responsabilités étant donné qu'il a perdu confiance en lui. Il lui arrive même de ne plus croire en la valeur de son rôle occupationnel. « J'ai songé à tout lâcher... je suis désillusionné de mon statut de cadre... » L'adulte de 43-47 ans se rend compte quelquefois d'une nette diminution dans son rendement et il en est frustré. « À mon âge, je ne suis pas capable de donner le même rendement qu'avant ; ça me choque... » À d'autres occasions, il blâme le changement d'être responsable de la détérioration du milieu du travail, ceci facilite de moins en moins son développement vocationnel. Depuis qu'on lui a enlevé des responsabilités, il lui semble maintenant plus difficile de vivre en harmonie avec ses jeunes collègues. Il constate que « le climat est moins favorable et que les modifications de structures lui ont été nuisibles ». Le « système d'évaluation s'est dégradé » et lui cause des injustices. Le milieu semble, depuis un certain temps, le forcer à vivre un plafonnement occupationnel prématuré et à se sous-estimer toujours davantage. « Il n'a pas eu de promotions, il retombe toujours plus bas ». Enfin, l'adulte de 43-47 ans se plaint d'avoir des inquiétudes croissantes à propos de sa santé et il regrette que le travail l'ait empêché de se consacrer suffisamment à ses enfants.

Fil conducteur du futur immédiat

Lors de la recherche du fil conducteur de son histoire vocationnelle, l'adulte de 43-47 ans veut procéder à la réinvention de sa destinée vocationnelle. Pour y parvenir, il essaie d'accélérer son développement ou l'actualisation de son moi vocationnel ; cette volonté est cependant exprimée au conditionnel. « Je voudrais être mieux dans ma peau, je voudrais m'épanouir et ça me tracasse... »

En effet, de nombreux facteurs interviennent et semblent être nuisibles à la réinvention de sa destinée occupationnelle ou de son futur immédiat. Ces facteurs négatifs sont surtout reliés à l'âge qui s'avère un handicap majeur. L'adulte de 43-47 ans songe à une mobilité occupationnelle car il a besoin de se débarrasser de la routine. Par contre, l'adulte perçoit les changements d'emploi comme une corvée écrasante. « Encore rendue à mon âge, il faut que je regarde ailleurs... est-ce que j'arriverai à me réinstaller... » Cet adulte vit un imbroglio total à l'intérieur même de ses aspirations car « il ne sait plus quoi faire ou quoi trouver ». « Il ressent souvent le besoin d'une réorientation complète de carrière », mais cette révision semble parfois absurde et inutile. « À son âge, n'est-il pas préférable d'accepter son sort ? » L'adulte de 43-47 ans ne souhaiterait parfois qu'une simple amélioration, mais « il ne peut pas ; rendu à un certain âge, c'est trop difficile ». De plus, « un changement d'emploi ou même une simple amélioration de son travail exigeraient des périodes d'adaptation plus ou moins longues ou pénibles ». Les aspirations de l'adulte de 43-47 ans peuvent s'avérer très ambitieuses pour le futur immédiat mais la grande inconnue demeure toujours son état de santé. « Lorsqu'on est rempli d'activités, cela m'arrive comme un flash... si jamais je tombais malade... »

Les autres facteurs nuisibles à la réinvention de sa destinée occupationnelle ou du fil conducteur de son futur immédiat sont directement rattachés au milieu. Les changements du marché du travail dans les années à venir peuvent être rapides et inquiétants pour son évolution vocationnelle. La mentalité des collègues de travail pourrait être néfaste dans la réalisation de ses plans personnels. Parfois la présence d'une seule personne rivale pourrait être compromettante pour la réinvention du futur immédiat. De plus il est assuré de l'impossibilité d'une mobilité verticale et de l'absence de tout élan dans un avenir immédiat. Il va même jusqu'à délibérément planifier une décélération.

Par contre, l'adulte de 43-47 ans entrevoit parfois la possibilité d'un nouvel essor dans un avenir assez rapproché. Il tient même à « prouver aux gens qu'il est capable de faire plus que ce qu'il faisait auparavant ». Quelquefois, il lui arrive de prévoir une suite accélérée d'événements qui auront un effet positif sur son développement vocationnel car « avant de commencer à reculer, il veut avancer encore un bout ». Enfin, il se sent parfois très fort de son expérience et ressent beaucoup moins d'incertitude pour le futur immédiat. « Je peux prévoir beaucoup plus mon évolution pour les vingt prochaines années que je pouvais le faire il y a 20 ans... »

Fil conducteur du futur lointain

Ce fil conducteur est spécifiquement relié à la retraite ; il n'est pas rattaché, comme on aurait pu s'y attendre, à la dernière décennie que l'adulte de 43-47 ans aura à vivre sur le marché du travail. Parfois cet adulte espère fébrilement la retraite surtout lorsqu'elle est perçue comme un grand moment de liberté d'action et une récompense bien méritée. « J'ai commencé à travailler à 14 ans... alors, j'ai bien hâte d'avoir ma pension... » La retraite permettrait à cet adulte de pouvoir enfin s'extraire d'un milieu aliénant.

Par ailleurs, cette période apparaît parfois très exigeante en termes d'adaptation et est cause d'« une vive inquiétude ». De plus, le futur lointain semble carrément soustrait à un souci de développement vocationnel. Les quelques rares plans d'activités prévues à la retraite sont souvent conçus d'une façon très passive ; cet adulte parle de lieux privilégiés ou encore de salles d'attente de la mort. « Mon rêve, c'est de ne pas mourir au froid... l'été au Québec... et l'hiver dans les pays chauds... »

Les prospecteurs-exceptions

Certains adultes de 43-47 ans doivent être décrits comme des prospecteurs-exceptions (environ 15 %) dans leur recherche du fil conducteur de leur histoire. Ils correspondent globalement au vécu vocationnel de leur groupe, mais plusieurs nuances viennent les différencier des autres adultes de 43-47 ans.

Tout d'abord, ils prennent conscience d'un double fait apparemment paradoxal. La recherche du fil conducteur les amène à reconnaître la finitude de leur histoire (années qui restent à vivre) ainsi que le caractère simultanément illimité de la suite de leur épopée vocationnelle. Reconnaître la finitude de son histoire signifie prendre conscience que les intérêts et les ambitions les plus adulés, dans les années antérieures, peuvent s'affadir. C'est également accepter le fait que les valeurs les plus chères et les plus fondamentales de son histoire occupationnelle doivent céder leur place à d'autres valeurs plus adaptées à sa propre évolution. En somme, cela signifie se rendre compte de la finitude de tout ce qui était perçu comme infini dans les années antérieures.

Par ailleurs, reconnaître le caractère illimité de son épisode vocationnel signifie prendre conscience des variations innombrables que peut encore emprunter cette histoire. Cela sous-entend également que les années à venir peuvent être remplies de promesses réalistes et averties. En somme, à l'intérieur du cadre de la finitude de leur histoire occupationnelle, les prospecteurs-exceptions se rendent peu à peu compte de la possibilité presque infinie de continuer à s'actualiser dans divers domaines. Par exemple, une veuve ayant neuf enfants a repris le travail à l'extérieur de la maison ; elle a beaucoup de responsabilités et un plan de carrière bien arrêté qui lui permettra un développement vocationnel intense pendant de nombreuses années. Ou encore, deux adultes de 43-47 ans, gravement malades, vont à l'encontre des conseils médicaux pour continuer une carrière très active.

Une autre caractéristique des prospecteurs-exceptions est la perception positive de l'héritage de leur passé. Lors de la recherche du fil conducteur de leur histoire, ils identifient les éléments qui leur donnent l'occasion d'être en contact avec cet héritage. Cela leur permet ainsi de se diriger vers l'avenir avec plus de force, d'intensité et avec une orientation mieux articulée. Les prospecteurs-exceptions réalisent un mouvement inverse dans la dynamique de forces de leur évolution. Durant les années antérieures, ils étaient attirés vers l'avenir ; présentement, c'est grâce à leur passé s'ils se sentent propulsés vers un futur occupationnel. « Je considère que, passé le seuil des 40 ans, j'ai vraiment eu la sensation du balancier... avant je partais vers l'avenir... et maintenant, je me sens équilibrée par mon passé pour entreprendre les autres phases de ma vie... » L'héritage ou le bagage de leur passé agit parfois comme une génératrice d'électricité dans la poursuite du développement vocationnel.

Images de leur vécu vocationnel

L'image du vécu vocationnel est double et similaire à celle des strates d'âge antérieures. L'une correspond à l'ensemble des adultes de 43-47 ans et l'autre aux prospecteurs-exceptions.

La première image s'apparente à un vécu vocationnel qui suit, au fil des âges, une courbe sensiblement parallèle à celle de la croissance biologique. La majorité des adultes de 43-47 ans semblent croire que leur développement vocationnel est présentement dans une période de stabilité ou de maintien ; auparavant, ils auraient effectué une évolution ascendante et plus tard, ils subiraient un déclin. Les indices laissant croire que cette image est véhiculée par les adultes de 43-47 ans sont les suivants : 1. présence d'obstacles majeurs reliés à l'âge dans la recherche du fil conducteur du futur immédiat ; 2. perception d'une fin prématurée des moments les plus créateurs de son histoire occupationnelle ; 3. acception de la période actuelle comme une dégradation de la situation antérieure ; 4. processus d'analyse du fil conducteur effectué strictement pour admirer ou désapprouver le passé ; 5. non-utilisation de l'héritage du passé en vue de redéfinir ses finalités vocationnelles futures.

Tout comme la minorité de la strate précédente, les prospecteurs-exceptions ont une image différente de leur vécu vocationnel. Elle correspond à une trajectoire continue où chaque étape est d'une importance égale dans l'évolution occupationnelle au fil des âges. Ces prospecteurs-exceptions semblent donc échapper à l'adoption de cette conception d'un développement basé directement sur la courbe de croissance biologique. Ils se perçoivent dans un continuum de développement ; ils ne se définissent d'aucune manière dans une période de maintien, synonyme de stabilité et d'immuabilité.

Peut-on parler d'un prix à payer pour ceux qui s'en tiennent à cette image de leur développement basée directement sur la courbe de croissance biologique ? Si oui, serait-il le suivant ? 1. Vivre son présent et son futur occupationnels au passé ; 2. restreindre ses opportunités de développement vocationnel ; 3. se situer dans une période de ralentissement ou de décélération ; 4. ne pas percevoir les remises en question relatives à la recherche du fil conducteur de son histoire comme des signes d'une évolution vocationnelle ; cela empêche de mobiliser ses énergies en conséquence ; 5. se tailler un futur vocationnel ayant une connotation de stabilité et étant dénudé de progression.

Discours vocationnel relié à l'apprentissage

Au cours de la recherche du fil conducteur de son histoire et des nouvelles finalités, le discours vocationnel relié à l'apprentissage est rarissime ou plutôt absent. L'adulte de 43-47 ans ne fait pas de liens spontanés entre ses remises en question et ses activités d'apprentissage. Et s'il lui arrive involontairement d'associer les deux propos, il détourne très vite la conversation.

Si quelquefois cet adulte se risque à aborder de tels sujets, c'est pour souligner la grande difficulté ancienne et actuelle de participer à des activités d'éducation. Ces problèmes sont invoqués surtout lors de l'analyse du fil conducteur de son passé alors qu'il a un regard très réprobateur face au changement. Cet adulte spécifie alors que les occasions « ne se sont malheureusement pas offertes malgré ses désirs intenses d'accéder à de telles activités ; des conditions de travail lui rendraient la chose impossible ». En ce qui concerne son futur immédiat, l'adulte de 43-47 ans prévoit de nombreux obstacles tout aussi insurmontables qui l'empêcheront de s'engager dans des activités organisées d'éducation. Enfin durant l'analyse du fil conducteur valable simultanément pour le passé, présent et futur, les prospecteurs-exceptions ont tendance à identifier l'apprentissage continu comme une garantie ou une assurance de leur propre évolution vocationnelle. « Il ne veut pas vieillir, il lui faut donc toujours apprendre et évoluer ».

Résumé

L'adulte de 43-47 ans semble être en quête du fil conducteur de son histoire occupationnelle qui expliquerait son vécu passé, présent et à venir. Il sent qu'il ne peut se soustraire à ces moments nécessaires de réflexion sur sa vie au travail. Mais, contrairement à la période précédente, il semble posséder la force émotive pour prendre ce recul. Il s'interroge sur la cohérence de ses buts vocationnels, la synthèse ou la redéfinition de son identité occupationnelle ainsi que sur l'apport réel des divers moments de cette histoire sur sa destinée tout entière.

L'adulte de 43-47 ans ressent un véritable besoin de réintégrer tous les éléments de cette histoire vocationnelle. Il veut préciser les finalités qu'il entrevoit pour sa destinée tout en étant conscient du poids de son passé. Pour être en mesure de procéder à ces réflexions très exigeantes, on a parfois l'impression qu'il a installé un système de pilotage automatique. Il a acquis suffisamment d'expérience pour éviter d'être trop impliqué émotivement dans ses activités occupationnelles et, en se libérant ainsi du quotidien, il est plus disposé à dégager ce fil conducteur. Il effectue une prospection de son passé grâce à des tête-à-tête avec un interlocuteur invisible mais implacablement présent — le changement. Ces tête-à-tête peuvent être reconnaissants ou réprobateurs selon le bilan heureux ou désastreux de son histoire. La prospection du fil conducteur relatif au futur immédiat révèle des trames de vie ayant une gamme variée ; elles sont plus ou moins décroissantes ou progressistes. Enfin il n'y a pas de liens immédiats soulevés par l'adulte de 43-47 ans entre les propos reliés à l'apprentissage et ceux rattachés au vécu vocationnel.

Affairé à une modification de trajectoire (48-52 ans)

Le vécu vocationnel relatif aux adultes de 48-52 ans n'est pas étudié d'une façon très spécifique dans les écrits pertinents, ces derniers se retrouvant d'ailleurs dans une zone grise. En effet, ils chevauchent à la fois la fin de la période adulte (par exemple, les travaux de Gould ; 1978 ; Levinson, 1978, etc.) et les débuts du phénomène du vieillissement (McCoy, 1982 ; Neugarten, 1975). Le plus souvent, c'est sous ce dernier angle qu'ils sont traités et malheureusement, d'une façon très globale. Par exemple, on a indiqué à plusieurs reprises que, passé 40 ans, les travailleurs se jugent trop vieux pour l'obtention de promotions ou d'un nouvel emploi (Côté, 1980 ; Lewis, 1979). De plus, le modèle le plus représentatif du comportement occupationnel de ces derniers serait celui de l'obsolescence (Dalton et Thompson, 1977). Mais que peut-on indiquer de plus précis, ou que se passe-t-il au juste dans le vécu vocationnel des adultes de 48-52 ans ? La recherche triennale a voulu étudier cette période de plus près.

Les résultats indiquent que les 91 sujets (47 hommes et 44 femmes ; 31 de la classe économiquement défavorisée, 28 de la classe moyenne et 32 de la classe aisée ; 27 du secteur privé, 38 du secteur public et 26 du secteur para-public) sont essentiellement affairés à une modification de leur trajectoire. Après s'être questionné sur le fil conducteur de son histoire (43-47 ans), l'adulte de 48-52 ans est maintenant en possession d'une certaine banque de données relatives à l'évolution de son identité vocationnelle et aux altérations constantes du monde occupationnel. La connaissance de ces éléments a entraîné un renouvellement quelconque de sa conception du travail et une redéfinition de ses finalités. Conséquemment, l'adulte de 48-52 ans remet en question ses agissements vocationnels et recherche un type de modification occupationnelle qui répondrait plus adéquatement aux objectifs qui ont subi certains amendements durant les années antérieures. Il veut utiliser toutes les données recueillies pour réorienter son cheminement au travail vers un compromis qui pourrait respecter l'ensemble de ces coordonnées. Ainsi, cet adulte s'interroge essentiellement sur la manière d'effectuer des changements de parcours, infimes ou manifestes, permettant un ajustement entre les exigences personnelles et les attentes sociales. La recherche de ces modalités (ou « méta-modalités ») qui faciliteraient une modification adéquate de trajectoire, s'avère très ardue et entraîne de nombreuses remises en question. Les sujets de 48-52 ans ont déclaré que les moments de questionnement, en termes de durée et d'intensité, sont plus élevés que les moments de plus grande quiétude et sont supérieurs pour au moins les cinq dernières années vécues au travail, ainsi que pour l'année en cours. De plus, non seulement les moments de remise en question dominent la rétrospective mais leur présence est grandement prévue pour au moins les cinq prochaines années. Par ailleurs, deux autres éléments typiques au vécu vocationnel de l'adulte de 48-52 ans contribuent à la mise en place d'un dispositif permettant un changement vocationnel important. Tout d'abord, l'adulte se perçoit aux confins de la jeunesse et de la sagesse. Il affirme quelquefois qu'il « faut vieillir pour comprendre qu'on prend de l'âge physiquement mais, intérieurement, on se sent aussi jeune que n'importe qui ». Cet adulte apprécie son âge et « ne voudrait pas se revoir à 20 ans ». Il voit parfois un certain nombre d'avantages reliés à cette étape de vie et il se reconnaît une grande souplesse d'adaptation. Il possède beaucoup plus d'alternatives et de solutions pour faire face aux situations problématiques. Il est en mesure d'estimer la valeur des différents événements vécus. Les erreurs semblent « moins fréquentes qu'à 20 ans ». En de rares occasions, le milieu a tendance à l'utiliser à titre de conseiller ou d'expert.

Un deuxième élément présent dans la modification de sa trajectoire est l'appréhension de la maladie. L'adulte de 48-52 ans prétend que la santé est un cadeau très apprécié, même s'il vit avec le spectre de la maladie qui le hante sans cesse. Il déclare qu'un état physiologique sain est le bien le plus précieux car « la santé, c'est l'avenir ». Il se juge parfois favorisé en ce domaine mais il remet en évidence la finitude de son existence aussitôt que la détérioration physique s'accentue. « Là, je suis obligé de dire comme beaucoup d'autres... aujourd'hui, c'est la première journée du temps qui me reste à vivre... » Enfin, face au fantôme de la maladie, l'adulte de 48-52 ans a tendance à surévaluer démesurément l'importance des deux facteurs de réalité dont il doit tenir compte dans la modification de sa trajectoire, qui sont : la fragilité de ses capacités physiques et la diminution possible de ses compétences actuelles.

Les modifications de sa trajectoire revêtent diverses intensités allant des plus manifestes ou subtiles, aux plus modestes ou irréalisables. Mais, dans tous les cas, cet affairement semble provoquer une alternance plus ou moins fréquente entre des moments caractérisés par des remises en question et d'autres périodes marquées par une plus grande quiétude. Ainsi 82 % des sujets de l'échantillon indiquent avoir effectué la passation d'une zone de remise en question à une zone de plus grande quiétude ou vice versa. Ce pourcentage se distribue comme suit : 18 %, 24 %, 18 %, 12 % et 10 % déclarent avoir effectué cette passation avec une féquence respectivement simple, double, triple, quadruple ou quintuple.

Modifications manifestes

Parfois l'adulte de 48-52 ans s'affaire à des modifications de trajectoire qui sont très perceptibles ou manifestes. Il « est sur le point de laisser son poste de cadre pour aller exploiter sa ferme à temps complet ». Ces changements notoires sont parfois effectués de façon étapiste. « Il augmentera graduellement son travail supplémentaire jusqu'à la retraite », allant de 20 à 100 %.

L'adulte de 48-52 ans explicite les raisons qui le poussent à s'affairer à des modifications manifestes. Tout d'abord il y a les variations reliées aux caractéristiques de son identité vocationnelle. Il se définit parfois comme un nomade occupationnel car « au cours de sa carrière, il a toujours changé d'emploi ». Cet adulte se donne comme point d'honneur de ne pas être redondant ou routinier, grâce aux changements constants qu'il s'impose.

Une autre raison est la crainte d'une accentuation de son aliénation au travail. Il veut contrecarrer la grisaille ou la monotonie de sa vie occupationnelle. Il ne peut plus tolérer « le fait que les échéanciers des projets soumis soient bousculés et traités arbitrairement ». Il ne peut accepter plus longtemps « que sa vie au travail déborde sur sa vie personnelle ». Cet adulte veut éviter sa propre décadence vocationnelle. Son « travail n'a pas de réel impact, ça le fait dégringoler toujours un peu plus ; il songe donc à aller ailleurs très prochainement ».

Un troisième motif, qui pousse l'adulte de 48-52 ans à s'affairer à des modifications manifestes se rattache à la volonté d'accélérer son évolution. « Il se prépare actuellement à un changement d'emploi et cela le stimule et lui permet de développer d'autres habiletés ». Il procède sans cesse à une critique de son développement occupationnel « grâce aux exigences de la nouvelle technologie qui rejoint son souci constant d'avancer ».

Modifications subtiles

Tout en vaquant aux mêmes tâches occupationnelles, l'adulte de 48-52 ans devient parfois davantage préoccupé par la possibilité de réaliser des interventions humanisantes au sein de son milieu de travail. Cet adulte s'affaire alors à une modification subtile de sa trajectoire ; celle-ci se traduit par une permutation des valeurs vocationnelles où la préoccupation altruiste devient presque prioritaire sur l'exécution des tâches elles-mêmes. « Je suis en musique... pourtant je suis surtout intéressée par le travail social relié à ma fonction ; curieux, n'est-ce pas ? ». L'adulte de 48-52 ans va même parfois jusqu'à prescrire cette priorité comme un objectif unique. « La raison pour laquelle je suis ici, c'est que je crois que je peux aider les gens à être plus heureux ». Cette notion d'utilité humanitaire semble remplacer celle de la réussite sociale qui apparaît dominer chez les moins de 40 ans. On pourrait même qualifier cette strate d'âge comme étant celle du travailleur social car ces adultes font peu de commentaires sur les tâches ou dossiers dont ils ont la responsabilité ; ils se plaisent plutôt à relater leurs démarches d'humanisation au travail.

Cet adulte exprime sa préoccupation altruiste parfois en termes de dogmes. Par exemple, il affirme sa croyance fondamentale en l'utilité de tous et chacun ; « la complémentarité des rôles sociaux l'émerveille beaucoup ». Il recherche souvent un climat de travail plus hospitalier ou authentique « où la qualité des relations humaines serait présente ». Quelquefois, c'est le patron qui vise à se comporter d'une façon plus compatissante. Quant à l'employé, il se donne parfois comme objectif de « rendre le patron plus humain ». La préoccupation altruiste se traduit de temps à autre par des réalisations bien concrètes. « J'ai vraiment l'impression que j'ai créé un bon climat au bureau... » Par ailleurs, l'adulte de 48-52 ans inclut, comme critère de réusssite de sa carrière, la réalisation d'actions humanitaires plutôt humbles qu'éclatantes. « Je veux finir ma vie avec la profonde satisfaction que j'ai eu une certaine utilité sociale auprès d'individus ». Cet adulte juge l'utilité sociale comme étant un objectif occupationnel important car l'absence de ce but serait un peu synonyme d'une vie occupationnelle absurde.

Modifications modestes

L'affairement à une modification de trajectoire s'avère parfois très modeste. L'adulte de 48-52 ans insère alors des recettes ou des trucs personnels qui lui permettent d'ajuster plus sereinement ses aspirations et les exigences occupationnelles. Par exemple, il tente de se tailler des petits défis journaliers. Il s'ingénie à inventorier des mini-moyens de perfectionnement continu car « même si cela fait longtemps qu'on est dans un même travail, il y a toujours moyen de s'améliorer ». L'adulte de 48-52 ans se fixe parfois des moments pour la méditation, car « lorsqu'on travaille, le temps manque pour réfléchir en profondeur sur le sens de la vie ». Il s'impose des horaires précis affectés à cette activité. « Moi, l'important lorsque je quitte le travail le soir, c'est de me retrouver moi-même... c'est de faire le silence et de me retrouver ». Cet adulte va même jusqu'à déclarer que des problèmes de santé sont à la source de modifications minimes de trajectoire, à la fois personnelle et vocationnelle. « La présence de la maladie, il faut vivre avec... l'infarctus est peut-être une de ces maladies qui te donne une chance dans la vie... de te retourner un peu... de te demander d'où tu viens et où tu t'en vas... »

Modifications irréalisables

Dans certains cas, les modifications de trajectoire semblent définitivement impossibles. L'adulte de 48-52 ans s'affaire à les effectuer, mais toute une gamme d'obstacles se présentent. Le niveau hiérarchique de son métier lui nuit : « Moi, je pense que je ne peux changer... être encore une petite manoeuvre à 48 ans, c'est dur... » Des tâches occupationnelles inférieures à sa compétence s'avèrent définitivement un empêchement. Un manque de consultation dans l'organisation serait également une barrière. L'âge est défini comme un obstacle majeur qui entraîne une diminution des ambitions. De plus, l'adulte se juge inapte à évoluer rapidement car « il y a moins d'évolution chez une personne entre 45 et 55 ans qu'à 20-25 ans » ; et, qui plus est, « à un certain âge, les choses ne s'améliorent pas ». Par ailleurs le milieu semble discréditer cet adulte en le reléguant au second rang. « C'est bien sûr qu'en vieillissant... à 52 ans, tu es un deuxième... à moins d'être très brillant et d'avoir des connexions... » On le juge trop âgé pour un premier contrat dans un nouvel organisme. « Passé 35 ans, il commence déjà à être vieux et les employeurs préfèrent sélectionner des plus jeunes pour mieux les dompter. »
De plus, les conditions du milieu semblent leur imposer un plafonnement car la possibilité d'obtenir de l'avancement ou des promotions n'est qu'utopie ou « un rêve en couleurs » ; « je vais rester à ce bas niveau comme cela... » L'adulte de 48-52 ans se considère impuissant étant donné qu'il n'a pas d'autres alternatives que de se plier aux directives. De plus, la hiérarchie tire profit du bon rendement des employés. « C'est le patron qui prend le crédit des affaires quand il y en a. » Les conditions socio-économiques sont un autre obstacle aux modifications souhaitées de la trajectoire. Il ne procède à aucun changement vu que dans son emploi actuel, « le salaire est meilleur ».

Modifications ajournées

L'adulte de 48-52 ans met parfois en veilleuse les modifications de sa trajectoire. Il est quelquefois très vague sur la nature de ces changements futurs. « Je me prépare à la retraite, j'y pense depuis cinq ans ». Il espère vivre son 3ᵉ âge d'une façon sereine et « faire une belle vieillesse ». Cet adulte voit parfois de façon très précise la nécessité vitale d'un arrêt éventuel. « Après avoir travaillé 35 ans dans les mines... je suis conscient que c'est important de prendre ma retraite. » Il espère se reposer aussitôt qu'il aura acquis une sécurité économique.

Par ailleurs, l'adulte de 48-52 ans a parfois des plans plus précis en vue de modifications qu'il veut effectuer mais dont il retarde volontairement l'échéance. Le contenu essentiel de ces modifications futures consiste soit en des actions altruistes, soit en des activités manuelles. En certaines occasions, l'adulte de 48-52 ans ne craint absolument pas le vide ou l'ennui au moment de la retraite. À d'autres moments, il est très anxieux car il voit « des collègues qui sont près de leur retraite et qui sont drôlement mal pris ». Les tourments de l'insécurité économique accompagnent ces modifications ajournées : « Cela va être énervant car il faudra faire face à l'inflation ».

Les navigateurs-exceptions

Certains adultes de 48-52 ans doivent être décrits comme des navigateurs-exceptions (environ 15 %) dans la modification de leur trajectoire. Ils correspondent globalement au vécu vocationnel des 48-52 ans mais plusieurs nuances viennent les différencier des autres adultes de cette classe d'âge. Une première nuance réside dans l'exploitation optimale du fait d'être situé aux confins de la jeunesse et de la sagesse. La spécificité de leur période de vie les aide à replanifier des modifications de leur trajectoire. L'âge leur permet la poursuite d'un développement vocationnel accéléré. L'avancement en âge ne s'avère pas, pour eux, un obstacle majeur aux modifications de trajectoire ; au contraire, les navigateurs-exceptions considèrent que leur évolution « se continue et va même en flèche d'année en année ». De plus, l'appréhension de la maladie leur fait davantage prendre conscience de l'importance de s'affairer dès maintenant à une modification de leur trajectoire. Ces derniers jugent qu'ils « ont encore l'âge ou la force de faire un changement ou d'entreprendre une deuxième carrière ».

Une deuxième différence entre la majorité des adultes de 48-52 ans et les navigateurs-exceptions consiste dans les significations distinctes accordées à leur modification de trajectoire. Les premiers visent surtout une accommodation avec l'ensemble des données sur l'évolution du moi et du milieu ; les résultats de ce compromis s'avèrent souvent au détriment de l'individu. Les seconds veulent coordonner l'équilibre entre les deux forces (moi-milieu) pour respecter d'abord et avant tout leur évolution personnelle. Ainsi ces derniers essaient de se laisser le moins possible envahir par les facteurs de réalité auxquels le marché du travail les confronte. « Il a refusé un poste hiérarchique encore plus important afin de respecter la qualité de sa vie. » Ces navigateurs-exceptions modifient leur trajectoire vocationnelle surtout dans le sens d'une coalition tacite ou d'une association mutualiste pour que l'évolution des partis en présence retire les bénéfices de cette union mais sans vivre aux dépens l'un de l'autre.

Une troisième nuance qui distingue les navigateurs-exceptions des autres adultes de 48-52 ans, réside dans le phénomène intégrant deux réalités apparemment fort distinctes : a. l'égocentrisme aigu qui leur permet une très forte concentration sur leur vie intérieure ; b. un grand intérêt pour autrui. Cette réflexion sur leur propre évolution permet à ces adultes de procéder à un choix plus judicieux des nouvelles modalités qu'ils doivent redéfinir en vue d'une modification de leur trajectoire. Or, aussi paradoxal que cela puisse paraître, cet égocentrisme rend les navigateurs-exceptions très préoccupés par l'égocentrisme d'autrui. En réfléchissant sur les données de leur propre évolution vocationnelle, ils sont conscients d'être plus près de la vie intérieure de l'autre. Par exemple, un professionnel, chef d'un bureau d'affaires florissant, a décidé d'opter pour un poste conseil au sein d'une entreprise publique. Il agit à titre de conseiller le jour et il écrit, la nuit, sur l'historique et la prospective de la pratique nationale et internationale de sa profession. Il a acquis la ferme conviction que les réflexions qu'il avait faites sur sa propre modification de trajectoire, l'ont sensiblement rapproché de l'intimité de la pratique de ses collègues.

Enfin, une dernière nuance qui distingue les navigateurs-exceptions des autres adultes de 48-52 ans provient d'une certaine hardiesse dans la modification de leur trajectoire. Sans effectuer de prouesses ou des plongeons éperdus, apparemment plus typiques du jeune âge, ils s'affairent à une modification audacieuse ; les risques sont calculés mais ils permettent de reculer sans cesse les frontières de leur propre dépassement. « Pour moi, je suis encore à la recherche d'un épanouissement toujours plus grand... »

Images de leur vécu vocationnel

L'image du vécu vocationnel est double et similaire à celle des strates d'âge antérieures. La première correspond à l'ensemble des adultes de 48-52 ans et la deuxième aux navigateurs-exceptions.

La première image s'apparente à un vécu vocationnel qui suit, au fil des âges, une courbe sensiblement parallèle à celle de la croissance biologique. La majorité des sujets de 48-52 ans semblent croire que leur développement vocationnel a été sur une pente ascendante jusque vers 35 ans, qu'il s'est maintenu à un niveau relativement stable depuis et qu'il subira un déclin à partir de 55 ans. Les indices qui laissent croire que cette image est véhiculée par l'adulte de 58-67 ans sont les suivants : 1. considérer l'âge comme un obstacle majeur à la possibilité d'un changement positif quelconque ; 2. s'affairer à une modification de trajectoire dont le but se limiterait à rendre la situation occupationnelle plus tolérable sans nécessairement viser l'accélération de son développement ; 3. se complaire dans sa situation chronologique qui le situe aux confins de la jeunesse et de la sagesse ; absence de mise à profit de cet avantage afin de s'affairer à un changement occupationnel visant une évolution toujours plus optimale.

Tout comme la minorité de la strate d'âge précédente, les navigateurs-exceptions (15 %) ont une image différente de leur vécu vocationnel. Cette image est celle d'une trajectoire continue où chaque étape est d'une importance égale. Ces navigateurs-exceptions semblent donc échapper à cette conception d'un développement basé directement sur la courbe de croissance biologique. Ils s'affairent à une modification de leur trajectoire qui leur permettrait de conserver une croissance accélérée de leur développement vocationnel.

Peut-on parler d'effets néfastes pour ceux qui adhèrent à cette image de leur développement basée directement sur la courbe de croissance biologique ? Si oui, ces effets pourraient-ils être les suivants ? 1. Handicaper son développement vocationnel, actuel et médiat, en omettant d'utiliser cette période charnière qui est susceptible d'apporter des répercussions positives à court, moyen ou long terme ; 2. ne pas considérer les remises en question en vue d'une modification d'une trajectoire comme étant, en soi, un critère d'évolution vocationnelle ; 3. ne pas utiliser les nombreuses opportunités qu'offrent la jeunesse et l'expérience afin de poursuivre un développement vocationnel optimalisé.

Discours vocationnel relié à l'apprentissage

Pendant que l'adulte est affairé à modifier sa trajectoire, le discours relié à l'apprentissage prend quelquefois la forme d'une certaine motivation vis-à-vis le changement. Tout d'abord le manque de formation académique est souvent souligné comme étant un obstacle majeur à toute modification vocationnelle. « Je ne peux aller plus haut... je ne suis pas instruite...dans ma vie, j'ai toujours souffert à cause de cela... ». Cet adulte est parfois convaincu qu'il lui faudrait s'inscrire à des activités d'apprentissage « afin d'avoir un peu plus d'importance ». Mais cela devient un cercle vicieux : il n'« aura jamais plus la possibilité » de réaliser cette ambition, précisément parce qu'il « n'avait pas d'instruction et qu'il s'est épuisé au travail ». De plus l'adulte de 48-52 ans doute fortement de ses capacités intellectuelles et prétend que son potentiel cognitif diminue. Parfois, il aurait « vraiment eu le goût d'apprendre, mais il est convaincu qu'il réussirait moins bien qu'au moment de ses 35 ans ». De plus, le milieu se charge de lui faire croire que ses habiletés intellectuelles s'amoindrissent. « Mon patron m'a dit : c'est sûr qu'une personne de ton âge apprend moins vite que des jeunes... »

De plus, comme c'est le cas des deux strates précédentes, l'adulte de 48-52 ans souligne que l'apprentissage par les expériences de travail est nettement supérieur aux études. La mobilité occupationnelle est quelquefois considérée comme une condition très opportune pour l'apprentissage. Par ailleurs, l'adulte de 48-52 ans formule indirectement certaines critiques sur les activités organisées d'éducation. « Je trouvais cela humiliant pour une personne de 48 ans de suivre des cours avec des petits jeunes de 20 ans... il me semble qu'à mon âge, j'aurais été supposée être supérieure à cela... » Enfin, il signale que le goût de se rendre utile est supérieur au besoin d'apprendre. Il a « moins le goût d'étudier, de faire des stages ou de changer d'emploi tous les deux ans ; il est fatigué de toujours prendre, il voudrait enfin donner ».

La perspective d'une éducation permanente est évoquée surtout par les navigateurs-exceptions. Ils sont conscients « qu'ils ont beaucoup à apprendre et qu'il faut constamment avoir l'esprit ouvert » ; ils sont constamment préoccupés par « le besoin d'en connaître toujours davantage ». Le fait d'être situé aux confins de la jeunesse et de la sagesse stimule leur besoin d'apprentissage. « J'ai la santé, je suis encore jeune...donc je considère que j'en ai encore beaucoup à apprendre... » L'expérience acquise au fil des ans garde également en éveil cet intérêt car, semble-t-il, « plus on vieillit, plus on en sait des choses, mais plus il faut en apprendre ».

Résumé

L'adulte de 48-52 ans voudrait procéder à une modification de sa trajectoire. À la suite d'un renouvellement de sa conception du travail, il s'affaire maintenant à un changement de son agir vocationnel. Après avoir été en quête du fil conducteur de son histoire, l'adulte de 48-52 ans est en possession d'une banque de données sur l'évolution de son identité vocationnelle et du monde occupationnel. Il veut utiliser toutes ces données pour réorienter sa trajectoire vers un compromis pouvant respecter l'ensemble des exigences de ces coordonnées.

D'autres éléments typiques à cet âge contribuent à la modification de sa trajectoire. Il se perçoit aux confins de la jeunesse et de la sagesse. Il est agréablement surpris d'être encore jeune et d'avoir accumulé beaucoup d'expérience. Il sent rôder le spectre de la maladie mais la santé n'en demeure pas moins un cadeau fort apprécié. L'apprentissage s'avère tantôt une motivation en vue de la modification de sa trajectoire, tantôt un obstacle majeur dû à un bagage insuffisant de connaissances. Les modifications de la trajectoire revêtent diverses intensités. Elles sont subtiles en ce sens qu'il y a permutation des valeurs où la préoccupation altruiste devient prioritaire par rapport à la nature des tâches occupationnelles. On pourrait même qualifier cette période comme étant l'âge du travailleur social étant donné l'insertion généralisée de la dimension humaine à l'intérieur des activités. Les modifications de la trajectoire peuvent également être modestes et il y a implantation de mini-nouveautés. Il y a des modifications manifestes avec la présence de changements notables. On retrouve également des modifications irréalisables à cause de l'existence d'obstacles insurmontables. Il y a enfin des modifications ajournées, c'est-à-dire qui sont reportées à la période de la retraite.

Conclusion

Au terme de cette circonvolution orbitale, l'adulte de 38-52 ans s'est rendu compte qu'il ne pouvait difficilement comparer celle-ci avec la première qui était pédestre. La circonvolution orbitale comporte des caractéristiques essentiellement différentes des trois autres strates d'âge que nous avons étudiées antérieurement. Par exemple, à 38-42 ans, il n'y a pas d'atterrissage en milieu inconnu comme c'était le cas à 23-27 ans. Cet âge s'avère plutôt l'occasion d'une recomposition et d'un essai de nouvelles lignes directrices qui se sont dégagées grâce à l'expérience occupationnelle des premières années. À 43-47 ans, l'adulte n'est pas à la recherche d'un chemin prometteur (28-32 ans), mais il est en quête du fil conducteur de son histoire occupationnelle susceptible d'identifier la trame de sa vie au travail. À 48-52 ans, l'adulte ne se sent pas aux prises avec une course occupationnelle comme c'était le cas à 33-37 ans, mais il fournit un effort tout aussi intense. En effet, il s'affaire, sans nécessairement pouvoir y donner suite, à une modification de sa trajectoire permettant de mieux répondre à ses aspirations profondes.

La circonvolution orbitale est donc l'occasion pour l'adulte de 38-52 ans de remettre en question les points suivants : 1. son intégration des divers événements vocationnels ; 2. sa perception et son interprétation des phénomènes de son évolution vocationnelle et des altérations du monde occupationnel ; 3. sa lecture critique et adaptée du rapport de force entre ses exigences et celles du milieu. Voilà autant de remises en question qui ont commandé une réflexion intérieure intense et qui ont obligé l'individu à se situer à une distance adéquate de la planète travail. L'adulte de 38-52 ans doit donc tenter une certaine symbiose cosmique pour réaliser le meilleur équilibre orbital possible. Il tente de préserver ses aspirations et ses valeurs personnelles tout en luttant contre des exigences occupationnelles, parfois exorbitantes, risquant d'aliéner sa personnalité. Au cours de cette circonvolution orbitale, l'éducation permanente se détache des modes organisés pour emprunter essentiellement un aspect informel.

3

Manoeuvres de transfert interplanétaire

Au terme d'une circonvolution orbitale autour de la planète travail, l'adulte de 53-67 ans doit maintenant se préparer à élargir encore davantage ses horizons. Il lui faut envisager des manoeuvres graduelles de transfert interplanétaire qui le guideront en un autre lieu pertinent, en l'occurence la planète retraite, pour la poursuite de son développement vocationnel. Cet adulte peut alors moins se définir comme un citoyen de la seule planète travail, mais plutôt comme un habitant d'un système interplanétaire comprenant divers lieux occupationnels (école-travail-éducation permanente-retraite). Ces manoeuvres de transfert sont très complexes et doivent viser de nouvelles possibilités vocationnelles en vue d'un développement accéléré. La signification accordée à la planète retraite varie ; elle est perçue comme une période d'attente de la mort ou un moment offrant l'occasion d'une vie vocationnelle renouvelée. Selon ces perceptions, l'adulte de 53-67 ans effectuera les manoeuvres de transfert d'une façon ardue et pénible ou complexe mais sereine.

Ces manoeuvres de transfert interplanétaire s'effectuent en trois étapes : 1. la recherche d'une sortie prometteuse (53-57 ans) ; 2. le transfert de champ gravitationnel (58-62 ans) ; 3. aux prises avec la gravité vocationnelle de la planète retraite (63-67 ans).

À la recherche d'une sortie prometteuse (53-57 ans)

Malgré l'urgence maintenant reconnue de procéder à des recherches sur le phénomène du vieillissement, peu d'études s'intéressent d'une façon précise aux adultes de 55 ans. Tout comme la strate précédente, le vécu vocationnel de ces derniers est confondu avec celui des 40 ans et plus ; on ne peut y dégager alors que de très rares particularités. Tout d'abord, il semble que l'adulte de cet âge considère le phénomène de la carrière d'une façon surtout globale, et non pas étapiste ou détaillée (Hall, 1976). Il y aurait ensuite une difficulté généralisée concernant la mobilité occupationnelle : un relevé de littérature et une enquête auprès de 1100 ouvriers confirment qu'en vieillissant, on se sent moins libre de changer d'emploi (Lesage et Rice, 1980). De plus, il y aurait un problème majeur de gestion des ressources humaines : le danger d'obsolescence observé chez les gens au-delà de la quarantaine, y compris la lassitude et l'amoindrissement de l'efficacité (Côté, 1980 ; Kets et Vries, 1978), semblerait davantage un problème relié à la gestion et à l'encadrement plutôt qu'à l'âge où à l'individu lui-même (Lewis et Gilhousen 1981 ; Lesage et Rice, 1980). Enfin, des mesures sont proposées visant à assouplir l'aspect abrupt du moment de la retraite ; elles permettent de s'y familiariser graduellement ou de mieux la préparer (Havighurst, 1982).

Mais qu'en est-il plus précisément du vécu vocationnel des adultes de 53-57 ans ? La recherche triennale s'est attardée spécifiquement aux adultes de cet âge. Les résultats indiquent que les 101 sujets (52 hommes et 49 femmes ; 34 de la classe économiquement défavorisée, 34 de la classe moyenne et 33 de la classe aisée ; 34 du secteur privé, 34 du secteur public et 33 du secteur para-public) sont essentiellement à la recherche d'une sortie prometteuse qui leur permettrait de souligner, en ces dernières années de vie sur le marché du travail, l'apport spécifique dont ils ont teinté le milieu. Malgré l'abolition de l'âge obligatoire de la retraite depuis 1981 au Québec, cet adulte semble considérer qu'il vit une dernière étape avant le compte à rebours menant à son départ. Après avoir été aux confins de la jeunesse et de la sagesse (48-52 ans), l'adulte de 53-57 ans se sent subitement face à l'éventualité d'un départ imminent qui, pourtant, n'aura probablement lieu que dans dix ans. Cette situation amène toute une série d'interrogations fondamentales. Ces remises en question font déclarer aux sujets interviewés que les moments de questionnement, en termes de durée et d'intensité, sont plus élevés que les moments de quiétude ; cela vaut pour au moins les cinq dernières années vécues au travail ainsi que pour l'année en cours. De plus, non seulement les moments de remise en question dominent la rétrospective mais leur présence est grandement prévue pour une prospective d'au moins cinq ans.

Quant à la nature de ces remises en question, qui apparaissent prioritaires, elles sont surtout reliées aux finalités (ou méta-finalités) de la vie personnelle et vocationnelle. Elles incluent des interrogations très angoissantes relatives à la présence de la mort ou de la finitude de la vie vocationnelle et biologique. L'adulte de 53-57 ans semble chercher à identifier, en ces dernières années de vie au travail, des buts très globaux pouvant simultanément correspondre à l'ensemble de sa vie vocationnelle ainsi qu'à une sortie, idéale ou rêvée, du marché du travail. Il se pose différentes questions : comment souligner mon apport spécifique au marché du travail ? Comment faire remarquer que mon remplacement sera très difficile, voire même impossible ? Il s'inquiète de l'éventualité de rater sa sortie. L'adulte de 53-57 ans vit un peu cette étape comme le moment des préparatifs, plus ou moins fébriles, d'un départ ou comme le moment de songer aux dernières activités à réaliser avant de plier bagage. C'est un peu la situation du comédien qui, pour terminer son « show », prépare un numéro mettant en valeur l'ensemble du spectacle afin de redonner au public le goût d'en entendre ou d'en voir davantage. L'adulte de 53-57 ans semble vouloir laisser à son milieu de travail, le message d'une carrière qui aura été remplie et utile pour l'organisme-employeur ou pour la société socio-économique. Il veut également souligner que la façon particulière de s'acquitter de ses tâches sera difficile à retrouver chez un éventuel remplaçant. Un témoignage, rendu à la fois avec humour et authenticité, indiquait ceci : « Je suis à toutes fins pratiques indispensable, n'est-ce pas... » La recherche d'une sortie prometteuse est de tenter une correspondance entre un départ rêvé et une sortie réaliste. L'adulte de 53-57 ans vit donc un choc plus ou moins grand selon les résultats de ce premier bilan définitif ; c'est ce dernier qui lui laisse entrevoir les chances réelles de pouvoir atteindre (en incluant des modifications de dernière heure) cette sortie rêvée ou prometteuse. L'adulte de 53-57 ans planifie toute une série d'actions visant à accentuer les richesses ou à combler les lacunes de son apport occupationnel.

Évaluation d'autrui

Au sein de ce processus, l'évaluation au travail, qui n'est pourtant valable que pour le rendement actuel, est souvent interprétée comme étant le bilan de l'ensemble de sa carrière. Elle revêt une importance exagérée. L'adulte de 53-57 ans semble accorder une suprématie à l'opinion d'autrui, et surtout à celle du patron, même s'il est conscient que ces derniers n'ont souvent qu'une connaissance très limitée de son histoire occupationnelle. Lors de l'évaluation de son travail, cet adulte se plaint alors de l'injustice dont il est généralement l'objet. « Les patrons ont des préjugés ; ils n'ont pas mon expérience. » Il s'ensuit, semble-t-il, une sous-utilisation de son potentiel.

Interrogations sur la finitude de sa vie

Face à l'implacable éventualité de son départ du marché du travail, l'adulte de 53-57 ans semble identifier la retraite à la mort ; pour lui, le travail est synonyme de la vie et « fait partie de lui-même, car pendant 20 ans, il a travaillé entre 10 et 12 heures par jour ». Le boulot apparaît une source majeure d'énergie, et même un antidote à la mort. Par contre la retraite, tout comme la fin biologique, est considérée comme un pont à franchir sans possibilité de retour. Un autre élément s'ajoute à l'éventualité de la retraite et est en partie responsable de ce questionnement angoissant sur la finitude de la vie : il s'agit d'un état généralisé de fatigue. Cet adulte a conscience qu'il doit diminuer son rythme de travail « pour éviter de s'épuiser totalement ». Il « a assumé des responsabilités de tout ordre et aujourd'hui, il est à bout ; il ne peut en prendre plus ». Cet état d'exténuation se traduit souvent par des troubles physiques sévères et des prédictions de longévité plutôt sombres : « Je n'en ai pas pour longtemps à vivre ; j'ai fait plusieurs infarctus... » Cette présence de la mort provoque invariablement de l'angoisse ou du désarroi ; cette réalité entraîne parfois des réactions très agressives lorsqu'il est question du futur occupationnel. « Je ne veux pas parler d'avenir... (ton colérique). » L'adulte de 53-57 ans sait par ailleurs qu'« il ne faut pas vivre pour mourir mais qu'il faut être conscient qu'à chaque minute, on peut mourir ».

Toutes ces interrogations relatives aux finalités de la vie et de la mort provoquent une alternance, plus ou moins fréquente, entre des moments caractérisés par des remises en question et d'autres périodes marquées par une plus grande quiétude. Ainsi, 88 % des sujets de l'échantillon indiquent avoir effectué la passation d'une zone de remise en question à une zone de plus grande quiétude, ou vice versa.

Ce pourcentage se distribue comme suit : 21 %, 25 %, 21 %, 15 % et 6 % déclarent avoir effectué respectivement cette passation avec une fréquence simple, double, triple, quadruple ou quintuple.

La recherche d'une sortie prometteuse peut prendre différentes formes ; elle peut être soit privilégiée, active, calme ou désespérée.

Recherche privilégiée d'une sortie prometteuse

Lorsqu'il en a la possibilité (ce qui est très rare), l'adulte de 53-57 ans s'entoure d'une équipe qu'il entraîne afin que cette dernière puisse assurer la continuité du travail. Lors de sa retraite, son absence physique sera ainsi compensée par une présence morale. Il sera soulagé de constater que les objectifs prioritaires de sa vie vocationnelle se poursuivront par le biais de l'activité d'autrui. Cet adulte précise que durant les années antérieures, sa principale préoccupation était l'augmentation de ses compétences et de son rendement. Présentement, il se sent nettement plus soucieux de l'efficacité d'une équipe qui assurera la survie de ses priorités organisationnelles.

Recherche active d'une sortie prometteuse

Ce type de recherche signifie que l'adulte de 53-57 ans tient à faire lui-même la preuve qu'il a été dynamique et efficace tout au long de sa vie au travail. Pour ce faire, il trace tout d'abord un bilan positif de ses activités occupationnelles. Il souligne que « son expérience acquise sur le marché du travail rapporte au bureau et aux contribuables et qu'elle permet de discuter de divers problèmes avec plus de connaissance qu'un jeune débutant ». Ce bilan favorable est parfois attribué à la mobilité occupationnelle car il « a changé plusieurs fois d'emploi et cela a toujours été bénéfique ». Alors il exprime d'un ton très convaincant qu'il est fier d'« affirmer qu'il est très heureux de ce qu'il a fait à venir jusqu'à date ».

De plus, l'adulte de 53-57 ans souligne avec assurance et insistance qu'il faut apporter des améliorations à l'organisation du travail, car « les lois et les règlements administratifs, ce sont les hommes et les femmes qui les ont créés, donc ils peuvent les changer ».

Parfois, pour réaliser une recherche active d'une sortie prometteuse, l'adulte de 53-57 ans énonce, sur un ton très catégorique, toute une série de qualités exceptionnelles qui, semble-t-il, le caractérisent. Il est un planificateur infaillible ; il n'a pas « de hauts ni de bas et son rendement a toujours été sans reproche ». Il est indispensable car il « dépanne bien du monde au travail ». Il est exigeant et dédaigneux ; pour lui, « un incompétent, c'est une entité négligeable, c'est une personne qu'il ne veut ni connaître, ni rencontrer ». Il est « volontaire et agressif ; il a une grande force de caractère pour combattre les choses auxquelles il a à faire face ». Il est expérimenté et « s'organise toujours pour vaincre les obstacles ». De plus, il s'« adapte facilement même si ce n'est pas à son goût ». Il « procède méthodiquement pour résoudre tous les problèmes qui surviennent ; il les mûrit sagement et il ne panique pas ». Il « est très satisfait de son rendement vu son âge ; il s'est donné entièrement à son travail ». De plus, il est honnête et « ne perd jamais son temps ».

Recherche calme d'une sortie prometteuse

Parfois, l'adulte de 53-57 ans semble vouloir savourer d'une façon sereine les dernières années qu'il lui reste à passer sur le marché du travail. Il semble rechercher calmement une sortie prometteuse. Tout en donnant un rendement satisfaisant, il se soucie peu d'atteindre un dépassement ultime de lui-même. Cet adulte ne sent guère la nécessité de se confronter aux nouvelles connaissances techniques relatives à son travail. Selon lui, « il y a un temps pour donner un véritable effort de production ; et ensuite, il y a une période de la vie où on peut se permettre de prendre les choses plus aisément ». Il abandonne des priorités pourtant valorisées dans le passé. Il prévoit ressentir un véritable besoin de répit ; « c'est peut-être la fatigue physique, mais à un moment donné, j'ai l'impression que je vais en avoir assez de relever des défis ». À cause de son âge, il « a refusé de changer son genre de vie ; il a écarté une promotion qui impliquait un changement de ville ».

Recherche désespérée d'une sortie prometteuse

L'adulte de 53-57 ans est parfois convaincu que son départ du marché du travail ne sera que déchéance et humiliation. Il a l'impression que ses objectifs occupationnels sont de l'histoire ancienne ; « c'est tout au passé mes affaires, il n'y a rien de présent dans mon travail ». Il « ne se fixe plus de défis et son rendement diminue ». À cause de son âge, il ressent des doutes sur la possibilité de finaliser ses plans d'action. « Lorsqu'il a un défi à relever, il se sent plus insécure ». Il « hésiterait à postuler un autre emploi car malgré ses années d'expérience, il a l'impression d'avoir perdu des compétences ».

Le bilan négatif touche surtout la dernière étape de la carrière. Le château vocationnel s'écroule au moment de poser la dernière pierre. « Vous vous faites un idéal de vie et une fin de carrière là-dessus... au moment où cette fin arrive... tout vous glisse sous les pieds... vous vous ramassez à terre... il n'y a plus personne pour vous aider. » Le bilan des dernières heures sur le marché du travail peut être troublant : sa « fin de carrière est un désastre, de la misère noire ; c'est presque une déchéance ». Cette vision défaitiste est parfois exprimée d'une façon plus tolérante. En d'autres occasions, cette perception négative semble irréconciliable. « Je suis fataliste... d'ici la retraite, cela va continuer à se dégrader ; on dirait que je m'en fous... cela s'améliorerait et je crois que je le nierais... » La possibilité d'effectuer une sortie prometteuse semble alors décroissante. À son âge, il « doute fort d'être en mesure de jouer un rôle important dans l'entreprise au cours des prochaines années ». Le développement vocationnel semble irrémédiablement sur une pente descendante. L'adulte de 53-57 ans tire parfois des conclusions très négatives sur ses réalisations. « Jusqu'à la dernière journée, je vais sentir que j'aurais pu faire plus, que j'aurais pu être quelqu'un d'autre. »

Par ailleurs, le milieu ne favorise pas toujours l'adulte de 53-57 ans dans sa recherhe d'une sortie prometteuse. On reconnaît mal son apport positif passé. « Presque un an avant mon départ, on m'avait tout enlevé... j'ai senti qu'on me rejetait... je me suis sentie comme une vieille chaussette comme si je n'avais jamais fait mes preuves... » L'adulte de 53-57 ans semble parfois être victime de tactiques d'humiliation ou d'intimidation. Enfin, la recherche d'une sortie prometteuse peut être parfois irrévocablement compromise lorsque le milieu impose une rétrogression. « C'est difficile d'être rétrogradé à son âge ; après 30 ans de service, c'est humiliant. » Une démonition peut revêtir une allure parfois dramatique : « Rendu à mon âge, on ne veut pas tomber dans le néant... arriver avec une affaire comme cela, c'est comme essayer de décapiter un gars ». L'espoir de la retraite est « sa raison de continuer à travailler » ; « ça ne sera pas une punition mais bien un cadeau ». Cette perspective lui permet de tolérer les nombreux inconvénients actuels : il a « un travail insignifiant » qui lui « fait vivre beaucoup de tensions intérieures ».

Les finalistes-exceptions

Certains adultes de 53-57 ans doivent être définis comme des finalistes-exceptions (environ 15 %) dans leur recherche d'une sortie prometteuse. Ils correspondent globalement au vécu vocationnel des adultes de cet âge. Mais certaines nuances viennent les différencier de la majorité.

Tout d'abord, ils préparent leur sortie rêvée en incluant, prioritairement, la mise sur pied de projets en vue de poursuivre leur développement vocationnel en dehors du marché du travail. « La retraite ne signifie pas absence de travail » ; par exemple, ils veulent « faire des recherches concernant la généalogie ». Ils se donneront « des défis beaucoup plus personnels ». Leurs plans s'inscriront dans une perspective parfois humanitaire. Ils aimeraient « se trouver un travail où ils pourraient donner sans retour ». Parfois, même, la réalisation de certains projets est déjà en marche afin de s'assurer une prospective vocationnelle prometteuse ; par exemple, ils « s'occupent actuellement d'une maison d'accueil pour réfugiés ; ils comptent élargir cet investissement personnel au moment de leur retraite ». Cette préoccupation relative à leur futur vocationnel semble provenir de la reconnaissance du caractère continu ou presque éternel de leur poussée intrinsèque de développement. Les finalistes-exceptions cherchent ainsi non seulement à terminer en beauté sur le marché du travail, mais ils considèrent également la possibilité de poursuivre sereinement leur évolution en tant que retraité. Cette recherche d'une sortie prometteuse s'accompagne d'un questionnement très généralisé portant sur les finalités vocationnelles ; ces dernières doivent être redéfinies afin qu'elles puissent être significatives à la fois pour leurs activités actuelles et prospectives.

De plus, les finalistes-exceptions utilisent des critères strictement personnels pour procéder à leur recherche d'une sortie prometteuse. Ils visent une issue qui sera satisfaisante d'abord et avant tout pour eux-mêmes au lieu d'essayer d'épater autrui ou de faire remarquer que leur remplacement sera très difficile. Lorsqu'ils procèdent à un premier bilan définitif de leur apport sur le marché du travail, ils réagissent énergiquement aux pressions sociales qui veulent les reléguer au rang des vieux travailleurs las et obsolescents. Ils continueront d'être audacieux ; « plus ils vieillissent, plus ils prennent goût aux défis ; ayant davantage confiance en eux, ils hésitent moins à foncer ». Ils aiment se battre car « sans compétition, tout deviendrait trop monotone ». Ils manifestent un esprit de décision et ils « prennent les actions voulues ». Ils révèlent certains éléments d'une autodiscipline qui s'est avérée efficace. « Il faut aller au bout de ses convictions ; ce ne sont pas les gens qui nous aident à nous épanouir, il faut vouloir vaincre pour s'en sortir. » « Il faut être brave pour faire face aux situations changeantes et c'est justement dans ces moments qu'il faut se battre. » Il y a également une distinction très nette entre l'évaluation d'autrui et une auto-évaluation, et ce, même dans le cas d'une recherche désespérée d'une sortie prometteuse. Malgré une appréciation néfaste et destructrice, les finalistes-exceptions ne s'empêchent pas de rassembler tous les éléments positifs d'eux-mêmes afin d'être en mesure de se préoccuper de la poursuite de leur développement vocationnel au moment de la retraite. « À la minute où je sortirai du bureau, c'est une nouvelle vie qui va commencer, je serai une autre personne... je serai une vraie personne humaine, je ne serai plus humiliée par mon travail. »

Images du vécu vocationnel

Tout comme c'est le cas dans la strate précédente, l'image du vécu vocationnel semble double. Il y en a une qui correspond à l'ensemble des adultes de 53-57 ans et l'autre aux finalistes-exceptions.

La première s'apparente à un vécu vocationnel qui suivra au fil des âges une courbe sensiblement parallèle à celle de la croissance biologique. La majorité des sujets de 53-57 ans semblent croire que leur développement vocationnel a déjà commencé à s'inscrire sur une courbe descendante ou à entamer un processus de déclin. Les indices qui laissent croire que cette image est véhiculée par les adultes de 53-57 ans sont les suivants : 1. rareté des projets occupationnels immédiats dénotant des efforts manifestes visant à vivre intensément une fin de carrière ; 2. recherche d'une sortie prometteuse en l'identifiant à une fin absolue ou à une mort vocationnelle ; 3. préparation d'une survie de ses objectifs organisationnels via une équipe entraînée, mais absence d'une planification de sa propre survie vocationnelle via des plans pertinents futurs ; 4. mise en évidence de ses caractéristiques de travailleur efficace pour tracer un bilan positif de carrière mais non pour préciser des finalités d'évolution actuelle ou médiate ; 5. identification de l'âge non seulement comme un obstacle majeur à la poursuite du développement vocationnel mais comme un indicateur du moment propice de la décélération de ce développement ; 6. constat d'irrécupération devant le grand fossé qui sépare une sortie rêvée et un départ réaliste du marché du travail, mais absence de signes indicateurs d'une croyance en la possibilité d'un développement vocationnel remodelé au moment de la retraite.

Tout comme la minorité de la strate précédente, les finalistes-exceptions ont une image différente de leur vécu vocationnel. Cette image est celle d'une trajectoire continue ; ces derniers semblent donc échapper à cette conception d'un développement basé directement sur la courbe de croissance biologique. La recherche d'une sortie prometteuse ne devient donc pas synonyme de préparation, si élogieuse ou si désespérée soit-elle, de sa mort vocationnelle. Cette recherche est plutôt équivalente à un questionnement visant à mieux remodeler et renouveler les finalités vocationnelles à venir.

Peut-on parler d'un prix à payer pour ceux qui optent pour cette image de leur développement basée directement sur la courbe de croissance biologique ? Ce prix serait-il le suivant ? 1. Se préparer à sonner le glas de sa vie vocationnelle plutôt que d'être à la recherche d'une sortie prometteuse les plaçant sur le chemin d'un nouveau mode d'évolution vocationnelle ; 2. se tailler à brève échéance, une vie caractérisée par la sénélité occupationnelle ; 3. restreindre prématurément leur développement personnel global en planifiant l'amputation prochaine de leur vie vocationnelle.

Discours vocationnel relié à l'apprentissage

Au sein de cette recherche d'une sortie prometteuse, le discours relié à l'apprentissage tient à la qualité du potentiel des habiletés cognitives ou intellectuelles. L'adulte de 53-57 ans a des opinions controversées. Ce potentiel continue-t-il à évoluer ? Les tenants du non, soit la majorité des adultes, croient en un déclin de leurs habiletés. Ils se définissent comme possédant « de moins en moins de capacités de mémorisation » et ils sont « très angoissés par l'éventualité de perdre la mémoire ». Ils se « refusent de s'inscrire à tout projet d'autodidaxie ou d'étude organisée ». Ils « ne veulent plus se perfectionner, car rendu à leur âge, cela ne donne rien, trois fois rien ». Ils se jugent « vraiment trop âgés pour faire une période d'apprentissage valable ». Par ailleurs, ces tenants du non soulignent parfois qu'ils ont beaucoup appris sur les lieux du travail.

Par contre, les finalistes-exceptions sont assurés du potentiel illimité de leur habiletés intellectuelles. Leur âge s'avère même une motivation à l'apprentissage. « J'ai un désir fou d'apprendre ; à mon âge, et avec le développement sensationnel des techniques actuelles, je me pense toujours en retard... » Ils sont « conscients qu'ils peuvent encore apprendre » et même qu'il « leur faut se perfectionner tous les jours ». Les tenants du oui se décrivent comme des autodidactes en permanence qui planifient sans cesse des projets organisés d'étude. Par exemple, ils « comptent se perfectionner en théologie pour des activités de renouveau charismatique ». « Durant leur retraite, ils veulent étudier en lettres pour pouvoir écrire leurs mémoires. » Ils « vont demander un congé pour faire des études ; après avoir travaillé 33 ans, ils jugent que c'est à leur tour ». De plus, s'ils « avaient les moyens financiers de se payer une préretraite, ils iraient immédiatement aux études ».

Résumé

Après avoir été aux confins de la jeunesse et de la sagesse, l'adulte de 53-57 ans semble tout à coup à la recherche d'une sortie prometteuse de la planète marché du travail. Malgré l'abolition de l'âge obligatoire de la retraite au Québec, cet adulte semble considérer qu'il vit une dernière étape avant le compte à rebours menant à son départ. Il se sent abruptement en face de l'implacable éventualité de ce départ qui pourtant n'aura probablement lieu que dans dix ans. Cette situation soulève des questions très angoissantes sur la présence de la mort, sur la finitude de la vie en général et surtout de sa vie en particulier. Il contient mal son agressivité lorsqu'on parle de son avenir immédiat. Il se pose les questions suivantes : comment sortir élégamment de la planète marché du travail ? Comment souligner mon apport spécifique ? Comment faire remarquer que mon remplacement sera très difficile, voire même impossible ?

L'évaluation d'autrui, qui n'est valable que pour le rendement actuel, revêt pourtant une importance exagérée. L'adulte de 53-57 ans interprète très souvent les critiques comme une évaluation de l'ensemble de sa carrière. Dans cette recherche privilégiée d'une sortie prometteuse, on entraîne une équipe qui poursuivra le travail au moment de son départ. Il y a des recherches actives où on s'affiche soi-même comme un collaborateur ayant été très efficace. Il y a des recherches calmes où on savoure les dernières années de vie au travail en planifiant un désengagement ou une certaine décélération. Enfin, il y a des recherches qui sont désespérées : la sortie du marché du travail est alors synonyme de déchéance et d'humiliation. Au coeur des propos vocationnels reliés à l'apprentissage, c'est la question reliée à un déclin possible du potentiel cognitif qui retient prioritairement l'attention.

Transfert de champ gravitationnel (58-62 ans)

La carrière des préretraités a fait l'objet d'une attention très particulière chez les intervenants en gérontologie (Herr et Cramer, 1982) ; elle est également au centre des préoccupations de l'Organisation internationale du travail (O.I.T., 1979). Très souvent, semble-t-il, on oublie que la préretraite est une phase de la carrière qui peut être riche sur le plan vocationnel ; de plus, il existe de nombreux mythes négatifs concernant le travailleur âgé (Darnley, 1975 ; Herr et Cramer, 1982 ; Côté, 1980). Ces préjugés sont à ce point généralisés qu'une revue des écrits pertinents faisait conclure à Lewis (1979) que ces adultes sont devenus victimes de discrimination. De plus, en analysant la situation de ces adultes, Forgaty (1976) concluait qu'une saine politique d'organisation du travail devrait pouvoir offrir des possibilités à tous les groupes d'âge, selon les diverses capacités et l'intérêt de chacun. Quoi qu'il en soit, on connaît mal ou très peu la réalité spécifique du vécu vocationnel des adultes de 58-62 ans.

Les résultats de la recherche triennale indiquent que les 92 sujets (50 hommes et 42 femmes ; 30 de la classe économiquement défavorisée, 32 de la classe moyenne et 30 de la classe aisée ; 33 du secteur privé, 30 du secteur public et 29 du secteur para-public) effectuent essentiellement des manoeuvres de transfert de champ gravitationnel. Après avoir été à la recherche d'une sortie prometteuse (53-57 ans) et après avoir défini de nouvelles finalités vocationnelles, cet adulte est maintenant rendu à un stade très particulier de son développement. Il semble devoir effectuer la passation du point zéro entre la fin de l'attraction vocationnelle de la planète marché du travail et le début de celle de la planète retraite. L'adulte de 58-62 ans est très conscient d'être dans une situation de transit. Tout paraît revêtir un caractère éphémère. Il a moins tendance à se lier d'amitié avec les autres personnes au travail car il sait qu'il aura sous peu à renouer de nouvelles relations significatives. De plus, il perçoit très lucidement que cette période de transition se terminera par un compte à rebours vers une destination nouvelle et inconnue. Il retient un peu son souffle. La situation de l'adulte de 58-62 ans pourrait se comparer à celle d'un vaisseau spatial qui continue sa route pour quitter définitivement la gravité d'une planète et entrer dans le champ gravitationnel d'une autre. « C'est une évolution dans la vie, il faut suivre la trajectoire. »

Cette situation amène toute une série d'interrogations fondamentales qui font déclarer aux sujets de l'échantillon que les moments de questionnement, en termes de durée et d'intensité, sont sensiblement égaux aux moments de plus grande quiétude. Ceci vaut pour au moins les cinq dernières années vécues au travail ainsi que pour l'année en cours. De plus, ces moments de remise en question sont grandement prévus pour une prospective d'au moins cinq ans. Ce questionnement porte généralement sur les modalités les plus judicieuses permettant d'effectuer le transfert de champ gravitationnel ; il est également relié aux énergies à déployer pour se soustraire ou s'agripper à l'un ou l'autre des champs d'attraction des deux planètes travail et retraite. Les facteurs importants qui déterminent le sens des énergies déployées sont les états émotifs accompagnant ce transfert ainsi que le degré de difficulté à l'assumer.

L'adulte de 58-62 ans souligne que la période précédente à été très difficile mais que maintenant il a réussi à se consoler en apprivoisant l'idée de la retraite et de la mort. « Il a fallu que je me résigne, et que je me mette dans la tête l'idée de la retraite. » La recherche d'une sortie prometteuse des 53-57 ans comprenait un désir majeur qui devient beaucoup plus conscientisé et intégré à 58-62 ans. « Je rêvais de me faire dire qu'on ne pourrait plus se passer de moi... c'était indirectement mon but... »

Réflexions-testaments

Durant le transfert de champ gravitationnel, l'adulte de 58-62 ans semble léguer ses lignes directrices vocationnelles qui avaient été élaborées dès 38-42 ans et éprouvées par la suite. Les réflexions-testaments portent sur plusieurs conditions de développement. Par exemple, la motivation au travail serait le préalable absolu à une certaine autonomie personnelle. La mobilité occupationnelle serait un objectif fort souhaitable pour « permettre d'évoluer ». La possibilité de se fixer régulièrement des défis et des ultimatums apparaît primordial « sinon tout deviendrait monotone ». Tendre vers les sommets semble être un but essentiel car « il est toujours temps de redescendre ». Saisir la différence entre des objectifs utopiques ou réalistes semble également une condition de survie vocationnelle. De plus, lors de ses réflexions-testaments, l'adulte de 58-62 ans met en évidence la présence constante d'embûches : « le paradis sur terre, ça n'existe pas ». La manière de solutionner les problèmes « n'est pas de se laisser dégonfler mais il faut être agressif pour surmonter ». « Chaque jour, il faut faire des actes de volonté. » La conciliation apparaît la meilleure stratégie de règlement dans les conflits. Enfin, les réflexions-testaments rappellent une condition essentielle au développement personnel et vocationnel ; vers 58-62 ans, cette condition reprend toute sa signification. « Avec les années, il faut toujours comprendre que la santé exige un certain ménagement. »

Limites biologiques

Les limites biologiques accompagnent ces manoeuvres de transfert de champ gravitationnel. L'adulte de 58-62 ans indique qu'il a déjà « graduellement accepté des tâches un peu moins exigeantes en raison de sa santé ». Il a planifié un désengagement étapiste afin de ne pas entraver le travail des collègues. Il « s'aperçoit aujourd'hui qu'il est plus fatigué et, surtout, qu'il prend de l'âge ». Cet état de santé est parfois très précaire car « sa maladie est toujours présente ; il est cardiaque ». Le bien-être physique est jugé la clé du bonheur. La maladie est parfois une honte à cacher : « J'ai des malaises... les gens au bureau ne le savent pas... mais, jamais je ne sortirai d'ici en ambulance, je n'oserais plus jamais revenir... ». Devenir impotent serait fatal ; « il ne veut pas dépendre de quelqu'un car il avancerait alors ses jours ». Les limites physiques amènent la crainte de l'apathie. L'adulte « pense souvent à la mort, car rendu à son âge, il ressent des malaises nouveaux et inquiétants ; il se demande comment sa mort va arriver ». Son décès est craint à cause des conséquences qu'il aurait sur ses proches. La fin de sa vie est parfois prévue très hâtive et il « a peur de ne même pas pouvoir profiter de sa sécurité de vieillesse ». La santé et la vitalité apparaissent donc, d'une façon encore plus évidente, comme un facteur essentiel à considérer dans son développement occupationnel.

Réactions d'autrui

Aux dires de l'adulte de 58-62 ans, la société entretient un préjugé « âgiste » à son égard. « Il y a des changements qui se produisent lorsqu'une personne commence à prendre de l'âge ; mais, c'est moins la personne elle-même qui change ; ce sont les autres qui modifient leurs attitudes envers elle. » Il se sent moins désiré par la collectivité ; « plus on vieillit, moins on est accepté par les gens ». « On s'occupe des vieux quand on a besoin de leur vote pour les élections. » La possibilité de se trouver un nouveau travail est très minime. Il y aurait un désintérêt de la part des autorités pour le solliciter à apprendre des tâches nouvelles. Cet adulte se plaint d'être demandé uniquement pour des « tâches de vieux ».

Préoccupations économiques

Ce type de préoccupations est décrit comme allant de pair avec le troisième âge. « Quand on avance en âge, on est tracassé par les avantages socio-économiques. » Il « entrevoit une baisse énorme de revenu à la retraite et, si l'on tient compte du rythme de croissance de l'inflation, ce sera la catastrophe ». Déjà la situation économique actuelle de l'adulte de 58-62 ans ne semble guère encourageante. Il n'entrevoit pas le jour où il pourra cesser de travailler. Parfois ses revenus sont déjà sous le seuil de la pauvreté.

Passation du point zéro

L'adulte de 58-62 ans a cette sensation d'être entre deux attractions, c'est-à-dire en un point neutre. Il se sent bel et bien dans un passage, une transition car « dans l'avenir ses priorités seront différentes ». La passation du point zéro n'est pas nécessairement l'expression d'une fuite ou d'un désaveu. C'est une transition vers un inconnu où il faudra se resituer car il « a toujours voulu être à sa place, là où il est et où il sera ». Des propos sur la conscientisation de cette passation sont parfois plus dramatiques. Il « croit que rendu à un certain âge, c'est préférable qu'une personne disparaisse, car il y a tellement de gens qui veulent travailler ». De plus, « la fin d'une carrière, c'est la fin d'un être humain ». Cette passation du point zéro est quelquefois conçue comme une transition vers un « autre genre d'affectation ». Ce transfert de champ gravitationnel provoque chez les sujets de l'échantillon une alternance plus ou moins fréquente entre des moments caractérisés par des remises en question et d'autres périodes marquées par une plus grande quiétude. Ainsi, 83 % des sujets indiquent avoir effectué la passation d'une zone de remise en question à une zone de plus grande quiétude ou vice versa. Ce pourcentage se distribue comme suit : 23 %, 23 %, 18 %, 8 %, 11 % déclarent avoir effectué cette passation avec une fréquence respectivement simple, double, triple, quadruple ou quintuple.

Regards sur la planète travail

Durant la passation du point zéro, l'adulte de 58-62 ans a un champ de vision privilégié pour juger globalement les avantages ou les inconvénients du marché du travail. Il est à même de jeter un regard sur la totalité de la planète travail et de porter des critiques sur l'ensemble de sa carrière.

L'adulte de 58-62 ans se déclare, le plus souvent, las, désoeuvré et soustrait de l'attraction vocationnelle de la planète marché du travail. Il nourrit nettement moins d'aspirations. « Il vient un temps, je ne sais pas si c'est lâche, mais on dirait que tu perds de l'ambition... » L'âge semble commander une planification réduite de projets car « c'est entendu que les ambitions à 40 ans sont plus nombreuses qu'à 50-60 ans ». Il exécute des tâches par devoir et non par intérêt. Il a même perdu le goût d'« être exigeant envers lui-même ». « L'ambition d'inventer quelque chose d'utile présente moins d'importance. » Il ne peut plus suivre le rythme de ses collègues de travail. Il « a commencé à désespérer parce que les jeunes allaient trop vite ». Il ne « veut plus de responsabilités comme avant, il n'en ressent plus le besoin ».

Le milieu a parfois contribué largement au fait que l'adulte de 58-62 ans se définisse comme étant soustrait de l'attraction vocationnelle de la planète travail. L'environnement occupationnel « a subi des réorganisations et a rendu les tâches beaucoup moins intéressantes ». « On lui a donné sa "notice" de renvoi, il n'a plus confiance en personne. » « On lui a enlevé son poste de cadre à cause des restrictions budgétaires. » Il a de plus en plus de collègues gênants. Il est malheureux au travail et « la retraite pour lui serait une délivrance car il a travaillé durant près de 46 ans » ; le dédain de son emploi est compensé par le grand espoir de ne pas placer sa descendance dans la même situation. Le travail comporte des exigences physiques maintenant presque inhumaines et l'exercice du métier apparaît un peu comme un enfer. Les conditions du milieu semblent se détériorer et il « n'est plus possible de rendre son travail plus humain à cause de la compression du personnel ». « Les réunions syndicales et les tiraillements employés-patrons le dérangent. » Les désaffectations le bouleversent. « À son âge, les changements de poste, c'est très difficile à accepter, c'est "drastique". »

L'adulte de 58-62 ans, sensible à l'attraction de la planète, voit quelquefois certains avantages au travail. Ce dernier s'avère un antidote au vieillissement et une réponse au besoin de donner ; il est également un mélange d'obligations et de divertissements ; un métier « permet d'oublier ses maladies » et confère un statut socio-économique convenable. Le gagne-pain s'est avéré l'occasion d'une évolution constante ; il « a permis l'actualisation de soi et a occasionné un certain dépassement ». Les tâches occupationnelles ont exigé d'exploiter ses talents et de mettre à profit son initiative. Par ailleurs, même « s'il aime beaucoup son travail, il est un peu fatigué de l'ambiance générale et des circonstances ; après 31 ans, la pratique de son métier est devenue astreignante et difficile ; son grand rêve est de se libérer très rapidement de son travail ».

Regards sur la planète retraite

Durant ce transfert de champ gravitationnel, l'adulte de 58-62 ans est porté à jeter un regard sur cette planète vers laquelle il devra bientôt se diriger. Généralement, ce transfert de champ gavitationnel s'accompagne de divers états émotifs qui semblent aller en se détériorant. L'adulte de 58-62 ans rejette l'idée de se définir comme une personne du troisième âge. Il n'« est pas capable de se résigner à dire qu'il est rendu à l'âge d'or ». La discontinuation de son emploi apparaît sous un angle négatif. « Avant, j'avais hâte à la retraite, mais maintenant plus ça avance, moins j'ai hâte. » L'adulte a moins confiance en lui ; « à mesure qu'il prend de l'âge, tout devient aléatoire et plus inconfortable ». Cet adulte associe souvent la fin d'une carrière avec la fin de la vie biologique. « Quand tu penses à la retraite après l'ouvrage, tu t'en vas vers ta tombe... » Il se déclare une personne usée car « à 60 ans, le meilleur temps d'un individu, sur les plans cognitif ou affectif, est fini ; c'est le terme ou la limite d'un être humain ». Parfois cet adulte affirme la nécessité de préparer son départ et souligne l'aspect positif d'un éloignement du monde socio-économique actif. En de rares occasions, l'adulte de 58-62 ans ressent une sécurité émotive accrue ; il se sent « plus compatissant ou plus humain » et doté d'un équilibre supérieur « après avoir traversé différentes périodes révolutionnaire, réactionnaire ou tranquille ». Il se perçoit plus assuré et « a davantage confiance dans ce qu'il fait ». Une fois les problèmes résolus, il ressort « plus épanoui » et ressent une nette progression dans l'actualisation de lui-même. Il se décrit plus altruiste car « avec les années, on acquiert de la maturité et une augmentation du degré de compréhension d'autrui et de maîtrise de soi ».

Les astronautes-exceptions

Certains adultes de 58-62 ans doivent être décrits comme des astronautes-exceptions (15 %). Leur vécu vocationnel correspond globalement à celui des 58-62 ans. Mais certaines nuances viennent les différencier des autres adultes du même âge.

Tout d'abord, ils sont très conscients que leur transfert de champ gravitationnel les situe temporairement dans un état relatif d'apesanteur par rapport aux pressions occupationnelles. En effet, ils se sentent moins aux prises avec les obligations du marché du travail et les exigences typiques de la retraite n'ont pas encore fait leur apparition. Cet état relatif d'apesanteur amène une certaine sérénité qui permet aux astronautes-exceptions de mieux mettre en relief leurs propres exigences personnelles parmi l'imbroglio des pressions sociales. Ils sont alors plus libérés pour concevoir une modalité renouvelée de pratique d'un métier ou d'une profession, qui soit mieux adaptée pour leur retraite. Ainsi, ils déterminent eux-mêmes les conditions nécessaires qui seront susceptibles de faciliter leur évolution constante ou accélérée : par exemple, il « leur faudra toujours progresser ou démissionner ; ce sera là un défi continu ».

Une deuxième nuance réside dans la réaction à l'égard des limites physiologiques. Ils n'hésitent pas à s'imposer des exigences toujours nouvelles malgré les périodes d'adaptation nécessaires. « Ça me prenait un autre défi ; à mon âge, un changement c'est "drastique", c'est difficile, mais à un moment donné, je vais reprendre le dessus. » Les astronautes-exceptions songent à intégrer la composante des limites biologiques dans leur vécu vocationnel actuel et futur ; ils évitent ainsi de se définir dans une période de déclin. Ils ont plusieurs projets précis renouvelés. La participation à des associations professionnelles, politiques ou ludiques constitue des perspectives très arrêtées. Le bénévolat auprès de personnes nécessiteuses s'avère un champ d'action privilégié. Il y a une possibilité de collaboration à l'entreprise de ses propres enfants. Il est question de procéder à des « travaux linguistiques à la maison ». Il fera « de la comptabilité à temps partiel ». En somme, les astronautes-exceptions planifient leur développement vocationnel pour qu'il soit qualitativement différent des années antérieures mais tout aussi intense et prononcé.

Une troisième nuance vient du fait que ces astronautes-exceptions sont très conscients de l'évolution de leurs états émotifs peu importe s'ils vont dans le sens d'une dégradation ou d'une bonification. En extrapolant l'évolution de ces états émotifs d'ici les prochaines années, ces derniers possèdent ainsi une plus grande connaissance de leur moi vocationnel futur ; ceci leur permet d'identifier les défis à relever pour éviter la dégradation trop rapide des premiers états émotifs et accélérer l'amélioration des seconds. Cette connaissance les habilite également à choisir plus adéquatement leur nouvelle direction occupationnelle et d'augmenter ainsi les chances de poursuivre un développement vocationnel accéléré.

Images du vécu vocationnel

L'image du vécu vocationnel est double et similaire à celle des strates d'âge antérieures. Il y en a une qui correspond à l'ensemble des adultes de 58-62 ans et l'autre aux astronautes-exceptions.

La première image s'apparente à un vécu vocationnel qui suit, au fil des âges, une courbe sensiblement parallèle à celle de la croissance biologique. La majorité des adultes de 58-62 ans semblent croire que leur développement vocationnel est définitivement inscrit dans une phase de déclin. Les indices qui laissent croire que cette image est véhiculée par les 58-62 ans, sont les suivants : 1. interprétation de la période du transfert de champ gravitationnel comme étant un déclin à subir avec toute la kyrielle de dégradation, d'humiliation, de diminution, de rejet et d'oubli ; 2. perception d'une détérioration accélérée et irrémédiable de ses états émotifs ; 3. identification de la fin prochaine de sa carrière à une étape menant directement « à la tombe » ; 4. association de l'âge d'or avec de nombreuses caractéristiques négatives ; 5. manifestation d'une certaine joie à l'idée de terminer l'exercice de son métier mais absence de planification renouvelée d'une occupation quelconque pour les années à venir ; 6. nonintégration positive de ses limites biologiques à titre de composante importante dans les suites à donner à son évolution vocationnelle.

Tout comme la minorité de la strate précédente, les astronautesexceptions ont une image différente de leur vécu vocationnel. Cette image est celle d'une trajectoire continue où chaque étape est d'une égale intensité ; ces derniers semblent donc échapper à cette conception d'un développement basé directement sur la courbe de croissance biologique. Au sein de leur transfert de champ gravitationnel, la planète travail est définie comme un endroit où ils se « découvrent, encore et toujours, de nouveaux talents ou capacités » ; la planète retraite est perçue comme un lieu « où ils veulent rester jeunes et vivre pleinement leur vie ».

Peut-on parler d'un prix à payer pour ceux qui choisissent une image de leur développement basée directement sur la courbe de croissance biologique ? Ce prix serait-il le suivant ? 1. Ne pas utiliser le transfert de champ gravitationnel pour mieux redéfinir des modalités de poursuite de leur évolution vocationnelle ; 2. refuser d'envisager et d'inventorier ces nouvelles modalités ; 3. percevoir l'attraction de la retraite strictement comme la délivrance d'un enfer et non comme la poursuite de leur développement ; 4. s'accrocher indûment à la planète travail uniquement par refus de reconnaître leur avancement en âge.

Discours vocationnel relié à l'apprentissage

Au sein du transfert de champ gravitationnel, apparaît une soif de connaître qui s'avère de plus en plus grande et de plus en plus diversifiée. Mais la majorité des adultes de 58-62 ans expriment ce besoin au conditionnel. Ils aimeraient « suivre un cours en administration pour connaître les techniques pertinentes ou pour essayer d'avoir le langage des grosses personnes d'affaires ». Ils voudraient « suivre des cours avec les jeunes afin de respirer le même air qu'eux ». En général, l'adulte de 58-62 ans prétend que le perfectionnement, « ce n'est plus pour eux », car toute la société (et surtout les patrons) « juge qu'à cet égard, ils sont finis ». La perception d'un potentiel cognitif subissant une dégradation continue avait déjà fait son apparition à la phase antérieure ; maintenant cette croyance est malheureusement encore beaucoup plus ancrée.

Les propos reliés à l'apprentissage ramènent souvent l'adulte à se remémorer les années antérieures. Il est alors question du statut social relié à la possession d'un diplôme. Il « a toujours souffert de ne pas avoir d'instruction car on se fout d'eux ». Le monde du travail apparaît scindé en deux parties très distinctes : « Il y a les universitaires et les autres ; moi, je suis dans le deuxième groupe ». L'adulte de 58-62 ans a travaillé parfois toute sa vie « pour que ses enfants puissent faire des études avancées et décrocher un statut social convenable ». Ou cet adulte se plaît à raconter, avec fierté, qu'il « a relevé le défi d'un retour aux études à temps plein alors qu'il était âgé de 40 ans ».

Les astronautes-exceptions prêchent, avec vigueur, la « nécessité du perfectionnement à tout âge, peu importe l'occupation ». Cette conviction est parfois verbalisée avec une grande sévérité ; « les individus qui se soustraient à cette activité sont des niaiseux ou des amorphes ». Selon l'opinion de cette minorité, « il faut se garder éveillé, sinon le cerveau arrête de fonctionner... à 65 ans ou 70 ans, il faut continuer à apprendre ». L'apprentissage devient une thérapie préventive au vieillissement prématuré. Certains d'entre eux ont des projets d'études bien arrêtés en vue d'une nouvelle carrière lors de leur départ du marché du travail. Puisqu'ils veulent « écrire durant leur retraite sur la généalogie, il leur faut apprendre à faire des recherches ». Ils suivront « des cours de traduction afin de procéder à de tels travaux chez eux lorsqu'ils ne pourront plus enseigner ». Ils se donnent comme défi de toujours suivre l'évolution technologique. Parfois le conditionnement cognitif peut être fort simple mais demeure un indice convaincant de vigueur intellectuelle ; « une personne qui fait quotidiennement des mots croisés, avec le dictionnaire en mains, est une personne qui n'a pas envie de mourir demain matin ».

Résumé

L'adulte de 58-62 ans procède à des manoeuvres de transfert de champ gravitationnel. Après avoir été à la recherche d'une sortie prometteuse, cet adulte est rendu à un stade très particulier. Il semble devoir effectuer la passation du point zéro entre la fin de son passage sur la planète travail et les tout premiers moments de la retraite. C'est un peu comme si un vaisseau spatial continuait sa route pour quitter définitivement l'attraction d'une planète et entrer dans le champ gravitationnel d'une autre.

Il effectue différemment ce transfert. Ou bien il se situe face au marché du travail et il s'interroge sur les moyens de s'y accrocher ou de s'en détacher ; ou bien il se situe face à la retraite et cherche des tactiques pour retarder son approche ou devancer l'échéance. Il fait des réflexions-testaments : il fait une donation de ses lignes directrices vocationnelles composées lors de ses 38-42 ans et éprouvées par la suite. Il nous lègue également sa charte vocationnelle en héritage. Les réflexions-testaments portent sur les nécessités suivantes : relever des défis, avoir l'impression d'un certain degré de liberté au travail, reconnaître en l'expérience une composante essentielle de la sagesse, avoir un esprit de combativité inlassable, repenser sa vie et la revivre chaque jour. Le transfert de champ gravitationnel s'accompagne de divers états d'âme. Chez la majorité, il y a une grande insécurité affective et un manque flagrant de confiance en soi. Chez la minorité, il y a une assurance marquée et une certitude de posséder un équilibre émotif supérieur ; il y a également une perception de soi comme étant plus humain, plus épanoui, plus vif d'esprit et ayant une plus grande capacité d'adaptation. Parallèlement à la perception par la majorité d'un potentiel cognitif en dégradation constante, apparaît chez les sujets-exceptions une soif de connaître qui s'avère grandissante et diversifiée.

Aux prises avec l'attraction vocationnelle de la planète retraite (63-67 ans)

Les écrits pertinents sur les travailleurs âgés sont relativement nombreux (Côté, 1980) et traitent surtout des préjugés qu'on entretient à leur égard. Ces derniers sont très largement perçus d'une façon défavorable sous deux aspects majeurs : on doute de leur possibilité de fournir un rendement satisfaisant et on est par contre assuré que leur potentiel de développement est nul (Rosen et Jerdee, 1976). Ces attitudes négatives font dire à Bergman (1980) que l'âgisme est une forme de discrimination plus répandue que le racisme ou le sexisme dans la société nord-américaine. Pourtant, plusieurs faits contredisent ces idées préconçues (Côté,1980) ; par exemple, un relevé des écrits pertinents démontre que l'âge est relié d'une façon positive au degré d'implication au travail (Bamundo et Kopelman, 1980). De plus, les employeurs sont très positifs envers le travailleur âgé lorsqu'il a été à leur service pendant de nombreuses années (Lewis, 1979). Par ailleurs, pour mieux saisir la complexité de cet adulte au travail, il faudrait peut-être adopter une attitude très différente, car selon l'âge, les tâches occupationnelles n'ont pas la même signification et les méthodes de travail diffèrent considérablement (Gilbert, 1980). Le vécu vocationnel spécifique aux adultes de 63-67 ans gagnerait donc à être précisé davantage afin d'obtenir une compréhension toujours plus avancée de leur type particulier d'évolution.

La recherche triennale voulait précisément apporter des éléments éclairant le vécu vocationnel de ces adultes. Les résultats indiquent que les 65 sujets (37 hommes et 28 femmes ; 22 de la classe économiquement défavorisée, 2l de la classe moyenne et 22 de la classe aisée ; 2l du secteur privé, 23 du secteur public et 2l du secteur para-public) se retrouvent, bon gré mal gré, aux prises avec la gravité vocationnelle de la planète retraite. Ils ne peuvent y échapper à plus ou moins brève échéance. L'endroit d'atterrissage apparaît très éloigné, surtout très étranger et même un peu hostile. C'est la première fois que l'adulte de 63-67 ans fait son entrée dans l'atmosphère de la planète retraite. Doit-il accélérer ou freiner la descente ? Devrait-il identifier immédiatement un point d'arrivée ou tenter de demeurer le plus longtemps possible dans un état moratoire ? Comment arriver à déceler de nouvelles raisons de vivre en cet endroit plus ou moins imposé ? Il est aux aguets ; il lui faut prévoir les écueils.

Cette situation amène toute une série d'interrogations fondamentales ; elles font déclarer aux sujets de l'échantillon que les moments de questionnement, en termes de durée et d'intensité, sont d'une présence presque égale à ceux d'une plus grande quiétude. Cette déclaration vaut pour au moins les cinq dernières années vécues au travail ainsi que pour l'année en cours. De plus, ces moments de remise en question sont grandement prévus pour une prospective d'au moins cinq ans. Étant donné que l'éloignement de la planète travail est de plus en plus marqué, la nature de ce questionnement porte essentiellement sur les finalités de la nouvelle vie vocationnelle à réinventer sur la planète retraite. La descente dans cette nouvelle atmosphère comprend tellement d'inédit que l'adulte de cet âge se sent parfois démuni. Il a une certaine expérience de la vie mais les apprentissages réalisés et la marge de sécurité acquise sur le monde du travail ne sont pas automatiquement transférables ou immédiatement utiles. Cet adulte connaît les divers moyens de se frayer un chemin sur l'ex-planète, mais le pourra-t-il sur celle-ci ? Il a appris à se sortir le plus indemne possible des divers problèmes et a emmagasiné toute une gamme de solutions efficaces devant les conflits, mais pourra-t-il s'en servir en ce nouvel endroit ? L'attraction vocationnelle de la planète retraite semble comporter toute une série d'exigences nouvelles et de finalités à réinventorier ou à réinventer. De plus, l'adulte de 63-67 ans se rend compte qu'il lui faut apprendre à organiser différemment son temps et à déceler de nouvelles règles de vie occupationnelle.

Plusieurs réajustements semblent nécessaires à effectuer ; il y a beaucoup d'imprévus à conscientiser sur les plans émotif, économique et interpersonnel. L'initiative et la présence d'esprit sont nécessaires ; la réussite de son mariage avec les éléments de cette planète est très exigeante et se définit comme une condition *sine qua non* d'un atterrissage heureux. Cette situation provoque chez les sujets de l'échantillon, une alternance plus ou moins fréquente entre des moments caractérisés par des remises en question et d'autres périodes marquées par une plus grande quiétude. Ainsi 63 % des sujets indiquent avoir effectué la passation d'une zone de remise en question à une zone de plus grande quiétude ou vice versa. Ce pourcentage se distribue comme suit : 23 %, 14 %, 11 %, 14 % et 1 % des adultes déclarent avoir effectué cette passation avec une fréquence respectivement simple, double, triple, quadruple et quintuple. Ainsi, durant cette descente vers l'inconnu, l'adulte de 63-67 ans oscille maintes fois entre un sentiment d'impuissance ou de maîtrise de la situation inédite.

Aux prises avec une course de réflexion

Parallèlement à son entrée dans le champ gravitationnel de la planète retraite, l'adulte de 63-67 ans semble aux prises avec une course de réflexion. Pour mieux expliciter cette situation, on pourrait la comparer à celle de l'adulte de 33-37 ans. Ce dernier était inscrit dans une course d'agir vocationnel visant à réaliser des exploits occupationnels. L'adulte de 63-67 ans semble par contre hanté par un besoin insatiable de réfléchir, de « jongler » ou d'avoir une activité interne intense qui lui permettrait une compréhension des diverses facettes de la vie. On pourrait formuler la comparaison caricaturale suivante : l'adulte de 33-37 ans se précipite pour agir ; celui de 63-67 ans est pressé de se bercer pour réfléchir.

L'adulte de 63-67 ans exprime fréquemment cette nécessité de la réflexion. Ses pensées portent sur des questions fondamentales : « Pourquoi vieillit-on ? » « La mort, est-ce quelque chose d'aussi naturel que la vie ? » Par contre, cet adulte doit éviter les inconvénients des cogitations trop longues ou trop fréquentes surtout lorsqu'il est question de sa propre mort. Cet adulte est conscient qu'il « doit se distraire ou s'occuper pour ne pas toujours penser ». Le fait de « se concentrer sur son travail l'aide à oublier ses bobos ; cela l'aide moralement ». Pour réussir à se distraire, il s'efforce d'adopter d'autres habitudes. « On me dit que je suis le plus jeune de l'étage parce que je fais toujours des blagues, mais c'est un besoin pour moi... » Malgré les efforts fournis pour éviter ces délibérations solitaires, l'adulte de 63-67 ans est très conscient qu'il ne peut pour autant éliminer l'aspect parfois très pénible de la réalité. Il connaît « plusieurs personnes qui ont fait des infarctus et qui se sont occupées pour oublier mais elles sont mortes ». L'amour de la vie apparaît alors plus fondamental pour l'adulte de 63-67 ans. « La vie, c'est un défi continu qui révèle des nouveautés à tous les jours, tous les mois et toutes les années, c'est presque un « strip-tease » continu... »

Aux prises avec la survie biologique

Durant cette descente vers un milieu inconnu, l'adulte de 63-67 ans doit composer avec les exigences cruciales de la survie biologique. Il parle directement de la fin de sa vie qu'il considère comme étant très prochaine ; il est parfois surpris de constater l'intensité quasi subite de cette préoccupation. « Lorsqu'il était plus jeune, la mort ne lui faisait pas peur, il ne sentait pas la réalité de la fin, mais là... ». L'approche des derniers moments est une réalité avec laquelle il est tenu de s'apprivoiser car « la mort n'épargne personne ». Parfois l'adulte de 63-67 ans semble accepter ce phénomène et l'exprime sur un ton badin. « Quand je recevrai une lettre pour me dire que mon temps est fait ici... je me soumettrai... » À d'autres moments, cet adulte prétend que le trépas est un passage très positif parce qu'« il est la solution éternelle et générale à tous les problèmes ».

Mais les problèmes de santé sont cause de beaucoup d'inquiétude ; « passé 60 ans, il ne faut pas s'attendre à de l'amélioration ». Certaines anomalies biologiques particulières apparaissent fatales dans la poursuite d'activités vocationnelles. Les mauvaises nouvelles médicales sont infailliblement de la partie. La question de la survie biologique est perçue pas l'adulte de 63-67 ans comme ayant des répercussions sur l'efficacité de son travail ; il s'en inquiète car « il prévoit que son rendement va aller en descendant continuellement ». L'affaiblissement des capacités physiques intervient dans la programmation des activités. Il a « dû renoncer aux organismes dont il faisait partie, il n'a plus la force d'une personne de 20 ans ; cela le limite donc beaucoup dans ses projets ». Mais l'adulte de 63-67 ans souligne qu'il n'est pas un « impotent ». Il utilise parfois des moyens préventifs pour « se garder en forme ».

Aux prises avec la survie économique

La question de la survie économique est un problème crucial pour l'adulte de 63-67 ans. Un cri d'alarme est lancé sur le plan politique ; « le gouvernement ne protège pas assez les personnes âgées qui prennent leur retraite, les lois sont mal faites pour eux ». Parfois cet adulte a été très malchanceux ; « il a travaillé longtemps à son compte et il a perdu beaucoup d'argent ». Souvent, il est monétairement coincé ; « la retraite, ça l'oblige à vendre sa maison ». « Il ne peut espérer un instant de repos car à cause du faible nombre d'années de service à son organisme-employeur, il a droit à une pension ridicule. » La survie économique est une préoccupation inévitable lorsqu'on songe à quitter le marché du travail ; « la retraite fait définitivement moins peur quand on a de l'argent ».

Planification de la retraite jugée essentielle

L'adulte de 63-67 ans insiste généralement pour souligner le caractère essentiel voire même obligatoire de la planification de la retraite. Cette programmation apparaît encore plus nécessaire lorsque l'adulte constate qu'il y a eu une grande négligence de sa part. Il « a commencé à penser à la retraite l'année dernière seulement ; il est très inquiet car il ne l'a pas suffisamment préparée » ; il « ne sait plus quoi faire et il prévoit que ça va lui causer de nombreux problèmes ». L'adulte de 63-67 ans veut absolument prévenir les successeurs : « Je le dis aux jeunes d'y penser d'avance à la retraite... on s'imagine toujours que c'est loin, mais cela va vite... » L'adulte de cet âge prétend qu'une saine gestion de son temps est un facteur de bonheur au moment de la retraite. Parfois, cet adulte a tout prévu pour cette période et souligne que les « arrangements vocationnels pour le futur sont maintenant chose du passé ». En des occasions encore plus rares, cet adulte va jusqu'à spécifier dans quel sens l'organisation de cette future étape est effectuée. Il « fait du bénévolat ou il a choisi des activités qui se rapprochent de son travail ». Par ailleurs l'adulte peut affirmer que le statut de retraité est grandement facilité lorsque son opérationnalisation débute graduellement. Enfin, il « semble beaucoup plus facile de prendre sa retraite lorsqu'on est déjà engagé dans autre chose que le travail ».

Lieux moins adéquats de la planète travail

L'adulte de 63-67 ans signale divers éléments l'avertissant que le marché du travail est un lieu qui semble de moins en moins lui convenir. « Il y a tellement de choses avec lesquelles il n'est plus d'accord. » De plus « lorsqu'on n'est plus capable de prendre des défis, on n'est plus à sa place dans sa profession ». Le respect de cet adulte par les autorités n'est pas une chose acquise. Il ressent parfois les effets négatifs des changements de mentalité lors des appréciations : « Auparavant, plus tu vieillissais, plus tu étais compétent et plus tu avais des promotions... mais aujourd'hui, ce n'est plus ça, les forces de lois sont changées ». Il semble craindre que l'évaluation de sa performance par autrui va signifier le rejet ou un renvoi ; car « la pression sanguine monte deux fois par année lorsque arrive l'évaluation ». Essuyer un échec dans les concours de qualification a des répercussions sur la santé psychologique et sur l'état physique ; il « a fait deux crises d'infarctus à cause d'un refus de promotion... »

Perception de l'héritage de la planète travail

L'adulte de 63-67 ans a parfois l'impression d'avoir obtenu ou gagné un héritage émanant des expériences vécues sur la planète travail. Il a « la conviction que les efforts ne sont jamais perdus et qu'il n'y a aucune expérience antérieure de travail qui soit insignifiante ». Il souligne l'importance de cet héritage car « on ne connaît vraiment que ce qu'on a vécu » et « les mauvaises expériences sont aussi enrichissantes que les bonnes ». L'absence d'un tel héritage correspondrait à un constat d'échec ; « rendu à 63 ans, si on ne s'est pas enrichi par nos expériences de travail, on a raté notre vie ». Les conséquences positives de son apprentissage occupationnel et de ses expériences auto-formatrices sont exprimées avec un grande fierté : « Je me suis bâti moi-même ». Enfin, cet héritage a parfois été « facilité par les prédécesseurs avec lesquels il a travaillé et qui lui ont appris à connaître l'humain ».

Neutralisation de l'attraction de la planète retraite

L'adulte de 63-67 ans neutralise l'effet de l'attraction de la planète retraite ou retarde l'échéance de son approche. Plusieurs raisons militent en faveur de cette réaction. Tout d'abord, la retraite apparaît comme un synonyme de mort vocationnelle ou un point marquant la fin d'un individu : « c'est une grosse partie de la vie qui est passée ». On semble percevoir une différence phénoménale entre les statuts de travailleur et de retraité, rendant ainsi la transition parfois extrêmement pénible ; « la retraite et le travail, c'est le jour et la nuit... »

L'adulte de 63-67 ans réagit parfois en refusant d'envisager son départ. Il a « toujours eu la frousse de la retraite, il s'organise pour ne pas y penser ». Il « a suffisamment de tracas à son travail pour ne pas se préoccuper de la retraite ». Cet adulte indique qu'« il lui faudra se résigner, c'est-à-dire accepter à un moment donné l'idée qu'il sera retiré du marché malgré lui ». En certaines occasions il adopte une conduite davantage marquée par l'obéissance. « Quand l'âge de la retraite viendra, je devrai me soumettre comme les autres, tout comme la mort arrivera. »

Parfois, l'adulte neutralise l'effet de l'attraction de la planète retraite en refusant carrément d'être aux prises avec cette gravité. « Plus la retraite approche, moins il l'accepte. » L'arrêt du travail se définit comme un emprisonnement ; « il refuse de se voir pris entre quatre murs à ne rien faire ». Le désengagement va même jusqu'à signifier une condamnation à la paralysie. « À la retraite, je vais ankyloser vite et je l'accepte mal, très mal.

Enfin, chez l'adulte qui a déjà abdiqué son emploi se manifeste parfois une certaine frustration. Le changement d'activités vocationnelles est caractérisé par de la détérioration : « Il ne retire pas autant de satisfaction qu'auparavant ». Il ressent un certain ennui, « les contacts avec les gens lui manquent beaucoup ».

Utilité sociale

À cet âge, le besoin d'utilité sociale ressort avec une grande force et semble aller en s'amplifiant d'année en année. « Depuis dix ans, son désir d'aider ainsi que sa disponibilité augmentent. » L'adulte de 63-67 ans voudrait accorder beaucoup d'espace vocationnel à ce besoin d'utilité sociale. « À sa retraite, il veut rendre service pour s'occuper et passer le temps. » Parallèlement, la crainte de s'avérer un retraité superflu et inefficace s'accentue. Car, règle générale, l'adulte de 63-67 ans est maladroit lorsqu'il s'agit d'inventorier des moyens concrets pour satisfaire cette aspiration, et la société lui facilite très peu la tâche.

En de rares occasions, certaines modalités d'utilité sociale sont inventoriées. Il y a la politique municipale ; il « vient de se faire élire comme conseiller à la municipalité, il croit qu'il n'aura pas assez de temps pour tout faire ». Il y a la méditation religieuse ; « même si je ne suis là que pour prier, je puis aider les gens dans la misère, je me sens donc encore utile ».

Utilisation de l'attraction de la planète retraite

Lorsque c'est possible, l'adulte de 63-67 ans est très fier d'indiquer que son départ est un acte délibéré. Il « n'a pas attendu qu'on le mette à la retraite, il l'a choisi ». Il est parfois très heureux d'indiquer qu'il est dégagé de sa dépendance psychologique au travail. Il n'en demeure pas moins que l'utilisation entière et positive de l'attraction vocationnelle de la retraite est très rare chez l'adulte de 63-67 ans.

Malgré l'aspect rarissime de cette attitude, on indique ici de quelles manières s'effectue l'utilisation constructive de la retraite. Il assurera le suivi intégral de sa route vocationnelle. Il continuera quelquefois de relever les défis ; « cela ne lui fait pas peur, ça le stimule ». Il tentera de persister dans sa lutte contre un état stagnant car il « n'aime ni la routine, ni la stabilité ». Il essaiera de maintenir l'exercice de ses divers talents ou habiletés. Le temps partiel apparaîtrait comme une façon idéale de poursuivre ses activités occupationnelles.

La planète retraite sera parfois l'occasion d'une réorientation d'activités. « À 65 ans, c'est simplement le temps de changer de carrière et d'en commencer une nouvelle. » Cet adulte prend parfois soin de se laisser guider par son intérêt majeur dans cette nouvelle direction. « Il est un ex-constructeur de maisons et il aime beaucoup rencontrer les gens, ainsi il a choisi de devenir messager. » « Depuis sa retraite, il fait partie d'une corporation afin de contribuer à la formation de la relève. » Il songe à des activités scientifiques. Il a « encore des projets de recherche en tête, qu'il va exercer sporadiquement en prenant le temps de vivre ». L'adulte de 63-67 ans veut utiliser la nouvelle planète pour enfin vivre une autonomie d'action. Il aura le loisir de sélectionner ses activités et pourra disposer à sa guise de son horaire. Il exprime parfois la volonté de demeurer plein d'ardeur.

Les cosmonautes-exceptions

Après avoir connu les planètes (« école, travail et maintenant, retraite ») de l'univers vocationnel, certains adultes de 63-67 ans doivent être décrits comme des cosmonautes-exceptions (environ 15 %). Ils correspondent globalement au vécu vocationnel de cet âge mais plusieurs nuances viennent les différencier des autres adultes de 63-67 ans.

Tout d'abord, ces exceptions acceptent de reconnaître le nouveau type d'attraction de la planète retraite avec ses difficultés et avantages spécifiques. Ils sont conscients que leur évolution vocationnelle peut se poursuivre tout autant avec un statut de retraité. Dans le passé, ils ont toujours évité de définir leur identité personnelle uniquement en regard du travail rémunéré. Une fois soustrait à leur occupation habituelle, ils ne considèrent pas qu'ils ont, par le fait même, perdu leur raison d'être ou abandonné leur identité. Ils peuvent donc aujourd'hui replanifier plus aisément le transfert de leurs besoins vocationnels sur une autre planète. Cette modification s'avère même parfois une fontaine de jouvence. « Avant 60 ans, j'étais une grand-mère avec un châle ; maintenant, après 65 ans, je recommence une carrière... continuer à travailler est très stimulant... » Une nouvelle activité occupationnelle « est considérée comme quelque chose de sain pour la santé » et « ce serait une erreur que de ne pas continuer à exploiter un talent ou une expérience valable ». De plus, les cosmonautes-exceptions semblent avoir respecté une intégration constante et enchevêtrée du trio éducation-loisirs-travail ; ils ne se retrouvent donc pas dépourvus d'activités au moment de la retraite. Ils utilisent l'attraction de la planète retraite comme un moyen de poursuivre ou d'accélérer leur développement vocationnel selon une modalité différente. Prévoyant être libérés des contraintes d'un travail à temps plein, ils peuvent investir davantage dans des activités plus personnalisées. Cette nouvelle orientation peut prendre diverses formes allant du travail rémunéré à tous les autres substituts à caractère vocationnel.

Les cosmonautes-exceptions se servent de l'attraction vocationnelle de la planète retraite pour mieux s'orienter. Ils sont conscients que certains endroits apparaissent lugubres et mortels mais ils devinent également l'existence d'oasis vocationnels ayant beaucoup d'attraits. Ils tiennent à dénicher ces endroits où ils pourront demeurer actifs sur le plan occupationnel tout en respectant leur statut de retraité. Ils ne dépensent pas leur énergie pour retarder l'échéance de l'atterrissage. Ils utilisent toutes les composantes de l'attraction vocationnelle de la planète retraite pour mieux localiser ces oasis et s'y diriger. Ils ne perdent pas leur temps dans des regrets interminables de leur vie passée. Ces moments précieux, ils les gardent pour planifier, organiser et gérer leur nouvelle vie. « Il faut se lancer des défis jusqu'à la mort. »

En somme, les cosmonautes-exceptions se donnent les tâches suivantes : 1. assurer leur survie vocationnelle en reconnaissant la continuité de la présence de leurs poussées intrinsèques de développement ; 2. accepter de se sentir moins à leur place sur la planète travail et utiliser l'attraction vocationnelle de la planète retraite ; 3. rejeter l'idée d'accoler la courbe biologique à celle du développement personnel et vocationnel ; 4. donner un sens spécifique à cette période de vie en visant une plus grande optimalisation de leur être ; 5. intégrer toutes les composantes (santé, budget, etc.) pour trouver des modalités de vie vocationnelle plus adaptées, conciliantes ou optimalisantes ; 6. faire valoir les besoins, droits et aspirations des 63-67 ans ; 7. enfin, jouer un rôle social autant sur le plan individuel que collectif.

Images de leur vécu vocationnel

L'image du vécu vocationnel est double et similaire à celle des strates d'âge antérieures. Il y en a une qui correspond à l'ensemble des adultes de 63-67 ans et l'autre aux cosmonautes-exceptions.

La première image s'apparente à un vécu vocationnel qui suit, au fil des âges, une courbe sensiblement parallèle à celle de la croissance biologique. La majorité des adultes de 63-67 ans semblent croire que leur développement vocationnel est dans une phase de déclin. Les indices qui laissent croire que cette image est véhiculée par ces derniers sont les suivants : 1. sentiment d'être rendu à un âge trop avancé pour relever le défi de se déterminer de nouvelles finalités vocationnelles en tant que retraité ; 2. définition du statut de retraité comme étant celui d'un personnage inutile et superflu sur le plan socio-économique ; 3. perception de la retraite comme étant synonyme de mort biologique et vocationnelle ; 4. préjugé de l'impossibilité de transférer leurs intérêts occupationnels dans des activités de retraités.

Tout comme la minorité de la strate précédente, les cosmonautes-exceptions ont une image différente de leur vécu vocationnel. Cette image est celle d'une trajectoire continue où chaque étape est d'une égale intensité ; ces derniers semblent donc échapper à l'adoption de cette conception d'un développement basé directement sur la courbe de croissance biologique. Ils utilisent l'attraction vocationnelle de la planète retraite pour mieux s'orienter vers des activités adaptées qui faciliteraient ou optimaliseraient leur développement.

Peut-on parler d'un prix à payer pour ceux qui adhèrent à cette image de leur développement basée directement sur la courbe de croissance biologique ? Ce prix serait-il le suivant ? 1. Se situer dans une salle d'attente de la mort plutôt qu'agir comme un bon vivant occupationnel poursuivant son évolution ; 2. se croire incapable de planifier sa vie de retraité ; s'avérer, alors, à la merci de la chance ou de la bonne volonté des personnes significatives ou de la collectivité ; 3. croire que la retraite est un lieu où on laisse écouler ses derniers jours sans exercer son potentiel d'autonomie, d'initiative et de développement ; 4. se percevoir inutile, encombrant, incompétent, voire même impotent sur le plan vocationnel.

Discours vocationnel relié à l'apprentissage

Chez la majorité des adultes de 63-67 ans, les propos reliés à l'apprentissage sont relativement absents. Mais par contre ces propos débordent et reçoivent une attention très particulière chez les cosmonautes-exceptions. Ces derniers expliquent leur chance d'être enthousiasmés par l'apprentissage dû au fait « qu'ils possèdent une formation de base » ou qu'« ils ont été des autodidactes toute leur vie ». Cet intérêt prioritaire s'exprime de diverses manières ; ces sujets-exceptions semblent tout d'abord vouloir mettre en évidence l'expérience de l'apprentissage continu. « Ce qu'ils font tous les jours, ou d'année en année, leur permet d'en apprendre toujours plus et de bâtir des choses. » Ils se définissent comme des « gourmands intellectuels » ; durant leur retraite, ils ne cesseront « de lire, de se rendre régulièrement à des expositions, de visiter des pays... autant de démarches qui permettront de s'épanouir ». Les activités organisées retiennent également l'attention. « Ils suivent des cours à l'université comme auditeur libre. » Ils « s'inscrivent à des activités d'apprentissage touchant différents sujets ; ils s'intéressent à beaucoup de choses ». « Ils veulent étudier à l'université lors de leur retraite car le fait d'avoir un diplôme universitaire leur permettra de s'enrichir dans leur travail ou leurs activités futures. »

Résumé

L'adulte de 63-67 ans semble se retrouver, bon gré mal gré, aux prises avec la gravité vocationnelle de la planète retraite ; il ne peut y échapper à plus ou moins brève échéance. Devant cette situation, il y a différentes réactions. Il y a souvent un refus de cette réalité et une tentative de neutraliser l'effet de cette gravité. Il y a quelquefois une acceptation très positive et même une utilisation de cette gravité pour s'assurer la poursuite d'un développement vocationnel accéléré. Le cas échéant, cette évolution accélérée se poursuivra, d'une façon remodelée, en changeant d'occupation ou en allégeant l'horaire de travail.

L'adulte de cet âge laisse observer d'autres comportements connexes. Il y a substitution de la notion de rendement par celle d'utilité personnelle et sociale. Il est question des problèmes de survie biologique, de survie économique et de survie vocationnelle. Cet adulte est également aux prises avec une course de réflexion ; il semble parfois pressé de se bercer pour pouvoir réfléchir ou jongler. Les réflexions portent sur divers thèmes telles la vie, la mort, la réussite, la vieillesse, la critique des prédécesseurs et la critique du rôle de pionnier tenu par les gens de sa génération à l'égard des plus jeunes. L'éducation permanente retient une attention toute spéciale chez les sujets-exceptions.

Conclusion

Au terme de ces manoeuvres de transfert interplanétaire, l'adulte est devenu un membre à part entière du cosmos vocationnel. Il a élargi ses finalités et modalités d'évolution en incluant des éléments encore beaucoup plus globaux et inédits comparativement à ceux des étapes antérieures. Il n'est plus question de considérer son cheminement vocationnel strictement en regard de la planète travail comme c'était globalement le cas lors des circonvolutions pédestre (23-37 ans) et orbitale (38-52 ans).

Lors de la recherche d'une sortie prometteuse de la planète marché du travail (53-57 ans), les finalités relatives à sa vie et à sa mort vocationnelles demandaient à être redéfinies. Lors des manoeuvres de transfert de champ gravitationnel (58-62 ans), une question fondamentale était prédominante pour cet adulte. Devait-il canaliser ses énergies pour mieux s'agripper à la planète travail ou pour s'en éloigner le plus rapidement possible ? Enfin, étant aux prises avec la gravité vocationnelle de la planète retraite (63-67 ans), cette situation s'est avérée remplie d'inédits ; l'adulte est alors placé devant le choix implacable, plus ou moins conscient, de réinventer sa vie ou de se condamner à une mort vocationnelle.

Entre 53-67 ans, l'adulte a pris davantage conscience qu'il devait envisager le cosmos vocationnel tout entier pour son évolution future ; en effet, à un moment donné, les planètes ou divers lieux occupationnels se confondent en un univers élargi. Cet adulte est devenu encore plus convaincu qu'il était, est et sera inscrit dans une trajectoire continue où les remises en question seront constamment présentes et exigeantes en raison même de la permanence de son évolution ; « c'est toujours la première fois qu'on a son âge ».

4

Modèle spatial du développement vocationnel de l'adulte

Selon Gelpi (1977, p. 268), l'éducation permanente n'est pas neutre et ce constat devrait être le point de départ de toute réflexion ; lorsqu'un étudiant adulte ou un formateur dirige des activités d'apprentissage, il y a toujours un rationnel ou une théorie, au moins implicite. La présentation du modèle spatial vise précisément à identifier les couleurs conceptuelles qui permettront d'expliciter les résultats décrits dans les chapitres précédents et qui serviront de base aux suggestions formulées dans la dernière partie du volume concernant les pratiques quotidiennes de l'éducation permanente. Il est reconnu qu'il est toujours très utile de rendre la théorie explicite car elle peut guider l'étudiant adulte, les formateurs ou tout intervenant oeuvrant auprès des adultes ainsi que les chercheurs qui étudient le processus d'apprentissage et de l'enseignement (Argyris et Schon, 1976 ; Knox, 1980 ; March, 1970).

Selon Elias et Merriam (1980), il y a diverses philosophies de l'éducation des adultes : éducation libérale, progressiste, behavioriste, humaniste, radicale et analytique. Comme on pourra le constater à la lecture du modèle spatial, ce dernier se situe essentiellement à l'intérieur de l'école humaniste.

Cette option rejoint plusieurs penseurs et praticiens. Selon Elias et Merriam (1980, p. 123), étant donné que le fait d'être une personne auto-actualisée est un phénomène adulte, une approche humaniste de l'éducation permanente s'avère donc essentielle. Selon Knowles (1970), l'andragogie peut se définir comme étant fondamentalement l'application de la théorie humaniste dans les différentes interventions spécifiques à l'éducation permanente. D'ailleurs cette école de pensée est très répandue. Elias et Merriam (1980) expliquent ce fait de la façon suivante : les activités éducatives doivent rencontrer les besoins des étudiants adultes pour survivre ; c'est une des raisons pour laquelle la philosophie humaniste est si populaire. De plus, selon les mêmes auteurs (1980, p. 136), ce courant théorique correspond essentiellement aux valeurs de la société du XXe siècle.

Avertissements

Ce quatrième chapitre peut paraître aride comparativement aux parties antérieures de ce volume. Pour en faciliter la lecture, on indique ici une partie du cheminement qui a permis de dégager les principes du modèle spatial. Il s'agit de certains exemples de constatations extraites des chapitres précédents auxquels sont rattachés quelques éléments fondamentaux du modèle.

1. Chez l'adulte de tout âge, on a pu remarquer qu'il y a un va-et-vient constant entre des périodes de questionnement et des moments de plus grande quiétude. On a vu également que cette alternance permettait à l'adulte d'être toujours à l'affût de sa propre évolution et de celle du marché du travail. Cette alternance est donc apparue une condition nécessaire au développement vocationnel permanent au fil des âges. On constatera, dans les pages suivantes, que ces observations conduisent à traiter de la permanence du développement, de la poussée intrinsèque continue ainsi que du mode de fonctionnement des cycles intra-étapes (c'est-à-dire le contenu des alternances propres à chaque strate d'âge).

2. On a sans doute pu observer, tout au long des divers vécus vocationnels, que les sujets-exceptions avaient une image de leur développement correspondant à celle d'une trajectoire continue où chaque âge devait être l'occasion d'une évolution différente mais tout aussi importante. Dans les pages qui suivent, on verra que ces sujets-exceptions ont suggéré l'inscription du principe de l'intensité potentiellement équivalente du développement vocationnel au fil des âges.

3. La lecture des chapitres précédents a permis de constater que les directions du développement vocationnel étaient multiples et que les rythmes étaient plutôt irréguliers. Ces résultats permettent d'énoncer deux autres principes du développement vocationnel, à savoir ses aspects multi-directionnel et multi-rythmique.

4. On a également observé une spécificité du vécu vocationnel à toutes les strates d'âge. Ces résultats ont conduit à énoncer une durée approximative de cinq ans pour chaque étape de vie au travail.

5. Une autre constatation a pu être dégagée : il s'agit du rôle prépondérant, mais non causal, de la cumulation des années de vie au travail dans l'évolution vocationnelle. Pour mieux expliciter l'effet de la variable âge et pour éviter tout malentendu à ce sujet, les résultats conduisent à préciser les différences entre le rôle de l'âge et celui de la marche continue du temps dans le processus du développement vocationnel.

6. Au sein de ces alternances entre des états de remise en question ou de plus grande quiétude, on a également vu qu'il y avait habituellement des modifications de vie vocationnelle accompagnant ces alternances. Cela a permis de cerner davantage les types de changements de modes de vie vocationnelle allant de pair avec chaque alternance.

7. On a peut-être reconnu que le contenu des diverses étapes de vie au travail était relié à la marche continue du temps et à la situation de l'adulte dans sa vie. À 30 ans, cette durée apparaît illimitée alors qu'à 40 ou 50 ans, il est davantage question de finitude. Cette situation chronologique de l'adulte, toujours différente, amène ce dernier à modifier les significations accordées aux événements. De plus, on a observé que l'adulte lui-même, ainsi que la société, identifiaient des attentes occupationnelles généralement différentes au fil des ans. Ces résultats amènent à circonscrire, pour chacune des étapes, un contenu « bio-occupationnel », c'est-à-dire un contenu relié à la fois à la marche continue du temps (bio) et aux composantes du travail (occupationnel).

8. Enfin, un autre type d'alternance au sein du vécu vocationnel a été dégagé. Selon les étapes, l'adulte semble davantage s'interroger soit à propos des objectifs ou finalités de sa vie au travail (méta-finalités) soit sur les moyens ou modalités de réaliser ces finalités (méta-modalités). On a ainsi énoncé, dans les pages qui suivent, le principe de la présence d'une alternance inter-cycle comprenant prioritairement l'une ou l'autre de ces préoccupations.

Enfin, dans ce quatrième chapitre, il y aura tout d'abord la présentation d'une synthèse des théories pertinentes, pour procéder ensuite à l'explicitation des divers principes fondamentaux du modèle spatial.

Synthèse des théories pertinentes

Conceptions du développement de l'adulte

Ces conceptions peuvent se subdiviser en deux courants majeurs : les théories statiques et les théories évolutives. Le premier courant veut que les changements majeurs se soient essentiellement produits durant l'enfance et l'adolescence. La vie adulte serait la période où s'expriment, dans des situations variées, les styles cognitifs ou les types de personnalité formés dans les années antérieures. Selon Gergen (1980, p. 34), le courant de la stabilité donne une explication du développement de la période adulte comme étant un processus de stabilisation des traits précédemment formés. Ce courant serait dominé par les théories psychanalytiques et néo-analytiques ainsi que les théories de l'apprentissage qui mettent l'importance majeure sur les acquis réalisés durant l'enfance et l'adolescence. Ce courant a encore de nombreux adhérents dans les théories de la personnalité (Schaie et Hertzog, 1982, p. 93) et même d'ardents défenseurs. Par exemple, Costa et McCrae (1980, p. 66) affirment que les théories statiques ont toujours été une idée dominante et qu'il faut la défendre encore aujourd'hui. Plus loin, ces auteurs soulignent (1980, p. 76) que ce courant démontre beaucoup d'unanimité comparativement au courant évolutif. De plus, ils signalent que de nombreuses études supportent cette conception statique de l'adulte et que, dès lors, les changements identifiés par les tenants du courant évolutif tiennent du folklore, de la publicité journalistique ou du roman. Quant aux réels changements observés, ils doivent être interprétés, affirment Costa et McCrae, comme des comportements névrotiques ou extravertis. Selon ces derniers, un changement n'apparaît pas à chaque fois que l'adulte affronte une situation stressante provoquée par différents événements de vie ; de même, la façon originale de traverser des périodes conflictuelles ne correspond pas à un changement mais plutôt à une concrétisation de l'un ou l'autre des types de personnalité.

Différentes critiques ont été formulées à l'égard de ce courant et peuvent se résumer comme suit. Un relevé des écrits pertinents fait conclure à Brim et Kagan (1982) que le développement de l'adulte se poursuit durant toute la vie et dépend beaucoup moins des expériences antérieures comme on l'avait d'abord cru. Selon Colarusso et Nemiroff (1981, p.XlX), de nombreux auteurs s'entendent pour affirmer que les approches statiques, expliquant le comportement de l'adulte comme une suite de l'enfance et l'adolescence, sont très diminutives et accordent un rôle beaucoup trop déterminant aux premières phases de la vie.

Le deuxième courant, parmi les conceptions du développement de l'adulte, concerne les théories évolutives. Ces théories postulent que les humains ont la capacité de changer toute leur vie et ce, tant dans leurs dimensions intra-individuelles, interpersonnelles qu'intra-culturelles. Ce postulat diffère de la pensée contemporaine occidentale où une idée traditionnelle veut que les expériences du jeune âge déterminent et conditionnent le cheminement de la personne dans la vie adulte (Brim et Kagan, 1982). En postulant le changement comme une constante, ce dernier est alors expliqué comme un phénomène en soi et non comme une perturbation dans un système stable (Overton et Reese, 1981). Les pionniers des théories dites évolutives concernant l'adulte sont certes Erickson et Jung (Colarusso et Nemiroff, 1981 ; Crain, 1980). Ces théories évolutives peuvent se subdiviser en trois modèles : décroissance, compensation et séquence.

Le modèle de la décroissance irréversible, mieux connu sous le nom de modèle médical (La Rue et Jarvix, 1982), est basé directement sur la détermination biologique de la performance. Ce modèle postule que le niveau maximal du développement est atteint durant la première partie de la vie adulte. Le développement a ensuite un accroissement stable, suivi d'un déclin irréversible jusqu'à la fin de la vie biologique. Un postulat implicite de ce modèle veut que les changements reliés à l'âge apparaissent en fonction des événements ontogénétiques et soient très peu affectés par le milieu (Schaie et Hertzog, 1982, p. 94). Ce modèle a dominé la recherche pertinente au développement de l'adulte au détriment d'autres modèles explicatifs qui auraient pu davantage accélérer l'avancement des recherches (Schaie et Hertzog, 1982). Selon ces derniers, le modèle médical n'est valable que pour les processus dont les fonctions sont directement reliées à l'intégrité biologique du système nerveux central ; ce modèle ne peut servir de base théorique pour l'ensemble des questions concernant le développement de l'adulte (Baltes et Willis, 1977).

Le modèle de compensation est fondamentalement basé sur le modèle de décroissance irréversible. Mais il postule que l'intervention du milieu peut compenser pour des déficits programmés par la maturation biologique (Schaie et Hertzog, 1982). Ce modèle a surtout été popularisé par les études concernant la gérontologie (La Rue et Jarvix, 1982).

Le modèle de développement par séquence stipule que le changement se réalise à l'intérieur de séquences programmées et spécifiques. Ces séquences s'observent selon l'avancement en âge sans toutefois y être interreliées. En effet, ce modèle ne conçoit pas le changement comme étant isomorphe ou ontogénétique (Baltes et Willis, 1977). De plus, cette approche considère le développement humain comme l'étude des séquences de changements qui surviennent tout au long de la vie dans ses dimensions internes ou externes.

Plusieurs recensions de recherches pertinentes aux énoncés des théories évolutives ont été réalisées (Abeles, Steel et Wise, 1980 ; Colarusso et Nemiroff, 1981 ; Lerner et Busch-Rossnagel, 1981 ; Mortimer et Lorence, 1979) ; des relevés concluent que des différences individuelles croissantes ont été observées chez l'adulte et ont démontré que ce dernier peut vivre des changements (souhaités ou commandés) tout au long de sa vie.

Malgré le fait que plusieurs recherches appuient les conceptions évolutives de l'adulte, il n'en demeure pas moins que de nombreuses carences sont soulignées et plusieurs pistes de recherches sont suggérées. Tout d'abord, il faut relever un commentaire formulé par Hopson et Scally (1979) qui est très représentatif des chercheurs et des praticiens intéressés par l'adulte. Selon ces derniers, la psychologie développementale est très avancée en ce qui concerne l'enfance et l'adolescence mais la période adulte a été grandement négligée ; en effet, les lectures dans ce domaine laisseraient facilement croire que le développement s'arrête vers 21 ans. Toutefois, cette affirmation est un peu moins valable aujourd'hui car Wolman (1982) indique que l'évolution des écrits pertinents concernant la psychologie développementale se présente à un rythme si effréné que vouloir identifier les principaux courants de cette discipline est comme vouloir peindre un océan. Mais, il n'en demeure pas moins qu'en 1982, seulement 15 % des écrits sont consacrés à l'adulte dans le *Handbook of developmental psychology* comparativement à 50 % à l'enfance et l'adolescence.

Une deuxième carence soulignée touche la rareté des conceptions théoriques concernant l'ensemble de la vie et permettant de mieux expliciter les composantes de la période adulte. Selon Labouvie-Vief et Schell (1982, p. 54), le courant des approches développementales couvrant toutes les périodes de la vie, et à l'intérieur desquelles peuvent se classer les théories évolutives, peut encore être considéré à ses débuts tant au niveau de la conception théorique que des données empiriques. Selon Levinson (1978, p. 5), les écrits relatifs à la biologie, à la psychologie et aux sciences sociales ne contiennent pas de conception systématique de l'ensemble d'une vie et de ses composantes. Labouvie-Vief et Schell (1982, p. 1) tentent d'expliquer cette absence de modèle par la poursuite d'objectifs disproportionnés obligeant, par souci de rigueur scientifique, à se limiter à des aspects très précis.

Une troisième carence qui est grandement importante concerne la quasi-absence de modèles de développement scientifiques relatifs à l'adulte. Crain (1980, p. 186) souligne que peu de théoriciens se sont préoccupés du développement de l'adulte sauf deux exceptions classiques, Jung et Freud. Selon Herr et Cramer (1982), les efforts de Gould, Levinson, Vaillant et Sheehy sont un bon début de modèles explicatifs du développement de l'adulte. Mais, ajoutent-ils, ce sont des théories basées sur des échantillons beaucoup trop limités et sur une méthodologie strictement clinique. D'après Herr et Cramer, on commence à peine à colliger des données systématiques sur les adultes et on ne possède aucune théorie utile du développement de l'adulte qui nous permettrait d'utiliser ces données. Selon Rogers (1982, p. 2), la difficulté de construire des modèles de recherche qui décrivent adéquatement les interactions humaines complexes (moi-milieu) tout au long de la vie adulte, a été un facteur qui a limité les études pertinentes au développement de l'adulte.

Parallèlement aux carences précitées, plusieurs suggestions sont formulées afin de les combler. 1. Il faut accentuer les efforts actuels dans les théories développementales et humanistes afin d'identifier davantage les facteurs de croissance intrinsèque qui peuvent permettre à l'adulte de se soustraire ou de répondre d'une façon beaucoup plus idiosyncratique aux pressions sociales (Crain, 1980, p. 263) ; 2. Il faut concevoir des modèles de développement de l'adulte qui prêteraient une plus grande attention aux facteurs contemporains ; c'est-à-dire des modèles décrivant la structure des relations sociales à l'intérieur desquelles ces facteurs apparaissent (Brim et Kagan, 1982) ; 3. Les nouveaux modèles spécifiques au développement de l'adulte, devraient se préoccuper de la conceptualisation et de l'identification d'événements significatifs récents (Kahn et Antonucci, 1980) ; 4. Ces modèles devraient incorporer les transitions communes que vivent les adultes de tout âge (Caplan, 1981) ; 5. On devrait parler de cycles de vie comme un élément central de la psychologie humaniste étant donné que la totalité de la personne doit être traitée, non seulement d'une façon horizontale, mais également longitudinale (Buhler, 1967,

p. 86) ; 6. Les futurs modèles élaborés devraient suivre le type d'évolution actuelle caractéristique de la psychologie développementale (Lerner et Busch-Rossnagel, 1981, p. 2). Ce champ d'étude s'est caractérisé, durant la décennie des années 70, à la suite d'un mouvement qui tendait à s'éloigner de l'étude descriptive et normative pour se préoccuper davantage de l'identification des changements psychologiques ainsi que des mécanismes responsables de la croissance et du développement.

Les carences identifiées et les suggestions formulées semblent inciter les chercheurs à s'inscrire surtout dans le modèle de développement de l'adulte par séquence. Ces suggestions ne semblent vraiment pas correspondre au modèle de la stabilité ni à celui de la décroissance irréversible. De plus, l'identification de ces carences met en lumière l'importance de se rattacher à deux conceptions classiques du développement pour les individus de tout âge, à savoir les conceptions humanistes, et celles explicitées en termes de stades. Dans le premier cas, le développement de tout individu s'identifie à une croissance visant l'auto-réalisation ou l'actualisation de soi et se réaliserait grâce à un environnement riche et efficace. Dans le second cas, le développement consiste en une régularité dans le changement de l'individu à partir de ses composantes internes et de son potentiel de réaction aux facteurs de l'environnement (Lerner, 1976). Ces composantes et ce potentiel de réaction se modifieraient au fur et à mesure de l'évolution de l'individu à travers les stades de la vie. Cette évolution graduelle signifie la passation continue d'un stade à un autre en se détachant des structures établies antérieurement pour les réorganiser d'une façon plus complexe.

Conceptions du développement vocationnel de l'adulte

Deux courants majeurs peuvent se dégager parmi les théories relatives au développement vocationnel de l'adulte : il s'agit du courant relatif aux théories statiques et celui relatif aux théories évolutives. Ces courants sont identiques aux conceptions du développement de l'adulte considéré dans une perspective globale. Le courant de la stabilité veut que le choix vocationnel et la formation professionnelle pertinente soient des événements précédant l'entrée dans le monde du travail. La période adulte serait le moment où se réalise et se concrétise ce choix ainsi que les efforts investis pour sa préparation. Le choix vocationnel peut être considéré comme un moment précis qui se situe durant l'adolescence : il peut s'expliquer par une série d'étapes de développement vocationnel se situant tout au long de l'enfance, de l'adolescence et de la période du jeune adulte. À l'intérieur de ce courant se situe aussi la grande majorité des théories du choix vocationnel ; ces dernières veulent que l'adulte poursuive sa carrière d'une manière la plus stable possible, tout en réalisant son choix formulé dans les années antérieures.

Ce courant, fort répandu chez les chercheurs et les praticiens, commence à faire l'objet de sérieuses critiques. Selon Lewis et Gilhousen (1981) et Schlossberg (1976), ce courant incite implicitement l'adulte à se définir comme un éternel échoué tout au long de sa vie au travail, car de nombreuses circonstances internes ou externes à l'adulte empêchent ce dernier de réaliser le choix qu'il avait formulé durant l'adolescence et pour lequel il s'était formé. De plus, ce courant semble postuler implicitement le principe de continuité comme étant le critère d'une évolution vocationnelle optimale. Par exemple, Super (cité dans Herr et Cramer, 1982), dont l'essentiel de ses propos peut toutefois le classer parmi les théories évolutives, identifie quatre cheminements de carrière qui diffèrent par leur degré de stabilité. Le quatrième de ces cheminements est décrit comme étant très discontinu et semble alors être considéré comme secondaire ou même antidéveloppemental ; Super signale, dans ce dernier cas, qu'on ne peut même pas parler de carrière.

Une deuxième critique soulevée par Herr et Cramer mentionne que ce courant de la stabilité provoque l'adulte à dépenser son énergie à justifier ses déviations en regard du choix formulé antérieurement. L'adulte se fourvoie alors dans des essais stériles visant à se resituer en fonction de ce choix (« à se replacer dans le droit chemin »). De plus, Herr et Cramer (1982, p. 238) affirment que de nombreux auteurs prétendent que les changements de carrière (ou les bris dans la continuité) ne sont pas effectués par des adultes pathologiques ; très souvent, ces adultes sont en très bonne santé mentale et psychologique. Par ailleurs Rothstein (1980) mentionnait, en s'appuyant sur un relevé d'écrits pertinents, que la majorité des adultes changent leurs buts de carrière en fonction de l'âge et des circonstances de vie.

Le deuxième courant concerne les théories évolutives qui postulent que le développement vocationnel de l'adulte se réalise tout au long de sa vie. Ce courant compte un nombre infime de théoriciens dont Buhler, Havighurst, Miller et Form, et Super. Ces différents auteurs expliquent le développement vocationnel de l'adulte surtout à partir du modèle médical ou de la décroissance irréversible. Tout en empruntant partiellement au modèle du développement séquentiel de l'adulte par l'identification d'étapes ou de rôles vocationnels, l'explication fondamentale du développement de l'adulte semble essentiellement reposer sur le modèle médical. Selon ces auteurs, l'intensité du développement, accolée aux diverses étapes, suit la courbe de croissance biologique et est tour à tour accélérée, stable ou diminutive selon l'avancement en âge.

Les étiquettes accolées à ces étapes sont elles-mêmes révélatrices de l'emprunt au modèle médical. La période de l'adulte a été subdivisée, par ces théoriciens, en trois parties principales et s'énumèrent comme suit : établissement, maintien et déclin (Super, 1957) ; autodétermination, bilan et repos (Buhler, 1973) ; devenir productif, maintenir la société productive et contempler sa vie productive (Havighurst, 1964) ; essai, stabilisation et retrait (Miller et Form, 1964). Super (1980) a conçu un modèle en arc-en-ciel représentant neuf rôles de carrière ; ce modèle veut que l'individu joue plusieurs rôles vocationnels, qui varient en importance selon l'avancement en âge. Mais ces neuf rôles sont reclassés par Super sous les mêmes étiquettes citées précédemment.

Les critiques à l'égard du modèle médical, voulant que ce dernier soit peu valable pour l'étude du développement de l'adulte dans ses dimensions psychologiques, ont déjà été signalées dans les pages précédentes. Ces critiques peuvent s'appliquer de la même manière aux théories du développement vocationnel de Buhler, Havighurst, Miller et Form, et Super.

Le nombre infime de théoriciens « évolutifs » du développement vocationnel de l'adulte, et leur similitude au modèle médical, laissent manifestement dégager le constat d'une carence considérable ; pourtant les critiques sont peu nombreuses. Parmi ces dernières, certaines sont nuancées, d'autres plus radicales. Par exemple, Vondracek et Lerner (1982, p. 605) soulignent l'absence relative d'étude longitudinale concernant le développement vocationnel de l'adulte. Super et Knasel (1979, p. 2) mentionnent que les modèles de maturité vocationnelle pour les adultes sont très rares : il n'y aurait que ceux de Heath, Sheppart et Super, et Kidd. De plus, il faut noter que ces modèles ne touchent qu'une partie de la réalité complexe du développement vocationnel de l'adulte, à savoir l'identification de certaines habiletés nécessaires pour atteindre la maturité. Herr et Cramer (1982) et Cohen (1981) s'expriment d'une façon beaucoup plus radicale en identifiant les carences rattachées aux études sur le développement vocationnel de l'adulte. À la suite d'une revue exhaustive des écrits pertinents, ces derniers concluent qu'il y a une absence systématique de cadre théorique expliquant les nombreuses modifications de carrière vécues par l'adulte tout au long de sa vie au travail ainsi que les multiples remises en question précédant ces modifications.

Les quelques recherches suggérées vont dans le sens d'une approche globalisante. Ainsi Vondracek et Lerner (1982, p. 605) proposent, parallèlement à leurs critiques, de construire des modèles de développement vocationnel de l'adulte qui tiendraient davantage compte de la perspective longitudinale. Super (1980, p. 282) formule, lors de la présentation de son modèle en arc-en-ciel, l'espoir que ses efforts pourraient conduire à de nouvelles théories du développement vocationnel de l'adulte qui seraient plus englobantes que les théories partielles encore largement dominantes. Lerner (1981) signale qu'aujourd'hui encore, l'orientation de la recherche porte sur les deux extrémités de la vie au travail ainsi que sur le mitan. Récemment, on a davantage reconnu que la carrière était un développement qui s'étendait tout au long des années. Pour l'avenir, ces auteurs proposent une emphase plus équitable et proportionnée à l'ensemble des étapes de la carrière.

De plus, les nouvelles conceptions du développement vocationnel de l'adulte devraient davantage tenir compte de l'interaction constante des variables reliées à la personne et au milieu. Ces variables pourront s'inspirer en grande partie des théories du choix vocationnel déjà formulées pour l'adolescent. Par exemple, les variables reliées à la personne ont été mises en évidence par les théories dites « psychologiques » du choix (Crites 1969, et 1981 ; Rothstein, 1980 ; Vondracek et Lerner, 1982). Le postulat de base de ces théories veut que le choix vocationnel s'effectue grâce à une variable centrale qui est l'individu lui-même. Le choix vocationnel s'expliquerait par :

1. les traits de la personnalité (théorie trait-facteur) ;

2. la sublimation des pulsions biologiques sous une forme de participation qui est socialement acceptée, c'est-à-dire la pratique d'un métier ou d'une profession (théories psychanalytiques) ;

3. les aspirations et intérêts (théories des besoins) ;

4. la concrétisation de son identité vocationnelle (théorie du *self*) ;

5. des modèles de prise de décision (théories de la décision) ;

6. les processus psychologiques et les motivations (théories psycho-dynamiques).

Les variables reliées au milieu ont été mises en évidence par les théories dites « non psychologiques » du choix (Crites, 1969 ; Rothstein, 1980 ; Vondracek et Lerner, 1982). Le postulat de base de ces théories veut que le choix occupationnel soit essentiellement un produit de l'intervention du milieu et s'expliquerait par :

1. le système socio-économique existant ou la loi de l'offre et de la demande (théories économiques) ;
2. le degré d'investissement personnel et social lors de la formation de l'étudiant (théories du capital humain) ;
3. l'effet du hasard (théories de l'accident) ;
4. les rôles prescrits par la société (théories sociologiques et culturelles).

Situation théorique du modèle spatial

Le modèle spatial se situe tout d'abord parmi les théories évolutives du développement. À l'intérieur de ces théories, il s'apparente surtout au modèle de développement séquentiel de l'adulte. Il ne se rallie pas aux théories existantes du développement vocationnel de l'adulte qui s'apparentent surtout au modèle médical.

Par ailleurs, le modèle spatial s'inspire essentiellement de la conception du développement explicitée en termes de stades. Cependant il se dissocie de cette dernière conception sur plusieurs points majeurs : il n'y a pas d'indicatifs normatifs concernant la direction, le rythme, les finalités ou les modalités du développement.

Le mérite essentiel du modèle spatial du développement vocationnel de l'adulte consisterait tout d'abord à diminuer la rareté des conceptions théoriques relatives au développement de l'adulte. De plus, il contribuerait à combler une carence flagrante dans le domaine du développement vocationnel de l'adulte qui consiste en l'absence de théories essentiellement évolutives basées sur le modèle du développement séquentiel.

Constance du développement dans le modèle spatial

Les premiers postulats du modèle spatial touchent le principe de la constance du développement. On traitera des sous-éléments suivants : la poussée intrinsèque continue, la permanence du développement et l'intensité équivalente au fil des âges.

Poussée intrinsèque continue de développement

À l'intérieur de chaque individu existe une poussée naturelle qui commande une évolution vocationnelle constante. Pour mieux définir cette expression, on emprunte les termes à Heikkiner (1981, p. 327) ;

la poussée intrinsèque continue serait une force naturelle qui fait constamment pression sur l'adulte afin que ce dernier soit régulièrement confronté à un mandat impératif de poursuivre son développement vocationnel.

Les résultats de la recherche triennale permettent de croire que cette poussée intrinsèque du développement vocationnel est continue. En effet, à tout âge, l'adulte est en général très émotivement impliqué dans cette réalité et ce, même s'il feint parfois l'indifférence. Il effectue, plus ou moins régulièrement, une évaluation de sa performance occupationnelle dont il est quelquefois très fier mais le plus souvent déçu. Les manifestations de cette poussée continue varient selon deux facteurs essentiels : la latitude qu'a l'adulte d'y obéir et l'aspect fort complexe des conditions favorables ou aliénantes du milieu. On indique ici quatre types de situations vécues par les sujets :

1. L'adulte qui a choisi d'obéir à cette poussée et dont le milieu occupationnel est favorable, laisse dégager une présence très évidente de sa poussée intrinsèque continue. Ses propos traitent d'ambitions professionnelles et de plans d'action pour y parvenir ;

2. L'adulte qui a effectué le même choix et qui oeuvre dans un milieu occupationnel défavorable, laisse également observer une poussée intrinsèque continue mais avec des propos dénotant beaucoup d'agressivité et de combativité ;

3. L'adulte qui refuse de respecter sa poussée intrinsèque tout en étant situé dans un milieu occupationnel conciliant, laisse malgré tout observer cette motivation continue. Son discours témoigne de nombreux moments pénibles allant de la déstabilisation à l'inconfort ;

4. L'adulte qui se rallie à la même option et dont le milieu occupationnel est aliénant, manifeste également une poussée intrinsèque mais d'une façon accidentelle ou sporadique. Ses propos permettent de constater qu'il est profondément désabusé et ce, depuis de nombreuses années. Il y a par ailleurs, de temps à autre, des « percées de soleil » où l'adulte exprime, avec nostalgie, des bribes de rêves occupationnels qui n'ont habituellement aucun lien avec sa situation présente. Ces percées de soleil semblent être une manifestation de la poussée intrinsèque continue qui réussit à rejaillir accidentellement, et ce, malgré des obstacles majeurs.

Le postulat de la poussée intrinsèque et continue du développement vocationnel rejoint un des principes essentiels du courant humaniste, à savoir l'actualisation de soi en tant que finalité première de la personne. Selon les écrits théoriques et les recherches pertinentes concernant ce courant, l'individu se dirige continuellement vers une croissance personnelle et tend à la réalisation de ses potentialités propres. L'actualisation de soi se manifeste comme un désir de plénitude qui permet à l'individu d'actualiser son potentiel. Les tenants de la conception organique du développement soutiennent également le même principe. Par exemple, Overton et Reese (1981) affirment que l'adulte a des poussées intrinsèques de développement et d'évolution constante et ce, jusqu'à la mort. De plus, certaines attentes socio-culturelles, qui sont présentes continuellement tout au long de la vie, font partie de cette poussée intrinsèque. Ce sont les attentes que l'adulte a fait siennes ou a intériorisées. Les tenants du processus de socialisation sont très affirmatifs à ce sujet (Crain, 1980).

Tout en nécessitant des recherches ultérieures, les éléments précités contribuent à confirmer en bonne partie le postulat de la présence d'une poussée intrinsèque continue du développement. Ces éléments sont, d'une part, les manifestations variées mais continues de la poussée intrinsèque du développement vocationnel chez les sujets de la recherche triennale, et d'autre part, les axiomes de base des courants humaniste et organique du développement.

Permanence du développement

Le développement vocationnel est une réalité permanente qui se présente tout au long de la vie. En regard de la période adulte, cette évolution signifie que ce dernier vit constamment des changements intra-individuels, minimes ou manifestes, qui le rendent sans cesse vocationnellement différent au fil des âges. Pour mieux expliciter ce postulat, les éléments suivants seront traités tour à tour : 1. la dissimilitude entre les termes changement et développement ; 2. les résultats de la recherche triennale relatifs à ce postulat ; 3. certains exemples d'altérations concernant le développement en général ainsi que ceux plus particulièrement reliés au développement vocationnel.

Les termes « permanence du changement » sont maintenant monnaie courante lorsqu'ils sont reliés aux structures socio-politico-économiques actuelles. Par contre, les termes « permanence du développement de l'adulte » sont très rarement utilisés, et pour cause : on a indiqué dans les pages précédentes que les conceptions évolutives du développement de l'adulte sont presque inexistantes.

Même si le développement consiste en des changements intra-individuels dans le temps, tous ne peuvent, en principe, être développementaux. Selon Schaie et Hertzog (1982, p. 92), il existe beaucoup de controverses à propos des attributs permettant d'identifier le changement comme étant vraiment du développement. Selon ces mêmes auteurs, les conceptions organiques du développement prétendent que les changements sont développementaux à condition qu'ils soient universels et orientés vers une finalité. De plus, ils doivent s'inscrire dans une séquence relativement fixe et contenir des transformations structurelles et qualitatives. Par ailleurs, les conceptions « opérantes » (*operant*) du développement affirment, à l'extrême, que tout changement peut être qualifié de développemental (Schaie et Hertzog, 1982). Cependant, la majorité des « auteurs » se rallient à l'opinion de Baltes et Nesselroade (1979); selon ces derniers, certains critères minima sont nécessaires pour qualifier un changement comme étant développemental. Ces critères sont l'utilisation de paradigmes ordonnés en fonction des éléments suivants : le temps (Baltes et Nesselroade, 1973); une cohorte et le temps social requis pour un comportement (Schaie, 1973) l'âge, une population spéciale et enfin un environnement particulier (Kessen, 1960).

Dans la présente rubrique où il est question de la permanence du développement, il faut lire les termes changement et développement comme étant synonymes. Car, aussi bien dans les résultats de la recherche triennale que dans la recension des écrits pertinents, les critères minima précités ont toujours été utilisés lorsqu'il était question du changement chez l'adulte.

Les résultats de la recherche triennale, ayant rejoint près de 800 adultes, appuient en bonne partie ce postulat. En commentant leur vécu vocationnel relatif à une rétrospective de 5 ans, 80 % des sujets déclarent avoir vécu un ou plusieurs changements intra-individuels. Ce pourcentage se répartit comme suit : 93 % (23-27 ans), 91 % (28-32 ans), 86 % (33-37 ans), 84 % (38-42 ans), 79 % (43-47 ans), 78 % (48-52 ans), 79 % (53-57 ans), 71 % (58-62 ans), 62 % (63-67 ans). Par ailleurs, en commentant leur vécu vocationnel relatif à une prospective de 5 ans, 67 % des sujets prévoient vivre un ou plusieurs changements intra-individuels. Ce pourcentage se répartit comme suit : 78 % (23-27 ans), 73 % (28-32 ans), 77 % (33-37 ans), 74 % (38-42 ans), 68 % (43-47 ans), 65 % (48-52 ans), 67 % (53-57 ans), 55 % (58-62 ans), 43 % (63-67 ans).

De plus, une brève recension des écrits pertinents permet de constater que le postulat de la permanence du développement est fermement avancé par de nombreux auteurs. Les tenants du courant évolutif (détails dans les rubriques précédentes) sont unanimes pour affirmer que des changements significatifs interviennent constamment durant la vie adulte et que ce dernier a une capacité de développement au fil des âges (Brim, 1976 ; Levinson, 1978 ; Lipman-Blumen et Leavitt, 1976 ; McCoy, 1980 ; Neugarten, 1980 ; Rogers,1982 ; Ryan, 1982 ; Schlossberg, 1976). Par exemple, selon Brim (1976), les recherches démontrent qu'au cours des années l'adulte se transforme sous de multiples aspects : apparence physique, mode de vie sociale, intérêts, relations interpersonnelles, façons d'expérimenter et d'exprimer ses émotions, ses préoccupations et ses motivations. Colarusso et Nemiroff (1981, p. XVIII) affirment que le processus développemental apparaît tout au long de la vie adulte : la personne doit alors être définie comme un organisme dynamique et en changement constant. Whitbourne et Weinstock (1979, p. 1) affirment que tout au long de la vie adulte, les changements physiques et psychologiques, graduels ou soudains, sont une composante majeure de notre vie. Selon Gould (1978, p. 14), la période adulte n'est pas un plateau stable ; c'est plutôt un temps de changements dynamiques et continus qui n'ont rien de pathologique mais qui sont, au contraire, tout à fait normaux. Enfin, comme le souligne Neugarten (1980, p. 8), il y a une conscientisation grandissante chez le public que la période adulte est aussi complexe et dynamique que celle de l'enfance et de l'adolescence et qu'elle comprend des changements en aussi grand nombre et intensité.

Ce principe du changement constant se retrouve également dans la sphère de la vie plus spécifiquement reliée au travail. Une revue des écrits pertinents laisse observer des résultats de recherche énumérant un certain nombre de ces changements ; il s'agit de la revue de Mortimer et Lorence (1979). Selon ces auteurs, l'expérience de la vie au travail amène des changements constants à différents niveaux (toutes les références citées dans cette liste sont extraites de la revue de Mortimer et Lorence, 1979) : 1. la flexibilité intellectuelle (Kohn et Schooler, 1978) ; 2. l'autonomie (Kohn, 1977 ; Kohn et Schooler, 1973 ; Mortimer et Lorence, 1978) ; 3. le contrôle interne ou externe de la personne (Andrisani et Abeles, 1976 ; Andrisani et Nestel, 1976 ; Gurin et Gurin, 1976) ; 4. l'estime de soi (Bachman et autres, 1978 ; Cohn, 1978) ; 5. la valorisation des récompenses intrinsèques ou extrinsèques (Mortimer et Lorence, 1979) ; 6. la compétence intra et interpersonnelle (Elder, 1969) ; 7. la santé physique (French, 1969 ; Kasl et autres, 1975) ; 8. le stress émotionnel (Pearlin et Lieberman, 1979) ; 9. le degré de respect envers soi (Franks et Marolla, 1976 ; Rosenberg, 1979) ; 10. la santé mentale et la personnalité (French, 1968 ; Heath, 1976 ; Pearlin et Schooler, 1978 ; Smith, 1968 ; White, 1973) ; etc.

En somme, selon Mortimer et Lorence (1979), ces études soutiennent que les expériences occupationnelles sont une source majeure de changement dans la personnalité de l'adulte, tant dans ses attitudes, ses valeurs de travail que dans l'estime de son moi occupationnel.

Il va de soi que, parmi les changements constants vécus tout au long de la vie au travail, les modifications de carrière soient bien présentes. Des recherches ont fait état de ces modifications chez des échantillons très variés (Herr et Cramer, 1982 ; Lewis et Gilhousen, 1981 ; Lipman-Blumen et Leavitt, 1976 ; Schlossberg, 1976). Outre ces constatations de changements fréquents de carrière, la majorité de ces auteurs soulignent, avec force, leur caractère normal et sain. Selon Lewis et Gilhousen (1981), il y a de nombreux mythes qui nuisent beaucoup au développement d'une carrière ; en particulier, il s'agit de celui de la possibilité de combiner d'une façon précise, vers la fin de l'adolescence, sa personnalité et ses intérêts avec un plan valable pour la totalité de la vie adulte. Ce mythe est très négatif ; si l'adulte ne suit pas ce plan, il se sent coupable ou se croit névrosé. Et même plus, poursuivent Lewis et Gilhousen (1981, p. 297), changer souvent de carrière est perçu comme un échec et non pas comme la résultante d'une évaluation continue de son évolution personnelle et occupationnelle. Schlossberg (1976, p. 33) accentue cette idée et dénonce le préjugé voulant que les adultes qui changent de carrière au mitan de leur vie, soient étiquetés d'individus immatures ou névrotiques. Herr et Cramer (1982, p. 238) affirment que de nombreux auteurs prétendent que les changements de carrière sont effectués par des individus pathologiques. D'autre part, un nombre de plus en plus imposant d'études démontrent que ces changements de carrière sont effectués par des individus en très bonne santé mentale et psychologique.

Ainsi, il semble bien que, tout en nécessitant des recherches ultérieures, le principe de permanence du développement vocationnel soit appuyé. Plusieurs éléments concourent à cet appui : les résultats de la recherche triennale, des études concernant le développement en général ainsi que celles reliées plus précisément au développement vocationnel.

Intensité équivalente du développement au fil des âges

Le développement vocationnel de l'adulte se poursuit jusqu'à la mort, à des intensités différentes mais potentiellement équivalentes. La variation des intensités tient à de nombreux facteurs autres que l'avancement en âge. L'équivalence potentielle de l'intensité du développement signifie que chaque moment de vie au travail a une importance sensiblement égale dans la poursuite de ce développement ; il n'y a pas de périodes plus ou moins propices à l'évolution vocationnelle. Cette parité d'intensités dénote également que le développement vocationnel au fil des âges ne se traduit pas par un changement quantitatif où les processus sous-jacents du comportement demeurent fixes et statiques. Au contraire, cette équivalence signifie que ce développement se réalise essentiellement par un changement qualitativement différent où se produit, plus ou moins régulièrement, une métamorphose de structures. Cette dernière conduit l'adulte à poursuivre son développement vocationnel avec des finalités et des modalités différentes en les comparant aux phases antérieures et ultérieures de développement. Le principe de l'équivalence potentielle va, en quelque sorte, à l'encontre du modèle médical de développement. Rappelons brièvement que le modèle médical ou de décroissance irréversible soutient que le développement est sur une pente ascendante jusque vers 35 ans, qu'il est suivi d'une période de maintien jusque vers 55 ans pour subir un déclin par la suite.

Les résultats de la recherche triennale sont ambigus ; ils supportent partiellement le modèle médical et approximativement le principe de l'intensité potentiellement équivalente du développement au fil des âges. Parmi les adultes rencontrés, 85 % ne semblent pas partager une conception de leur développement vocationnel comme étant qualitativement différent ou potentiellement équivalent au fil des âges. Il semble y avoir chez ces derniers une acceptation plus ou moins consciente ou imposée de leur développement basé directement sur le modèle médical. En cela, les résultats supportent surtout le modèle de décroissance irréversible et offrent peu de justification au principe de l'intensité équivalente du développement au fil des âges. De plus, ces résultats laissent croire que cette conception véhiculée par la majorité des théoriciens et praticiens (voir rubriques antérieures) est répandue selon les mêmes proportions que l'ensemble de la population. Cette conception médicale semble donc s'inscrire comme une loi sociale avec toutes les conséquences négatives que cela peut impliquer, y compris celles de la sous-exploitation du potentiel vocationnel de l'adulte.

Les différentes manifestations de cette conception, selon les strates d'âge, ont été décrites dans les premiers chapitres. Par ailleurs, le fait que 85 % des sujets aient une conception médicale de leur développement ne signifie pas nécessairement que ces derniers se soient développés vocationnellement en conformité avec ce modèle.

Au contraire, bon nombre d'entre eux (on ne peut malheureusement donner de statistiques précises) ont signalé leur surprise en se rendant compte qu'ils n'étaient pas en conformité avec ce modèle de décroissance irréversible. D'autres adultes se sont même sentis obligés de s'expliquer ou de s'excuser de ne pas avoir été fidèles à ce modèle. Enfin, d'autres sujets ont exprimé leur fierté de se classer parmi les exceptions qui confirment la règle. Ainsi, le fait que 85 % des sujets de la recherche triennale aient une conception médicale de leur développement vocationnel n'infirme pas nécessairement le principe de l'intensité potentiellement équivalente de ce développement au fil des âges.

D'autre part, les seuls indices quantitatifs de la recherche triennale permettant de justifier un tant soit peu le principe de l'intensité équivalente, résident dans le 15 % d'adultes qui n'adhèrent pas à cette conception médicale. Ces sujets-exceptions se perçoivent dans un continuum de développement vocationnel ayant une intensité sensiblement égale au fil des âges et qui se différencie qualitativement tout au long des années. Ces sujets-exceptions arborent un développement vocationnel accéléré visant toujours la réalisation et le dépassement de soi. Ils apportent un certain appui au principe de l'intensité potentiellement équivalente du développement au fil des âges voulant qu'il n'y ait pas de moments plus ou moins accélérés, selon l'avancement en âge ; les variations seraient dues à d'autres facteurs. Les manifestations du vécu vocationnel de ces sujets ont été décrites pour chaque strate d'âge, dans les trois premiers chapitres. Le principe de l'intensité potentiellement équivalente est controversé dans les écrits pertinents. Rappelons, comme il a été signalé dans les pages précédentes, que les principaux théoriciens du développement vocationnel de l'adulte (Super, Miller et Form, Havighurst) semblent adhérer surtout à la conception du modèle médical. Ces écrits ne semblent donc pas supporter le principe de l'intensité potentiellement équivalente au fil des âges.

Trois groupes de théoriciens et chercheurs adhèrent simultanément à la conception médicale tout en laissant une ouverture au principe d'un développement ayant une intensité potentiellement équivalente dans les diverses phases de la vie. Il s'agit de Dalton, Thompson et Price (1977) ; Gilbert et autres (1980) ; Levinson et autres (1978). Dans le cas du premier groupe, les résultats de leur recherche correspondent à ceux de la recherche triennale. Ils indiquent que la majorité des travailleurs suivent le modèle de l'obsolescence dans le déroulement de leur carrière rejoignant ainsi directement le modèle médical. Vers 35 ans, les adultes ne visent plus un développement

accéléré de carrière comme c'était le cas dans les années antérieures ; et, tout au long des années subséquentes, ils ressentent une
grande lassitude et une obsolescence généralisée. En cela, les résultats de cette recherche ne supportent pas le principe de l'intensité
potentiellement équivalente au fil des âges.

Par ailleurs, les résultats de Dalton, Thompson et Price (1977),
présentent une minorité d'adultes au travail qui dénotent un développement optimalisé de carrière et ce, dans tous les groupes d'âge. En
se basant sur cette minorité, ces chercheurs ont alors élaboré un
modèle de développement de la carrière en quatre phases correspondant à des rôles occupationnels différents tenus au fil des années :
ce sont les rôles d'apprenti, de concourant individuel, de mentor et
de directeur de l'organisme. Les résultats relatifs à la minorité des
sujets de cette recherche semblent supporter en partie le principe de
l'intensité potentiellement équivalente du développement vocationnel au fil des âges : les divers rôles tenus au fil des ans dénotent une
évolution constante et sans relâche.

Levinson et autres (1978) adhèrent partiellement au modèle médical. Ils mentionnent que l'adulte continue sa croissance intellectuelle
de 20 à 40 ans pour atteindre son sommet vers 40 ans. Ce sommet
s'exprimerait dans divers aspects cognitifs : mémoire, pensée abs-
traite, aptitude à apprendre des habiletés spécifiques et à résoudre
des problèmes bien définis. Après 40 ans, ces caractéristiques
demeurent relativement stables. Levinson semble donc indiquer que
le développement a une intensité plus forte au cours des quarante
premières années de vie comparativement à la période subséquente.
Par ailleurs cet auteur ne conçoit pas de période de déclin comme
telle dans le développement. Il affirme que le déclin est statiquement
normal car il est observé chez la majorité des adultes ; mais il n'est
pas pour autant naturel sur un plan développemental (Levinson,
1978, p. 26). Cet auteur signale, de plus, qu'un grand nombre de travaux admirables ont été produits par des adultes de 60, 70 et même
80 ans ; il cite Frank, Freud, Jung, Lloyd, Michelangelo, Picasso,
Sophocle, Tolstoï, Verdi, Wright, Yeats, etc. En cela, Levinson
appuie donc le principe de l'intensité potentiellement équivalente du
développement vocationnel au fil des âges, pour un certain groupe
de personnes au-delà de 40 ans.

De plus, plusieurs recherches semblent appuyer de façon catégorique le principe de l'intensité potentiellement équivalente du développement au fil des âges. Ainsi selon Herr et Cramer (1982), Lewis et
Gilhousen (1981) et Schlossberg (1976), la période au-delà du mitan
de la vie peut être une phase de déclin aussi bien qu'une occasion de

développement vocationnel. Denney (1982) soutient que le déclin intellectuel, directement relié à l'âge, est un mythe. Il base cette affirmation sur de nombreuses études dont celles de Baltes et Schaie (1973), Horn (1982) et Cattell (1964), Labouvie et Schell (1982), Labouvie et Chandler (1978), Labouvie (1980) et Owens (1968).

Après avoir colligé une revue de littérature des travailleurs au-delà de 50 ans, Gilbert (1980) en arrive à la conclusion suivante : pour mieux saisir la complexité du travailleur âgé, il faudrait adopter une attitude différenciée, car une même tâche n'a pas nécessairement la même signification selon l'âge. De plus, les méthodes de travail ainsi que les modes opératoires et les stratégies sont différentes. Ces propos témoignent simultanément de l'importance de se dégager du modèle médical pour se rallier à une conception d'un développement qualitativement différent et potentiellement équivalent au fil des âges.

Selon Dauphinais et Bradley (1979), le mythe du déclin intellectuel relié à l'âge résulterait des problèmes méthodologiques de l'approche transversale utilisée en recherche. Selon Lerner et Busch-Rossnagel (1981), de nombreux facteurs autres que le déclin intellectuel expliquent la réalité apparente et fausse de cette détérioration. Enfin, Denny (1982) arrive à la même conclusion en comparant des courbes de développement chez des adultes qui font du « conditionnement » pertinent et ceux qui s'en abstiennent. Par ailleurs, le danger d'obsolescence observé chez les gens au-delà de la quarantaine, comme la lassitude et l'amoindrissement de l'efficacité (Côté, 1980 ; Kets de Vries, 1978), serait davantage un problème relié à la gestion et à l'encadrement plutôt qu'à l'âge ou à l'individu lui-même (Lesage et Rice, 1980 ; Lewis, 1979).

Le principe de l'intensité potentiellement équivalente du développement vocationnel au fil des âges a reçu peu de support dans la recherche triennale, de même que chez certains théoriciens. Par ailleurs, plusieurs recherches semblent affirmer catégoriquement ce principe en ce qui concerne le développement cognitif ou vocationnel.

Processus du développement vocationnel de l'adulte

Le processus du développement vocationnel de l'adulte se poursuit à travers une double série de cycles, dont les uns sont inter-étapes et les autres intra-étapes. Les étapes sont des segments de la trajectoire effectués par l'adulte au travail au fil des âges ; leur identification ainsi que leur contenu sont détaillés dans les pages suivantes. Dans la première série de cycles, le développement se réalise grâce à l'alternance plus ou moins régulière entre deux étapes, dont l'une est davantage marquée par les méta-finalités et l'autre par les méta-modalités. À l'intérieur de chaque étape, le développement vocationnel se réalise par un cycle comprenant des alternances, plus ou moins fréquentes, entre les périodes de questionnement et de réorganisation. Cette double série de cycles inter-étapes et intra-étapes sera explicité plus en détail dans les prochaines rubriques.

Cycles inter-étapes

Ces cycles proviennent des résultats de la recherche triennale. Ils se décrivent comme une forme d'alternance, plus ou moins régulière, entre les étapes où l'adulte se préoccupe davantage des méta-finalités et celles où il est davantage impliqué dans des remises en question sur les méta-modalités. Les premières étapes sont celles pendant lesquelles l'adulte redéfinit, entre autres activités, les finalités majeures de sa vie vocationnelle. Ces étapes sont étiquetées de la façon suivante (la description du contenu a été donnée dans les premiers chapitres) : à la recherche d'un chemin prometteur (28-32 ans) ; en quête du fil conducteur de son histoire (43-47 ans) ; à la recherche d'une sortie prometteuse (53-57 ans) ; aux prises avec la gravité vocationnelle de la planète retraite (63-67 ans).

Durant ces étapes, les événements vécus (intérieurs ou extérieurs à la personne) provoquent généralement une dissonance touchant surtout des thèmes de base tels l'identité vocationnelle, les buts préétablis, les motifs occupationnels, etc. L'adulte se sent alors poussé, à la lumière de l'ensemble de ces événements, à redéfinir ses finalités ou le pourquoi de sa vie vocationnelle. La majorité des circonstances vécues semblent prendre une coloration similaire et adopter une interprétation analogue. Tout en étant variés, ces événements semblent tous vouloir signifier à l'adulte la précarité flagrante et la pertinence affadie des finalités prédéfinies de sa vie vocationnelle. Ils semblent ainsi tous commander une redéfinition très exigeante et parfois troublante de ses méta-finalités.

La partie du cycle inter-étapes portant sur les méta-finalités rejoint le concept de différenciation inductive de Whitbourne et Weinstock (1979). Ce type de différenciation est un processus qui apparaît lorsque les expériences perçues provoquent un certain changement touchant l'identité de la personne elle-même. Par ce processus de différenciation inductive, il y a, à la suite d'une exposition à certaines expériences de vie, nécessité de clarifier et de redéfinir les perceptions de soi, ses motifs, ses valeurs, ses rôles occupationnels, etc.

Durant les étapes portant sur les méta-modalités, l'adulte remet en question la pertinence des moyens majeurs utilisés pour atteindre les finalités fraîchement redéfinies. Les étiquettes de ces étapes sont les suivantes (leur contenu a été décrit dans les premiers chapitres) : atterrissages sur la planète travail (23-27 ans) ; aux prises avec une course occupationnelle (33-37 ans) ; essai de nouvelles lignes directrices (38-42 ans) ; modification de sa trajectoire (48-52 ans) ; transfert de champ gravitationnel (58-62 ans).

Durant ces étapes, les événements provoquant de la dissonance n'entraînent généralement pas l'adulte à remettre en question toute son identité vocationnelle, ni l'ensemble de ses plans occupationnels ou ses objectifs fondamentaux. La dissonance provoquée implique plutôt une réévaluation des moyens pour parvenir aux finalités préétablies lors de l'étape précédente. La partie du cycle inter-étapes portant sur les méta-modalités rejoint le concept de différenciation déductive de Whitbourne et Weinstock (1979). Ce processus apparaît lorsque devant une expérience ou un événement dissonant, c'est l'identité de la personne qui forme la base de l'interprétation de cet événement. Dans ce cas, c'est l'individu lui-même qui identifie le sens à donner à cette expérience. C'est lui qui évalue les façons de réagir afin qu'elles soient pertinentes aux valeurs et aux rôles occupationnels adoptés. Ces façons de réagir consistent à choisir les moyens les plus judicieux pour mieux atteindre les finalités préétablies.

En somme, pour mieux circonscrire cette alternance inter-cycles, on rappelle que durant les étapes portant sur les méta-finalités, les événements dissonants provoquent généralement un remue-ménage surtout au coeur même des finalités vocationnelles. Ce processus serait inductif en ce sens que c'est à la lumière de ces événements que l'adulte doit redéfinir ses objectifs vocationnels prioritaires. Par contre, durant les étapes portant sur les méta-modalités, les événements dissonants entraînent habituellement des remises en question portant sur la gamme des moyens actuellement utilisés pour réaliser les finalités préétablies. Ce processus serait déductif en ce cens que c'est sur la base de ces mêmes finalités que l'adulte peut déduire ou dégager des moyens ou modalités judicieux et pertinents.

Pour mieux différencier les alternances de ce cycle, on donne ici un exemple de cas illustrant les vécus spécifiques des deux types d'étapes. La narration du vécu de la rétrospective correspond au premier type d'étape alors que le récit de l'année en cours ainsi que celui du début de la prospective témoigne du deuxième.

Un sujet masculin de 59 ans, de statut socio-économique et de scolarité élevés, confiait qu'il venait à peine de terminer une période très difficile. Il avait subi une amère rétrogradation qui l'avait complètemement désorienté en terme de carrière. Il n'arrivait pas à identifier les objectifs ou finalités qu'il devait se fixer. Il a tout d'abord songé à se lancer en recherche, mais il s'est vite ravisé car cela ne correspondait pas à ses objectifs. Il a essayé l'enseignement puis la gestion d'une petite entreprise ; il est revenu à l'enseignement pour ensuite accepter la responsabilité d'une évaluation d'un projet gouvernemental. À travers tous ces essais, il était à la recherche de buts occupationnels significatifs et surtout très motivants. Il semblait alors effectuer plusieurs démarches errantes car bien souvent, il postulait des emplois dont il n'évaluait même pas la correspondance avec sa personnalité et ses intérêts. Durant l'année en cours, il a enfin obtenu un poste comportant des défis très significatifs à ses yeux. Depuis ce temps, il n'a plus l'impression de chercher ses objectifs de vie occupationnelle. Il lui semble cette fois que les finalités sont claires. Mais voilà que réapparaissent toute une autre série de questions qui le hantent d'une autre manière. Le poste qu'il a récemment obtenu comporte la direction d'un organisme para-public de taille moyenne au sein duquel se présentent des problèmes de promotion et de gestion du personnel. Cet adulte s'affaire donc maintenant à trouver des moyens de relever ces défis qui sont dorénavant les siens ; il essaie tantôt la cogestion, tantôt des mécanismes accrus de communication ; il prévoit déjà essayer un sytème d'information plus efficace et songe également à instaurer tout un réseau de relations extérieures. Ces dernières interrogations correspondent non pas à une recherche de ses finalités ou objectifs de carrière mais plutôt à une recherche d'identification des modalités pour parvenir à ses finalités. Durant la rétrospective, cet adulte semblait traverser une étape de vie au travail où les remises en question portaient principalement sur les méta-finalités. Durant l'année en cours, il semble commencer une étape dominée par des préoccupations relatives aux méta-modalités.

Durée approximative des étapes

Les étapes ont une durée approximative de cinq ans découpant ainsi la vie adulte en neuf strates d'âges allant de 23-27 ans à 63-67 ans. Cette durée a été dictée par les résultats de la recherche triennale qui ont dégagé une spécificité dans le vécu vocationnel à environ tous les cinq ans ; ce contenu typique a permis de délimiter des étapes correspondant à cet écart de temps.

Ce découpage par tranche de cinq ans faisait également suite aux considérations suivantes : la psychologie développementale, lorsqu'elle s'est intéressée à l'enfant et à l'adolescent, a dû subdiviser les périodes de la vie en de nombreuses phases. Ces divisions se sont manifestées non seulement par des tranches quinquennales ou triennales mais également par des découpages mensuels et même hebdomadaires. Rappelons à cet effet les études de Piaget (1972) et les nombreuses recherches rapportées par Osterrieth (1967) ou Jersild (1963). L'analyse du développement vocationnel de l'adulte, pour s'avérer utile, semblait donc devoir cesser de niveler l'adulte en l'étudiant par des périodes de vie de 10, 20 ou même 30 ans. Par exemple, Havighurst (1964), Miller et Form (1964) et Super (1957) avaient divisé la période adulte en trois parties d'une durée respective de 15, 20 et 30 ans. Il semblerait donc que des écarts beaucoup plus petits, sans en faire un abus (Cross 1982), permettent de faire davantage ressortir la complexité et le raffinement des différences dans le vécu vocationnel de l'adulte.

De plus, l'écart approximatif de cinq ans a été indirectement suggéré par les travaux de Gould (1978) et Levinson (1978). Ces derniers ont étudié le développement personnel des adultes par tranche de cinq et sept ans respectivement. Cette intervalle de temps a été suffisamment court pour observer des changements et assez long pour saisir des différences. Ainsi, la conception de la vie adulte incluant des changements nombreux et constants justifiait à elle seule de délimiter des étapes aussi brèves que cinq ans afin d'obtenir davantage de possibilités pour mieux observer ou étudier le processus du développement. Une durée de cinq ans pour chaque étape est donc apparue avantageuse pour l'étude de l'évolution vocationnelle de l'adulte. Il faut toutefois signaler que l'âge n'est absolument pas une variable causale du développement. Le rôle exact de l'âge sera détaillé dans la rubrique intitulée « Âge versus la marche continue du temps ».

Cycles intra-étapes

Ce cycle a été dégagé des résultats de la recherche triennale. Il s'apparente aux divers concepts de passages qui sont habituellement identifiés, dans les écrits pertinents, par une double expression : transition-structuration (Levinson, 1978), assimilationaccommodation (Piaget, 1972), différenciation-intégration (Werner, 1948 ; Tiedeman et O'Hara cités dans Bujold, 1975), changement-stabilité (Whitbourne et Weinstock, 1979). Dans l'ensemble de ces écrits, le développement se poursuit lorsque l'individu se détache des structures antérieurement établies pour les réorganiser d'une façon plus adaptée aux nouvelles situations.

Dans ce cycle le développement vocationnel se réalise par la passation successive et fréquente entre des périodes de réorganisation et de questionnement. Durant les périodes de réorganisation, l'individu est engagé dans son cheminement vocationnel. C'est alors que des événements extérieurs, inclus dans la marche continue du temps, interviennent avec l'évolution du monde intérieur de l'adulte (valeurs, intérêts, habiletés, besoins, nature et intensité des défis vocationnels, etc.). Cette interaction « évoluante » entre un milieu occupationnel lui-même en transformation (permanence du changement dans le monde socio-économique actuel) et un moi vocationnel également en progression (modification des intérêts, des habiletés, des valeurs au fil des âges) amène un début de malaise qui grandit de façon graduelle et de plus en plus accentuée. Ce malaise produit une dissonance cognitive et émotive ascendante qui conduit l'individu à une période de questionnement comportant des choix à reformuler ainsi que des besoins, intérêts et compétences à redéfinir ou à réévaluer en fonction des facteurs de réalité. Durant cette période, il y a une remise en question ou une réflexion sur l'état des trois réalités évoluantes. Il y a également des interrogations sur la direction de l'évolution de ces réalités, à savoir la poursuite de l'évolution du moi vocationnel et des changements occupationnels. Les résultats de cette réflexion conduisent peu à peu à une série de nouveaux choix successifs qui préparent l'individu à s'engager encore une fois dans une période de réorganisation. Et l'alternance entre les deux types de périodes se continue... c'est-à-dire que, durant la phase de réorganisation, il y a d'abord implantation de nouveaux choix, plus ou moins redéfinis ; il y a également une brève période de préservation de cette nouvelle orientation. Par la suite ce malaise ou cette dissonance se fait ressentir à un degré suffisamment élevé pour motiver l'adulte à s'impliquer dans une autre période de questionnement.

Cette notion d'interaction entre les trois réalités évoluantes (moi vocationnel, milieu de travail, interaction entre les deux entités) rejoint le courant contextuel que l'on retrouve en psychologie développementale. Ce courant met en relief non seulement le rôle du moi ou du milieu mais également celui de l'interaction entre les deux entités comme étant un phénomène important du développement. Les modèles strictement mécanistes ou « organismiques », qui décrivent respectivement le milieu ou l'individu comme unique responsable du développement, semblent perdre plusieurs adeptes (Baltes et Willis, 1977). Ainsi, un postulat fort accepté veut que le développement se réalise grâce à des relations harmonieuses, continues et réciproques entre un organisme actif et un contexte en perpétuel changement (Lerner et Busch-Rossnagel, 1981). Ce postulat se retrouve entre autres parmi les conceptions suivantes : le modèle relationnel de Looft (1973), le modèle dialectique de Riegel (1982) et le modèle transactionnel de Sameroff (1975).

La notion de périodes de questionnement vécues au cours du cycle intra-étape a été mise en évidence par plusieurs auteurs. Elles sont des périodes cruciales comportant à la fois une certaine vulnérabilité et un potentiel d'adaptation pour atteindre les objectifs vocationnels (McCoy, Ryan, Sulton et Winn, 1980). Les diverses étiquettes de ces phases sont les suivantes : crise (Brim, 1976 ; Erikson,1958 ; Lieberman, 1975, 1980 ; Parad, 1965 ; Riegel, 1982), périodes narcissiques (Colarruso et Nemiroff, 1981), transformations (Gould, 1978 ; Levinson, 1978 ; Parkes, 1971), réactions à des événements sociaux normaux (Neugarten, 1980), passages (Sheehy, 1977), rites de passage (Van Gennep, 1960). Ces passages sont généralement considérés comme des événements de la vie qui sont des sources potentielles de crises psychologiques. Elles seraient plus ou moins fréquentes et leur durée beaucoup plus restreinte comparativement aux autres étapes de stabilité relative de la vie adulte. Soulignons que ces dernières correspondent sensiblement aux périodes de réorganisation.

Toutefois, deux aspects majeurs différencient la notion de période de questionnement extraite de la recherche triennale des divers concepts de passage. Il s'agit de la connotation de crises reliées à ces concepts ainsi que leur fréquence.

Les périodes de questionnement, incluses dans le cycle intra-étape, comportent une connotation de crise nettement moins aiguë que dans le cas de l'ensemble des concepts de passages. Ces périodes correspondent à des moments essentiellement normaux, non alarmants, mais qui demeurent délicats ou parfois critiques. Ces phases s'avèrent essentiellement des moments de dissonance cognitive ou émotive et sont, en soi, gênantes pour l'adulte. Ces périodes requièrent de nouveaux modes d'intégration, de cognition et de redéfinition de son identité ainsi que l'actualisation de nouvelles habiletés pour répondre aux besoins toujours différents. Le fait de vivre une dissonance amène un déséquilibre momentané, un abandon des anciennes structures, etc. Cela implique que l'adulte vit un certain vide accompagné d'une inquiétude relative vis-à-vis la possibilité d'atteindre un nouvel équilibre.

Quant aux périodes de questionnement, elles reviennent à un rythme nettement plus rapide que les passages de vie ; ces derniers apparaissent de trois à huit fois durant la vie adulte. Les périodes de questionnement ont une fréquence variant entre une et cinq fois durant une même étape de vie au travail, soit à environ tous les cinq ans. Ces périodes ne s'avèrent donc pas, comme c'est le cas des passages relevés dans les écrits pertinents, des moments rares et exceptionnels de la vie adulte. Au contraire, elles dominent toute la vie vocationnelle adulte. En effet, les résultats de la recherche triennale ont rapporté un fait majeur qui est assez surprenant à cet égard. Globalement, les moments de remise en question ont une prépondérance marquée chez les adultes de tout âge ; ils sont supérieurs en intensité et en durée aux moments de réorganisation. Cela laisse croire que l'adulte au travail vit toujours un peu plus dans un état de déséquilibre plutôt que de stabilité. Ces périodes de questionnement ne sont donc pas des moments exceptionnels de la vie adulte ; au contraire, elles se situent constamment au coeur même du quotidien de la vie au travail.

Phases détaillées du cycle intra-étape

Les écrits pertinents relatifs à l'identification de phases qui peuvent s'apparenter au cycle intra-étape, se retrouvent surtout dans les recherches relatives aux stades, aux crises ou au phénomène du deuil. Van Gennep (1960) identifie trois phases dans les rites de passage de l'adulte : la séparation d'avec l'ancien mode de fonctionnement, la transition elle-même et l'incorporation dans le nouveau mode de fonctionnement. Levinson (1980) énumère également trois phases durant les moments de transition : le questionnement et l'exploration des différentes possibilités de changement, la direction vers un engagement plus grand et la réalisation de choix cruciaux conséquents. Shontz (1976) identifie trois parties dans la résolution d'une crise : l'écroulement de la structure, la désintégration personnelle et l'établissement d'une nouvelle identité. Knox (1980) indique également trois séquences d'une crise : le changement lui-même, la désorganisation et la stabilisation. Frears et Schneider (1981) identifient plusieurs phases dans les situations de deuil, dont les principales sont les suivantes : la conscientisation du changement et de ses implications immédiates, la guérison et le nouvel équilibre.

Les phases détaillées du cycle intra-étape sont inspirées des études de Super (1957). Ces phases se rapportent à celles du choix vocationnel de l'adolescent et à celles des grands moments du cheminement occupationnel de l'adulte. C'est un peu comme si chaque cycle intra-étape faisait revivre, dans un temps relativement court (ces cycles apparaissent plus d'une fois durant une étape ayant elle-même une durée de cinq ans), toutes les phases vocationnelles de l'adolescence et de la vie adulte. D'ailleurs Super (1983) indique lui-même la réapparition d'étapes séquentielles apparemment terminées selon l'avancement en âge.

Durant les périodes de questionnement, l'adulte expérimente un peu les quatre phases vocationnelles de l'adolescence ; lors des périodes de réorganisation, il éprouve, d'une certaine manière, les trois étapes vocationnelles de la vie adulte. Pendant les périodes de questionnement, on retrouve, dans le cycle intra-étape, les phases suivantes : exploration, cristallisation, spécification et réalisation. Pour la description des phases élaborées par Super, on se réfère ci-après à une traduction adaptée de Pelletier (1978, p. 207).

La phase d'exploration consiste surtout :

> à envisager les possibilités en elles-mêmes sans l'impérieuse nécessité de considérer les contraintes et les facteurs de réalité. Il s'agit d'un temps d'investigation où l'individu est ouvert aux informations et aux expériences concernant sa propre personne, les ressources scolaires ou professionnelles de son milieu (éducation des adultes institutionnalisée)

et enfin les ressources associatives de ce même milieu.

La phase de cristallisation

> implique, pour sa part, que l'individu se fasse au moins une idée générale de son éventuelle modalité de vie vocationnelle. Sans arriver à concevoir un projet précis, il lui faut tout de même choisir une voie générale de solution. Cette voie, rappelons-le, laisse encore la place à beaucoup de possibilités mais représente toutefois une réduction en la comparant à l'exploration initiale.

L'accomplissement de cette phase permet habituellement à l'adulte de savoir, à l'intérieur ou à l'extérieur d'un champ d'intérêt donné, quelle avenue spécifique de ce champ il continue de privilégier ou quels intérêts extérieurs il compte développer. La réalisation de cette phase permet également à quelqu'un de connaître le niveau de performance (mobilité verticale ou horizontale envisagée) qu'il compte atteindre et le degré de perfectionnement (apprentissage d'une nouvelle tâche, spécialisation dans une tâche actuelle ou projets de formation professionnelle) vers lequel il tend.

La phase de spécification

> devient l'aboutissement logique et pragmatique des phases précédentes. Le sujet doit, cette fois, prendre une décision qui tienne compte à la fois de ce qu'il veut et de ce qu'il peut. Il s'agit pour lui de faire une synthèse de ce qui est désirable et probable.

Il apparaît donc nécessaire d'élaborer un plan d'action quelconque, minime ou grandiose, sur la base de multiples facteurs à considérer et à intégrer.

À la fin de la période de questionnement s'insérerait la phase de réalisation.

> (Elle) consiste à faire passer les intentions au niveau du réel. Cela suppose certaines démarches à faire, plus ou moins imposantes selon l'amplitude de la modification choisie dans la vie vocationnelle. Cette phase implique également un engagement concret du sujet vis-à-vis les changements mineurs ou majeurs qu'il a décidé d'effectuer.

Par exemple, si un adulte a choisi de changer d'occupation, il va de soi qu'au niveau de l'étape de réalisation, il effectue certaines démarches concrètes comme se trouver un nouvel emploi et être embauché. Par ailleurs, si un adulte a décidé, face à un conflit avec un patron, de se taire parce qu'il risque de perdre son emploi, il entreprend alors des démarches concrètes reliées à l'adoption du rôle d'un dominé. Ainsi vis-à-vis son choix de modification de modalité de vie vocationnelle, l'adulte doit élaborer des stratégies pour matérialiser son projet. Il est souhaitable, dans pareil contexte, de prévoir les obstacles et même de concevoir d'autres projets apparentés ou choix connexes. Dans le premier cas, il doit prévoir qu'il est impossible de changer d'occupation immédiatement; il serait préférable qu'il songe à un changement de tâches dans la mesure où la situation s'avère possible. Dans le deuxième cas, il doit prévoir son seuil de tolérance face au rôle de dominé afin d'en déterminer la durabilité.

Quant aux phases incluses dans les périodes de réorganisation, elles sont les suivantes : établissement, maintien et déclin ou dissonance. Pour une brève description de ces étapes, on s'inspire des grands moments du cheminement occupationnel de la vie adulte tels que décrits par Super (1957) et traduits par Pelletier (1978, p. 207).

La phase d'établissement consiste à s'établir dans une nouvelle modalité de vie en accord avec la triple évolution du moi vocationnel, du marché du travail et de l'interaction entre les deux. Une fois engagé dans sa nouvelle modalité de vie vocationnelle, l'adulte poursuit cette actualisation en s'assurant une place particulière au sein de cette modalité. Il y a alors une certaine stabilisation temporaire.

La phase de maintien « consiste à s'établir fermement dans cette modalité de vie vocationnelle, à consolider sa position et à s'y ancrer toujours davantage ». La phase de déclin ou de dissonance apparaît lorsque l'adulte a atteint un certain plateau dans l'actualisation de sa nouvelle modalité de vie vocationnelle. Il y a tout d'abord un début de dissonance émotive et affective entre l'évolution du moi vocationnel, l'évolution du marché du travail et l'évolution de l'interaction. Cette évolution, allant en s'accélérant, provoque un désengagement et une décélération graduelle. L'adulte continue à travailler sensiblement avec le même degré d'efficacité, mais les buts qu'il poursuit et les intérêts actuels sont graduellement remis en question. La dissonance se poursuit alors en revenant aux étapes de départ, à savoir l'exploration, la cristallisation, etc., et ce, afin de réduire l'état de malaise provoqué par cette dissonance. La phase de la dissonance ne conduit pas à un déclin ou à un abandon de la vie occupationnelle active, comme semble le prétendre Super qui la situe dans les âges précédant la retraite. Cette étape consiste surtout à confronter l'individu avec le déclin ou la fin prochaine de sa structure antérieurement établie. L'individu ne peut plus, ou très difficilement, poursuivre son développement vocationnel avec des décisions et solutions définies antérieurement, car ces dernières s'avèrent maintenant peu pertinentes devant l'évolution constante du moi, du milieu environnant et de l'interaction entre ces deux entités.

En somme, les phases détaillées du cycle intra-étape peuvent apparaître de une à cinq fois durant une période d'environ cinq ans et correspondent à celles du développement vocationnel passé, présent et futur de l'adulte, selon Super (1957). Durant les périodes de questionnement, l'adulte vit les phases identifiées pour l'adolescence : l'exploration, la cristallisation, la spécification et la réalisation. Durant les périodes de réorganisation, l'adulte vit simultanément les phases identifiées pour son présent et son futur vocationnels couvrant toute la période adulte : l'établissement, le maintien et la dissonance ou le déclin des structures antérieurement établies.

Éléments manifestes du processus de développement

Modes de vie vocationnelle

L'ensemble des cycles intra et inter-étapes s'accompagnent généralement d'un changement, infime ou manifeste, des modes de vie vocationnelle. Les résultats de la recherche triennale sont très convaincants à cet égard. Les changements de modes de vie vocationnelle sont préparés surtout durant les périodes de questionnement ou durant les étapes portant sur les méta-finalités. Les changements sont vécus et concrétisés principalement durant les périodes de réorganisation ou durant les étapes relatives aux méta-modalités. De plus, ces changements s'avèrent une forme de déclaration publique de l'évolution du moi vocationnel au fil des âges, tout comme c'est le cas lors du choix occupationnel de l'adolescence qui s'avère un moment central de la recherche de l'identité (Blocher et Rapoza, 1981 ; Galinsky et Fast, 1966).

Un changement de mode de vie vocationnelle peut se présenter sous diverses facettes. Certaines peuvent être d'un ordre extrinsèque ; ce sont les changements reliés à l'un ou l'autre des éléments suivants : le champ professionnel, le niveau hiérarchique, la nature de l'occupation, le niveau de spécialité requise pour la tâche, l'employeur, la nature des tâches à l'intérieur d'un même champ professionnel ou d'une même occupation, la nature de la similarité des tâches dans des champs ou occupations différents, etc. D'autres facettes peuvent être d'un ordre intrinsèque ; ce sont les changements reliés à l'un ou l'autre des aspects suivants : la façon personnelle d'aborder les tâches, la perception de l'utilité de ces tâches, la réorganisation hiérarchique, l'importance des tâches à accomplir, etc.

Pour mieux saisir le véritable sens d'un changement de mode de vie vocationnelle, on donne ici quelques exemples. Un cas de modification considérable serait celui d'une praticienne de l'orientation scolaire et professionnelle dans une école qui, après une période de questionnement, décide de lancer sa propre entreprise florale. Un autre cas serait celui d'un détenteur de doctorat ès lettres affecté à des tâches de recherche dans une institution universitaire et qui, après une période de questionnement, décide de devenir fermier à temps plein. Dans les deux cas, les modifications de modes de vie vocationnelle sont considérables car de nombreux éléments ont été touchés : les employeurs ne sont plus les mêmes, ni la nature des tâches, ni le niveau ou la nature des spécialités requises. La perception de l'utilité des anciennes et nouvelles tâches est grandement modifiée ; de même en est-il de la façon d'envisager leur récent rôle occupationnel, etc.

Une modification infime peut être le cas d'un individu qui, devant un travail aliénant et à la suite de nombreux conflits avec les patrons, décide de jouer le rôle social prescrit de l'employé dominé et passif afin de ne pas perdre son emploi. Ce changement d'attitude peut passer inaperçu, mais il n'en constitue pas moins une forme de fluctuation du mode de vie vocationnelle. Un autre changement infime peut être simplement un comportement d'acclimatation à la venue d'un nouveau collègue de travail.

Une modification qui est fréquemment rencontrée est l'altération de la signification accordée à l'un ou l'autre des éléments ou à l'ensemble de la vie au travail. Par exemple, un refus de promotion peut provoquer chez un individu un changement plus ou moins radical dans la perception de son emploi et de son utilité sociale ainsi que dans la nature ou le degré de motivation au travail, etc. Enfin, ce sont là autant d'exemples de changements de modes de vie vocationnelle qui se produisent habituellement à l'intérieur de chaque cycle intra ou inter-étapes.

Dans les écrits pertinents, ces changements ont surtout été identifiés à des modifications d'emploi ou de carrière et ils ont souvent fait l'objet de classification. On peut citer ici Clopton, Super, Wilensky et Thomas.

Clopton (1973) identifie trois types de personnes qui changent de carrière au mitan de la vie. Le type A, à la suite d'un événement majeur, sent le besoin de reformuler entièrement ses buts personnels et vocationnels. Le type B est motivé par une insatisfaction occupationnelle flagrante. Le type C, quoique satisfait, préfère modifier sa direction vocationnelle pour viser une plus grande réalisation de lui-même.

Super (1957) reconnaît quatre patrons de carrière. Il y a le patron *stable* caractéristique des gens sortant directement des maisons de formation pour entrer immédiatement dans la carrière principale de leur vie. Il y a le patron *conventionnel* où les emplois initiaux permettent une certaine progression jusqu'à l'installation dans une carrière stable. Il y a le patron *instable* comprenant une suite continue d'essais, de stabilité et d'essais à nouveau. Enfin le patron *essais multiples* où les changements sont très fréquents et présentent selon Super une histoire occupationnelle très irrégulière et apparemment discordante.

Thomas (1980) insère davantage la mobilité permanente dans sa classification de changements de modalités de vie vocationnelle. Ces changements sont dérivés (*drift-out* : volontaires mais sans motivation particulière), choisis (volontaires avec une motivation bien déterminée), suggérés (involontaires et commandés par des pressions sociales) et obligatoires (involontaires et sans rémission).

Wilensky (1961) identifie six types de changements de carrière. Il s'agit des progressions ordonnées horizontales, verticales et semi-verticales (l'adulte oscille d'un poste à l'autre pour atteindre une certaine hiérarchie de prestige). Il y a ensuite les mouvements désordonnés horizontaux, verticaux et stables (même emploi tout au long de la vie au travail). On remarque ici que Wilensky, tout comme Super, utilise des termes à connotation négative pour décrire les changements plus fréquents : ce sont respectivement les qualificatifs désordonné et instable.

Les changements de modes de vie vocationnelle, apparaissant à l'intérieur des cycles intra et inter-étapes, ont une connotation beaucoup plus large que la stricte modification de carrière. De plus, ces changements ne sont aucunement considérés comme des types de développement instables ou immatures comme le veut un préjugé généralemment véhiculé (Lewis et Gilhousen, 1981 ; Schlossberg, 1976). Au contraire, ces changements sont souvent des signes très positifs révélant un développement vocationnel accéléré.

Événements dissonants ou réorganisateurs

Durant les cycles inter et intra-étapes où se réalise le développement vocationnel, il est question d'événements intérieurs et extérieurs qui provoquent de la dissonance ou de la réorganisation. Quelle est la nature de ces événements ? Peut-on parler d'événements spécifiques pour les différentes étapes de vie au travail ?

Les résultats de la recherche triennale indiquent que la nature des événements joue un rôle secondaire et très effacé dans la détermination des différentes étapes. Il s'agit plutôt de la signification accordée à ces événements ou leur perception sélective qui varient selon les âges. C'est donc surtout la perception ou la signification dissonante ou réorganisatrice des événements, accompagnant la marche continue dans le temps, qui provoquent la réalisation des cycles intra ou inter-étapes. Selon que ces événements provoquent une remise en question ou un réengagement dans le cheminement occupationnel, ils contribuent au développement vocationnel de l'adulte. Ces modifications amènent ce dernier à redéfinir, d'une façon plus adéquate, les trois réalités évoluantes, soit le moi, le milieu et l'interaction entre ces deux entités. Ces événements s'avèrent donc les stimuli essentiels dont l'adulte a besoin pour activer la poursuite de son développement vocationnel.

On a déjà indiqué dans les pages précédentes (rubrique : cycle inter-étapes) que les événements prenaient une coloration différente selon que l'adulte traversait une étape portant sur les méta-finalités ou méta-modalités. Mais ici, on peut indiquer d'une façon encore plus spécifique, les perceptions différentes de l'adulte à l'égard d'événements occupationnels similaires au fil des âges. Voici quelques exemples de la signification différente accordée à un même événement selon les étapes de vie au travail. Vers 23-27 ans, lors des premiers contacts avec le marché du travail, les différents événements qui interviennent sont interprétés comme un décalage plus ou moins prononcé entre une identité vocationnelle préétablie et une performance réalisée lors de l'exécution de tâches occupationnelles quotidiennes. Les événements qui se présentent durant cet âge semblent provoquer la nécessité d'un ajustement entre cette identité préétablie et les facteurs de réalité. Vers 48-52 ans, ces mêmes événements (changement de patron, obtention ou refus de promotion, etc.) prennent un sens différent. Au lieu de provoquer la nécessité d'un réajustement entre une identité préétablie et des facteurs de réalité, ils servent souvent de prétexte au besoin de rendre le milieu de travail plus humain. D'ailleurs les résultats de la recherche triennale ont fait observer que l'adulte se rend au travail pour humaniser de plus en plus ses actes occupationnels plutôt que pour s'améliorer dans les tâches à accomplir. Souvent plus compatissant aux problèmes d'autrui, le but prioritaire de cet adulte est d'établir un climat de famille en milieu de travail plutôt que de maximaliser sa performance occupationnelle. Ainsi, les événements divers de la vie occupationnelle prennent une coloration différente selon l'étape de vie où se situe l'individu.

Par ailleurs, cet aspect central du concept « d'événement » dans l'évolution vocationnelle se retrouve également dans l'ensemble des études reliées au développement (Brim et Ryff, 1980, p. 368). Ce concept s'avère même une des raisons d'être de la psychologie environnementale ; selon Canter et Craik (1981), ce type de psychologie fait valoir la conjonction et l'analyse de la transition et des interrelations entre d'une part, les expériences et les actions humaines et, d'autre part, les aspects pertinents de l'environnement socio-psychologique.

Après avoir fait une revue de littérature, Lieberman (1980) conclut que ces événements identifiés sont fort nombreux. Pour leur part, Lehman et Lester (1978), Loewenstein (1980), Merriam (1980) et Sheehy (1977) ont identifié beaucoup d'événements intervenant surtout au mitan de la vie. Dans le domaine du travail, de nombreux événements ont été étudiés en regard des changements d'emploi (Rothstein, 1980). Super (1980) indique, à l'intérieur d'un schéma représenté graphiquement par un arc-en-ciel, neuf rôles de vie qui sont autant de presssions sociales différentes selon les âges. Ces rôles sont un des nombreux facteurs explicatifs de l'importance accordée au travail. Le concept « d'événement » a été popularisé dans les études portant sur le développement de l'adulte (Danish, Smyer et Nowak, 1980, p. 340). Ce concept a reçu un intérêt croissant à l'intérieur des stratégies d'intervention préventives visant l'optimalisation du développement (Danish et D'Augelli, 1980).

Ce concept d'événement a reçu des significations diverses. Danish, Smyer et Nowak (1980) en ont fait une recension ; elles s'avèrent, selon les cas, des antécédents aux changements de comportements (Baltes et Willis), des processus ayant leur histoire propre et leur moment typique d'anticipation (Hultsch et Plemon), des crises possibles d'individus ayant des styles de personnalité mésadaptée (Costa et McCrae), des catalyseurs de la maladie physique (Dorhrenwends ; Holmes et Rohe), des éléments de croissance personnelle tel le veuvage (Lopata), des frontières ou points tournants donnant une direction aux différents aspects de la vie d'un individu (Neugarten et Hagestad), telles la mort du conjoint (Parkes), la paternité ou la maternité (Rossi). De plus, ces événements s'avèrent respectivement des conflits ou ambiguïtés de rôles (Albrech et Gift, 1975 ; Whitbourne et Weinstock, 1979), des traditions ou rôles sociaux et des processus de socialisation (Brim et Ryff, 1980), des faits marquants permettant d'identifier des horloges de carrière personnelle (Rusch Peacock et Milkovich, 1980, p. 357).

Sur le plan plus précis du travail, certains événements ont été identifiés. Ces derniers ont été décrits comme ayant une valeur potentielle de changements continus dans la carrière d'un individu. Selon Herr et Cramer (1982), ces événements sont : 1) des changements dans la distribution travail et non-travail à travers les divers groupes de la société ; 2) des modifications dans la répartition travail, loisir ou horaire de travail ; 3) des redéfinitions de tâches selon l'évolution technologique récente ; 4) des modifications dans les relations d'autorité au travail. Par ailleurs Tharenou (1979), dans un relevé des écrits pertinents, identifie des événements plus modestes au travail qui ont pourtant des effets potentiels ou évidents sur les changements reliés à l'estime de soi. Ce sont : 1) la comparaison sociale avec les collègues de travail ; 2) l'évaluation d'autrui ; 3) les incidents mineurs impliquant un certain succès ou échec, etc.

Brim et Ryff (1980, p. 379) affirment qu'il y a de nombreux événements non identifiés internes et psychologiques qui apparaissent tout au long de la vie de chaque adulte. Parmi ceux-ci, il y a tout d'abord le sens accordé au travail qui est reconnu comme évoluant sans cesse (Cherns, 1980 ; Grand Maison, 1979 ; Rousselet, 1978). Par exemple, Le Bouedec (1982) mentionne qu'il y aurait une attitude plus distanciée, plus critique dans la société post-industrielle si on la compare aux types de sociétés pré-industrielle et industrielle. La valeur accordée au travail pourrait faire varier grandement la signification apportée aux divers événements occupationnels. Pour sa part, Le Bouedec identifie trois sens à accorder au travail : 1) une valeur en soi, une source de considération ou de dignité ; 2) un moyen de satisfaire certains besoins tels le gagne-pain, le statut social ou le mode de vie ; 3) un contenu ou une orientation positive ou négative à l'égard de l'organisation du travail. Herr et Cramer (1982), après avoir fait un relevé de littérature, concluent en la nécessité de remettre en évidence la réalité des changements qui proviennent tant de l'interne que de l'externe, tout au long de la carrière d'un individu.

Les résultats de la recherche triennale ont mis en évidence le concept d'événement et son rôle actif dans le développement vocationnel de l'individu. Ce rôle est nettement moins relié à la nature de cet événement qu'à la signification intérieure ou à la perception sélective que l'adulte en fait. En cela, les résultats de la recherche triennale corroborent, d'une certaine façon, les écrits relatifs au concept d'événement dans le développement personnel ou vocationnel de l'adulte.

Le rôle particulier de l'échec

On a indiqué dans la recherche triennale l'impossibilité d'identifier des événements plus spécifiques à l'une ou l'autre des étapes de vie au travail. Il y a donc plusieurs événements similaires qui reviennent au fil des âges et qui revêtent une signification différente. Parmi les événements qui semblent revêtir une grande importance, il y en a un qui ressort d'une façon marquée. Il s'agit de l'échec car il occupe une large place dans le quotidien vocationnel de l'adulte et est majoritairement responsable des cycles intra ou inter-étapes. Des exemples d'échecs abondent sur le plan occupationnel. Signalons, entre autres : la non-obtention d'une promotion convoitée, l'ingratitude des collègues ou des supérieurs, l'impossibilité de réaliser son rêve occupationnel, l'emprisonnement dans un milieu aliénant.

L'échec a un rôle positif et capital à jouer dans le développement vocationnel car il provoque souvent l'adulte à délaisser une période de réorganisation pour se resituer à nouveau dans une période de questionnement. L'importance accordée à la réalité de l'échec dans le développement vocationnel ne nie en rien les conséquences psychologiques très importantes de l'échec relevées dans les écrits pertinents (Mortimer et Lorence, 1979). Cette emphase accordée à l'échec ne rejette pas, non plus, les effets thérapeutiques du succès abondamment illustrés dans diverses études (Super, 1980, p. 287). Mais les résultats de la recherche triennale suggèrent fortement de mettre en relief le rôle positif de l'échec. Un échec amène souvent l'adulte à redéfinir les situations, les événements et les attentes afin de fixer de nouveaux buts. De plus, les résultats de la recherche triennale suggèrent de mettre en évidence l'importance et l'aspect essentiel de l'échec dans le développement vocationnel. Grâce à cet événement particulier, de nouvelles orientations de vie vocationnelle peuvent être prises afin de modifier, à différents degrés, le cours de la vie occupationnelle permettant ainsi d'utiliser de meilleures conditions pour viser un développement accéléré ou optimalisé. Autrement dit, l'échec ferait non seulement partie intégrante du quotidien occupationnel de l'adulte mais s'avérerait, selon le cas, un facteur majeur d'activation vocationnelle.

Dans les écrits pertinents au domaine vocationnel, on donne plusieurs explications à l'échec et aux événements frustrants. Dalton, Thompson et Price (1977) indiquent qu'une des principales causes de l'échec chez les travailleurs, très qualifiés ou non, est une conception erronée de leur carrière. Un exemple de conception erronée est le modèle pyramidal qui consiste à se déplacer très rapidement vers le sommet (Dalton, Thompson et Price, 1977). Une autre fausse notion correspond au « mythe du président » ; selon Lewis et Gilhousen (1981), un des nombreux préjugés qui nuit à l'évolution de la carrière est que tout le monde peut devenir président. Selon ces derniers, ce mythe conduit directement à un sentiment d'échec. Une autre conception erronée serait la stabilité des rôles occupationnels ; selon Lipman-Blumen et Leavitt (1976), des problèmes surgissent souvent parce que plusieurs rôles occupationnels qui remplissent une large partie de la vie de l'adulte, ne sont pas redéfinis ou réorientés au sein même de la répartition des tâches.

De plus, les chercheurs tiennent à mentionner qu'à l'échec réel s'ajoute toute la dimension de l'échec anticipé (Kastenbaum et Aisenberg, 1976 ; Carr, 1975 ; Heikkinen, 1981 ; Parkes, 1972). Les auteurs soulignent également que, même si l'échec est conçu comme un mal à éviter, il n'en demeure pas moins une réalité quotidienne. Selon Albrecht et Gift (1975), les Américains sont conditionnés socialement pour réussir mais ils doivent, par ailleurs, tous négocier avec l'échec. Une constante du processus global de socialisation veut que l'échec, ainsi que le stress et l'anxiété qui y sont associés, soient des entités consistantes et intégrales de l'expérience de la vie adulte (Albrecht et Gift, 1975 ; Selye, 1973). Ces considérations relatives à l'expérience de l'échec dans la vie de l'adulte se retrouvent assurément dans le domaine vocationnel. « Les adultes sont dramatiquement affectés par la manière dont ils négocient avec l'échec tout au long de leur carrière » (Albrecht et Gift, 1975, p. 248). De plus, ces échecs reliés au développement sont si peu reconnus qu'ils ne reçoivent spontanément peu ou pas de support de la part d'autrui (Frears et Schneider, 1981 ; Headington, 1981).

Par ailleurs, l'échec se voit attribuer peu de place ou de rôle dans le développement vocationnel de l'adulte. Par exemple, Crites (1969), dans un volume faisant état des théories et recherches vocationnelles, accorde au-delà de soixante-dix pages au concept du succès et aucune à l'échec. Pourtant les événements qui y sont reliés ont un rôle positif à jouer dans la croissance (Cassem, 1975 ; Frears et Schneider, 1981). D'ailleurs, les propos de Shoben (1957) expliquent ce rôle positif comme suit : s'il y a des conditions menaçantes à l'atteinte des buts vocationnels... ce sont des conflits et des frustrations qui produisent de l'anxiété et de la tension ; et cela devient alors une source de motivation pour réduire cette tension.

On peut résumer ainsi les propos relatifs aux événements et à l'échec qui ont été suggérés par les résultats de la recherche triennale. Les événements dissonants ou réorganisateurs ont un rôle majeur à jouer dans le développement vocationnel. La signification accordée à ces événements, selon les âges, est un facteur qui semble avoir priorité sur le rôle de la nature de l'événement lui-même. Parmi les événements les plus significatifs, l'échec peut jouer un rôle essentiel dans le développement vocationnel de l'adulte.

Variations infinies du développement

Développement multi-directionnel

On a explicité dans les pages précédentes que le processus du développement vocationnel se réalise par une double série de cycles continus entre des périodes de questionnement et de réorganisation et entre des étapes portant sur les méta-finalités et les méta-modalités. On a également indiqué que ces alternances étaient provoquées par des événements extérieurs ou intérieurs. Mais on n'a jamais indiqué la direction idéale, le comportement souhaitable ou la résultante exemplaire à obtenir au terme de ces cycles inter ou intra-étapes. Le développement a un caractère multi-directionnel ne pouvant en aucun temps être évalué adéquatement par des critères essentiellement normatifs.

Cet aspect multi-directionnel du développement vocationnel implique d'abord qu'il n'y a pas d'étape de vie au travail supérieure ou inférieure. Un postulat du modèle spatial (expliqué précédemment) l'a bien indiqué en affirmant l'intensité potentiellement équivalente de la croissance vocationnelle au fil des âges. Les résultats de la recherche de Levinson (1978, p. 7) ont également mis en évidence le caractère multi-directionnel du développement personnel de l'adulte. Cet auteur spécifie bien qu'aucune période de vie n'est meilleure ou plus importante qu'une autre ; chacune a une place nécessaire et contribue au développement de façon spécifique mais selon des variations infinies dépendamment du caractère idiosyncratique de chaque individu.

De plus le caractère multi-directionnel du développement signifie que la séquence des étapes de vie au travail n'est pas hiérarchique comme dans les écrits de Kohlberg (1973) et de Piaget (1972). Contrairement à la majorité des théories de développement conçues en termes de stades, les résultats de la recherche triennale indique qu'il n'est pas nécessaire d'avoir réussi d'une façon suffisante une étape vocationnelle pour être en mesure de transférer à une étape ultérieure. Erikson (1958) postulait également ce principe ; il indiquait que si une personne peut vivre assez longtemps, elle peut traverser tous les stades.

Le principe de l'autonomie du comportement, mis surtout en valeur par les humanistes, est également à la base du caractère multi-directionnel du développement dégagé lors de la recherche triennale. Le comportement serait la conséquence du choix que les individus peuvent exercer d'une façon autonome. Les adultes sont capables d'effectuer des choix personnels significatifs à l'intérieur des contraintes imposées par l'hérédité, l'histoire personnelle et l'environnement. Le degré d'autonomie de la personne, dans sa façon d'agir, peut amener un changement ayant un caractère temporaire soit mélioratif ou nocif.

Ce principe de l'autonomie exige implicitement de laisser vierge la page concernant les directions ou les résultats optima à atteindre lors des cycles inter ou intra-étapes ; et ce, même si chaque théorie ou modèle contient une image implicite de la personne humaine idéale (Shoben, 1965). De telles directions pourraient être biaisées par la culture ; de plus, ces mêmes normes ou idéaux comportementaux revêtent toujours un caractère trop temporaire. Gergen (1978) mentionne que les patrons développementaux existant actuellement sont très éphémères. D'ailleurs, le rôle du chercheur n'est-il pas de décrire et d'expliquer les paramètres et les trajectoires du processus du changement (Lerner et Busch-Rossnagel, 1981) plutôt que sa résultante ?

Il faut toutefois noter que le caractère multi-directionnel du développement vocationnel se dissocie complètement des modèles opportunistes. Par exemple, ce principe ne correspond pas au modèle aléatoire de Gergen (1980) qui explique que le développement est dû à des circonstances contemporaines, des composés accidentels ou de la chance. Le caractère multi-directionnel ne se rallie pas davantage au modèle du développement vocationnel opportuniste de Rothstein (1980). Ce dernier décrit le développement vocationnel par une série de réponses à plusieurs situations dites opportunistes.

Par ailleurs, le caractère multi-directionnel du développement sous-entend le principe du potentiel humain véhiculé par les humanistes. Cela implique que l'adulte possède le pouvoir ou la potentialité de réussir sa vie, de résoudre ses problèmes et de se développer de la meilleure façon possible. Le caractère multi-directionnel du développement contient également un autre principe publicisé par les humanistes, à savoir l'unicité de chaque personne ; cette unicité conduit nécessairement à un comportement à la fois peu prévisible, multi-directionnel et multidimensionnel (Baltes et Schaie, 1973 ; Baltes et Nesseloade, 1973 ; Baltes et Willis, 1977 ; Lerner et Busch-Rossnagel, 1981).

L'aspect multi-directionnel du développement vocationnel s'avère donc un principe de base permettant de mieux saisir le caractère presque infini des résultantes des cycles inter et intra-étapes. Les résultats de la recherche triennale appuient ce principe de même que plusieurs relevés d'écrits pertinents. Citons, à titre d'exemple, celui de Gergen (1978) qui l'amène à conclure en la nécessité de reconnaître l'immense diversité des patrons de développement.

Rythme varié du développement

Le rythme du développement vocationnel est très varié et irrégulier. Les résultats de la recherche triennale indiquent que ce rythme peut être tantôt timide ou modéré, tantôt accéléré ou optimalisé. Ces variations du rythme n'altèrent en rien l'intensité potentiellement équivalente du développement au fil des âges, ni le principe de la permanence du développement ; ce dernier est toujours susceptible de se produire même s'il revêt parfois les apparences de démission, de régression ou d'arrêt. Ces manifestations sont en fait des éléments positifs et inhérents au développement vocationnel qui apparaissent le plus souvent durant les périodes de questionnement et lors des étapes portant sur les méta-finalités. Ces éléments sont souvent nécessaires car ils vont permettre une évolution plus intense ou plus profonde durant les moments subséquents. Ils sont donc des constituantes-clés du développement vocationnel au même titre que les moments qui sont caractérisés par un rythme accéléré ou optimalisé, car ces derniers sont souvent préparés par les premiers et n'existeront qu'en autant que les moments antérieurs aient été vécus.

La nécessité ou l'aspect positif d'un rythme de développement, apparemment plus immobile ou régressif, a été maintes fois exprimé dans la littérature. Darwin, dans sa célèbre théorie de l'évolution, énonçait le principe de la grande adaptabilité de tout être vivant aux conditions de l'environnement visant une augmentation continue des chances de survie. Cette facilité d'adaptation se manifeste par des variations organiques allant tant dans le sens d'une amélioration ou d'un ajout que d'une détérioration ou d'une omission ; tout se passe comme si la nature opérait un choix ou une sélection naturelle. En reprenant les termes de la théorie de l'évolution de Darwin, on peut extrapoler et émettre l'hypothèse que les rythmes de développement apparemment immobiles ou régressifs ne sont peut-être qu'une des nombreuses variations vocationnelles visant une adaptation optimale.

La recherche triennale a permis d'observer que la discontinuité apparente du développement vocationnel semble s'avérer une saine stratégie d'adaptation au sein d'une société post-industrielle. En

effet, le changement permanent étant une réalité première et quotidienne, il semble positif que l'adulte vive des moments apparents de
refus ou de négation de son propre développement. Devant le glisse-
ment des vérités ou des valeurs qui, hier encore, lui apparaissaient
fondamentales et absolues, il lui est parfois nécessaire d'emprunter
un rythme de développement qui semble avoir toutes les composantes d'une réelle démission ou régression. Ces moments (refus ou
négation) peuvent alors s'avérer très positifs car ils préparent souvent l'adulte à se diriger vers d'autres étapes où le développement
sera poursuivi, cette fois, d'une façon plus claire et plus fondée.

Par contre, le risque d'adoption d'un rythme apparemment immobile ou régressif peut également conduire à un autre type de résultat,
par ailleurs très peu rencontré dans la recherche triennale. Devant
un tel choix, l'adulte s'expose à se laisser drainer par les seules exigences sociales et à poursuivre alors son développement vocationnel
à un rythme ralenti. Selon Super (1980), si l'adulte démissionne ou
refuse un rôle occupationnel, à la fois « activant » et « réactivant »
pour son développement, cela implique conséquemment une soumission passive et non acceptée d'un déterminisme social. Davis et Lofquist (1976) décrivent ce risque en différenciant les modes actifs et
réactifs d'adaptation au travail. Lorsqu'un individu répond à l'environnement en modifiant l'expression de sa personnalité ou de son
style de travail avec soumission, son mode d'adaptation peut être
décrit comme réactif. Par contre lorsqu'il agit ou intervient sur l'environnement pour accroître la correspondance entre son moi vocationnel et le milieu, son mode d'adaptation est alors actif.

Les variations multiples du rythme de développement impliquent
qu'il n'y a pas de critères normatifs concernant ce rythme. Il ne sera
optimal que s'il correspond à une saine adaptation entre la triple évolution du moi vocationnel, du milieu occupationnel et de l'interaction
entre les deux entités. Ce rythme sera minimal s'il adopte, en permanence, un mode d'adaptation strictement réactif. Les critères ipsa-
tifs eux-mêmes seront adéquats à condition qu'ils soient situés essentiellement dans une perspective évolutive ; ceux qui étaient valables
pour hier ne sont pas nécessairement les plus adéquats pour
aujourd'hui ou demain. D'ailleurs, Lerner (1976, p. 115) mentionne
que les changements qualitatifs ont un rythme discontinu et qu'il n'y
a pas toujours de degrés intermédiaires entre le rythme antérieur et
subséquent. Ces changements se manifestent souvent par des inter-
ruptions plutôt que de façon linéaire.

Les rythmes apparemment immobile ou régressif se manifestent
surtout durant les périodes de questionnement (cycle intra-étape) et

les cycles portant sur les méta-finalités (cycle inter-étapes). Par contre on observe davantage les rythmes accéléré et optimal durant les périodes de réorganisation (cycle intra-étape) et durant les cycles portant sur les méta-modalités (cycle inter-étapes).

Durant les périodes de questionnement, on retrouve une ou plusieurs dissonances vocationnelles (cognitives et affectives). Ces dernières placent temporairement l'adulte dans une situation de déséquilibre, de malaise où ses structures antérieures demandent à être redéfinies. Il est alors possible que l'apparence d'un rythme immobile ou régressif survienne à ces mêmes moments ; de plus la même situation se retrouve lors des étapes portant sur les méta-finalités. L'adulte fait une auto-révision complète en ne laissant rien d'acquis ou de définitif en regard des buts ultimes de sa vie vocationnelle. Rien de ce qui avait été établi auparavant n'est épargné dans ce remue-ménage. Ainsi durant ces cycles, l'adulte peut facilement donner l'impression d'être sur le point de régresser, d'échouer ou de piétiner sur place.

Le développement vocationnel continu ne comporte pas de réels arrêts, démissions ou régressions. Ces réalités s'avèrent plutôt des moments nécessaires dans l'évolution des cycles inter ou intra-étapes. En cela, le modèle rejoint certaines théories organismiques qui n'utilisent pas le concept de régression mais plutôt celui de moments d'instabilité précédés ou suivis d'un temps d'équilibre (Looft, 1973 ; Whitbourne et Weinstock, 1981). Par ailleurs, il y a des moments où les rythmes immobile ou régressif ainsi que les rythmes accéléré ou optimalisé sont plus apparents.

Rôle de l'âge

Âge versus marche continue du temps

Malgré le fait que la division des étapes de vie au travail soit basée sur l'âge, ce dernier facteur est considéré comme une variable-indice et absolument pas comme une variable causale. L'âge n'est pas responsable comme tel des cycles inter et intra-étapes caractéristiques du développement vocationnel. L'utilisation de l'âge comme une variable extrinsèque au développement vocationnel rejoint l'opinion de nombreux auteurs oeuvrant dans le domaine de la psychologie développementale (Baltes et Goulet, 1970 ; Baltes et Schaie, 1973 ; Bengston et Black, 1973 ; Denny, 1982 ; Kohlberg, 1979 ; Labouvie-

Vief ; 1982 ; Neugarten et Datan, 1973 ; Riegel, l982 ; Wohlwill, l970, etc.).

En comparaison avec l'âge, la marche continue du temps comporte des dimensions nettement plus reliées au développement vocationnel et elle s'avère même un facteur prépondérant expliquant en partie ce développement. Les cycles intra ou inter-étapes par lesquels se réalise le développement sont provoqués par des événements amenés par la marche continue du temps et ils prennent une connotation toujours différente avec les années. Cette différenciation perceptible provoque elle-même un élément d'inédit qui génère en soi des événements nouveaux, alimentant ainsi le redémarrage constant des cycles.

La marche continue du temps s'avère ainsi intimement liée à la permanence du développement et permet de spécifier davantage le processus du développement vocationnel de l'adulte. Ce dernier est défini, rappelons-le, comme un ensemble équilibré résultant d'une évolution constante de l'interaction entre un moi vocationnel sans cesse en mutation et un milieu occupationnel lui-même en transformation. C'est donc à l'intérieur de la marche continue du temps que se situe cette triple évolution permanente et centrale au développement vocationnel de l'adulte.

Pour mieux expliquer les différences entre l'âge et la marche continue dans le temps, imaginons quelques cas relevant (encore aujourd'hui) de la science-fiction. Un adulte de 25 ans subit une hibernation chimique pendant 20 ans et se réveille à 45 ans. Durant 20 ans, il a avancé en âge mais il n'a pas effectué une marche continue dans le temps étant donné qu'il n'a pas vécu une transformation de son moi, ni l'évolution du milieu, et encore moins une interaction sans cesse renouvelée entre les mutations de ces deux entités. En somme, il n'a vécu aucun élément habituellement responsable des cycles inter ou intra-étapes. Cet adulte ne pourra donc pas, malgré son avancement en âge, traverser la même étape de vie au travail que l'adulte de 45 ans ayant vécu normalement. Notons toutefois que ce sujet expérimental en hibernation chimique ne représente pas le cas des adultes retirés du marché du travail pendant un certain nombre d'années, tels les femmes au foyer, les chômeurs chroniques, etc. Contrairement à ce sujet en hibernation, ces adultes vivent la marche continue du temps à travers toutes les autres sphères de leur vie personnelle reliée au travail non rémunéré (éducation des enfants, activités socio-politiques, etc). D'ailleurs l'interaction entre les développements personnel, cognitif, affectif et vocationnel est un fait universellement reconnu.

Imaginons un autre cas, relevant encore aujourd'hui de la science-fiction, afin de mieux illustrer les différences entre l'âge et la marche continue du temps en regard du développement vocationnel. Un adulte a 30 ans et conserve cet âge pendant 20 ans de suite. Ce cas, souhaité peut-être par plusieurs d'entre nous, n'avance pas en âge mais vit toute une série d'événements susceptibles de provoquer son développement vocationnel. Le milieu se transforme constamment pendant ces 20 ans ainsi que le moi vocationnel. De plus, il y a également l'interaction entre ces deux entités qui se renouvelle graduellement. Mais différemment des autres adultes, cet individu ne vit pas la marche continue dans le temps. Les événements vécus sont interprétés avec un facteur important en moins, à savoir sa propre situation chronologique toujours différente dans le temps. La signification des événements sera toujours rattachée à une personne qui se situe au tiers de sa vie ; elle ne sera pas reliée à un adulte qui, de jour en jour, dépasse les 30 ans pour arriver graduellement au mitan et ensuite se situer vers la fin de sa vie. Le développement vocationnel de cet adulte se fera avec un contenu typique à une personne de 30 ans, et non à un adulte de 40 ou 50 ans. Les événements vécus ne peuvent avoir le même sens ; vivre une rétrogradation à 30 ans est différent d'à 50 ans, et ainsi de suite. Les remises en question provoquées par les divers événements s'avéreront longtemps similaires pour cet éternel adulte de 30 ans. Son développement vocationnel sera amputé des types de remise en question spécifiques aux âges ultérieurs.

De même en serait-il d'un autre cas fictif et cocasse. Imaginons pour un instant seulement que l'espérance de vie ne serait pas aux environs de 90 ans mais de 240 ans. Dans ce dernier cas, l'adulte de 80 ans serait dans la même situation que celui de 30 ans dont on a parlé plus haut ; ils seraient tous deux situés à la fin du premier tiers de leur vie et vivraient alors, grosso modo, les mêmes phénomènes vocationnels. Il s'agit de la situation chronologique, véhiculée par la marche continue du temps, qui est un des facteurs importants dans la détermination de l'étape de vie que l'adulte traverse et dans la signification accordée aux différents événements occupationnels qui l'accompagnent.

La compréhension de la marche continue dans le temps (versus l'âge) devient nécessaire à la conceptualisation de la véritable nature du développement vocationnel de l'adulte ou du développement en général. On ne saisira vraiment la réelle nature du développement vocationnel de l'adulte que lorsqu'on aura compris que l'adulte de 30 ans n'est pas simplement celui qui a parcouru un certain chemin occupationnel. Il n'est pas non plus cet individu près de son point optimal de carrière ou de performance occupationnelle. Cet adulte de 30 ans ne peut pas se définir uniquement comme une personne qui a 20 ou 30 ans de moins que l'individu placé devant la nécessité de concevoir des réaménagements vocationnels entourant le moment de sa retraite. Il est essentiellement différent des adultes de tout autre âge et il en est ainsi pour tous les autres. D'ailleurs, sur les plans cognitif et affectif, n'est-ce pas seulement au moment où on a compris que l'enfant n'était pas un homme petit (Montessori, 1964) qu'on a commencé à vraiment connaître la nature de son évolution? Alors, on ne comprendra vraiment le développement vocationnel de l'adulte que si on saisit vraiment le sens des points suivants : 1. l'évolution importante qui se fait au fil des ans ; 2. l'intensité équivalente de cette évolution comparée à celle réalisée au moment de l'enfance ou de l'adolescence ; 3. la somme fabuleuse d'énergie que le développement commande et peut obtenir ; 4. l'intensité potentiellement équivalente de l'évolution vocationnelle à toute période de la vie adulte ; 5. l'importance capitale de la marche continue du temps en tant que facteur déterminant différentes significations accordées aux divers événements (intérieurs ou extérieurs) de la vie vocationnelle.

Contenu bio-occupationnel des étapes

Le contenu bio-occupationnel des étapes de vie au travail signifie qu'il y a des éléments communs de remise en question selon les âges. Il s'agit d'un matériel de base dont se sert librement et sélectivement l'adulte pour alimenter les cycles intra et inter-étapes. Ce contenu ne nie en rien le caractère multi-directionnel du développement vocationnel ; il fait référence à des éléments communs de questionnement et non pas à une gamme de comportements qui s'avéreraient des réponses normatives à ces remises en question ; il ne s'agit donc pas d'un sentier battu, unique et réductionniste. Au contraire, la présence de ce contenu bio-occupationnel laisse libre cours à la direction du trajet, aux effets apparemment bénéfiques ou maléfiques rattachés à l'une ou l'autre direction, et aux multiples variations dans les réponses apportées lors de remises en question.

Le contenu bio-occupationnel des étapes s'explique surtout par la marche continue du temps qui entraîne avec elle une situation toujours différente de l'adulte dans son évolution bio-chronologique. Selon l'avancement en âge, l'adulte se situe au début, au mitan ou à la fin de sa vie occupationnelle ou biologique. Cette situation au sein d'une évolution chronologique est à la base d'une similarité fondamentale de certaines remises en question chez les adultes d'un même groupe d'âge. Chez les enfants et les adolescents, on utilise les termes « maturation biologique » pour expliquer les changements dus à l'avancement en âge. Un enfant de 12 mois, de par l'évolution physiologique typique à l'espèce humaine, possède la maturation pour effectuer les débuts de la marche bipède. Vers l'âge de 12 ans, le jeune adolescent jouit d'une maturation bio-intellectuelle suffisante pour effectuer des raisonnements hypothético-déductifs (Piaget, 1972).

L'utilisation des termes « maturation biologique » apparaissent beaucoup trop radicaux pour l'appliquer aux différents phénomènes du développement vocationnel de l'adulte. Pourtant Erikson (1958) utilise des termes très apparentés ; en effet, il prétend que la raison selon laquelle une personne transfère d'un stade de vie à un autre reposerait sur la présence de forces provenant, entre autres facteurs, de la maturation biologique. Les résultats de la recherche triennale suggèrent plutôt d'utiliser le terme « bio-occupationnel » pour désigner le contenu des remises en question spécifique aux âges (biologique) et se rapportant au travail (occupationnel).

Selon l'avancement en âge, l'adulte a tendance à interpréter différemment les événements vocationnels, et la société exige des rôles occupationnels différenciés. Ainsi, cette perception toujours dissemblable de sa propre situation chronologique dans le temps, provoquée par le phénomène de la marche continue, serait l'un des facteurs déterminants des interrogations soulevées relativement à la vie vocationnelle. Cette perception sélective des événements occupationnels s'accompagne donc de remises en question ayant une nature différenciée permettant ainsi d'identifier un contenu bio-occupationnel distinct et spécifique selon les âges. Il y aurait lieu toutefois de répéter que ce contenu laisse libre cours à un développement permanent, multi-directionnel, potentiellement équivalent au fil des âges et pouvant adopter des rythmes variés. Par exemple, un adulte de 30 ans qui se perçoit rendu au deuxième tiers de sa vie, peut réagir de différentes manières aux remises en question relatives à la recherche de son chemin prometteur. Il peut être motivé à activer davantage son développement vocationnel afin de viser une optimalisation de sa performance occupationnelle. Par contre il peut, au contraire, juger qu'il doit pendant un certain temps ralentir ses activités professionnelles pour se relancer dans des activités de formation. Par exemple, un adulte de 65 ans, devant les remises en question relatives à un changement majeur de vie vocationnelle, décide de se définir comme un être sénile apte à être transféré dans une salle d'attente de la mort ; il peut, au contraire, décider de repenser ses modalités de pratique occupationnelle afin de poursuivre un développement vocationnel accéléré durant sa retraite. Ainsi la perception de sa situation temporelle, en termes de portions de vie terminées ou à venir, semble définitivement un des facteurs déterminants dans le type de questionnement vocationnel vécu par l'adulte au fil des âges.

Ces éléments communs observés chez les adultes, dans les différents groupes d'âge, soulèvent beaucoup de controverses dans les écrits pertinents et ce, peu importe le degré de souplesse ou d'universalité de ces éléments. Tout d'abord, on semble affirmer qu'il est impossible d'identifer un *pattern* général valable pour les adultes en vertu même de leur pluralisme. Brim et Kagan (1982) et Coté (1980), pour ne relever que deux exemples, affirment que la croissance des adultes est à ce point individuelle qu'il est difficile et aventureux de tenter de détecter un *pattern* général. Pourtant de nombreux auteurs ont identifié des exemples de *patterns* généraux concernant l'adulte (McCoy et autres, 1980). Certains d'entre eux remontent à 2500 ans avant Jésus-Christ (Levinson, 1978) ; il s'agit des étapes relevées par Talmud, un Hébreu, par Solon, un Grec et par Confucius, un Chinois. Par ailleurs, le pluralisme existe également chez les enfants et les adolescents, ce qui n'a pas empêché les chercheurs d'identifier des *patterns* communs de développement tant sur les plans cognitif, affectif qu'« attitudinal ». De plus, ces patrons ne nient en rien le caractère unique et idiosyncratique de ces mêmes personnes.

Une deuxième critique reliée aux patrons communs observés chez les adultes soutient qu'il s'agit d'une manifestation du phénomène de socialisation plutôt que de l'effet de l'évolution personnelle. Par exemple, Whitbourne et Weinstock (1979, p. 144) mettent fortement en doute toutes les recherches observant des similarités selon les âges. Selon eux il est impossible, et ce en vertu même du principe de l'identité personnelle, de ne pas observer de variations dans la façon dont les adultes expérimentent les événements de vie et leur propre croissance. De plus, ajoutent ces mêmes auteurs, les biais méthodologiques seraient une autre explication des similarités observées selon les âges. Selon Whitbourne et Weinstock (1979), les adultes ont tendance à répondre selon les attentes sociales correspondant à leur âge ou aux rôles sociaux habituellement compris dans la période qu'ils traversent. Selon ces théoriciens, les adultes ne veulent pas, lors des interviews, révéler les différences ou les divergences entre leur vie personnelle et le plan normatif de la société. Par ailleurs, on peut se demander ce qui suit : si les similitudes observées selon les âges n'étaient qu'une manifestation du phénomène de socialisation de l'adulte, l'universalité de ces similitudes, observées à travers les sociétés, deviendrait alors inexplicable. Selon Colarusso et Nemiroff (1981, p. 171), il est clair qu'il existe des expériences universelles de développement selon les âges qui traversent les barrières culturelles. Crain (1980, p. 161) confirme que les stades d'Erikson sont culturellement universels tout en étant conscient que les cultures sont très variées.

Une troisième critique relative à la crédibilité des similitudes observées selon les âges concerne le phénomène de génération ou de cohorte et s'exprime comme suit : chaque nouvelle génération manifeste des courants de pensée, des mentalités, des valeurs ou des attitudes différents de ceux des générations précédentes. Toute recherche visant à identifier des similarités selon les âges en vue de les interpréter comme une séquence de l'évolution, ne serait alors qu'un exercice futile (Looft, 1973 ; Rogers, 1982 ; Rossi, 1980). Devant cette critique conventionnelle voulant que le développement adulte ne soit, à toutes fins pratiques, aucunement relié à l'âge, les résultats de Levinson (1978) indiquent l'inverse. Ce dernier (p. 19) insiste pour signaler que la division par âge a été un résultat inattendu de leur étude. De plus, il affirme que les saisons de la vie humaine identifiées par sa recherche vont nettement au-delà du phénomène des générations et seront valables pour des décennies ou même des siècles à venir. Sans pouvoir avancer une affirmation aussi catégorique, les résultats de la recherche triennale semblent nettement dégager, de la même manière, que le contenu bio-occupationnel des étapes de vie au travail se situe également bien au-delà du phénomène de génération ou de cohorte.

Enfin Shaie et Hertzog (1982, p. 92) notent qu'il existe un défi de taille pour les chercheurs adhérant au modèle du développement séquentiel de l'adulte, qui se traduit par l'identification d'éléments communs relatifs aux séquences vécues. Le problème est donc double, selon ces auteurs : 1. reconnaître des similarités reliées à l'âge sans que ce dernier soit un facteur causal du développement ; 2. identifier des principes qui tiennent simultanément compte de la multiplicité et de l'aspect multi-directionnel du développement. Les résultats de la recherche triennale contribuent à relever ce double défi. D'une part, ils présentent un contenu bio-occupationnel des diverses étapes de vie au travail selon les âges ; cela constitue la partie commune reliée à l'âge sans que ce dernier ne se situe dans une perspective causale. D'autre part, ces résultats spécifient bien que ce contenu bio-occupationnel, étant essentiellement des remises en question similaires selon les âges, ne présume alors en aucun temps ni de la direction ni du rythme du développement.

Le développement vocationnel issu de ces questionnements typiques aux âges ne signifie aucunement que les adultes doivent tous passer par les mêmes moules. Au contraire, ce développement est multi-directionnel et multi-rythmique et laisse ainsi libre cours à toutes les variantes personnelles et socio-culturelles. L'originalité de ce modèle spatial réside donc en partie sur la mise en lumière d'éléments communs relatifs non pas tant à divers types de comportement vocationnel, mais plutôt à une série de remises en question préalables à l'adoption de ces comportements évolutifs, dont les variations peuvent être infinies.

5
Le savoir-être vocationnel

Aux formateurs, aux intervenants et à tous les adultes

Cette dernière partie du volume a trait aux implications immédiates relatives aux pratiques quotidiennes de l'éducation permanente. Le modèle de développement vocationnel de l'adulte, qui a fait l'objet du quatrième chapitre, servira de base théorique aux suggestions formulées. Afin de se rapprocher davantage d'une terminologie plus familière à ce champ d'étude et d'action, les termes développement et savoir-être vocationnels seront indifféremment utilisés. Ainsi, le modèle « spatial » présenté dans le chapitre IV, est, en quelque sorte, une conception élaborée de ce savoir-être vocationnel. Il peut donc se définir comme suit : il est un processus qui se compose de différentes étapes de vie au travail et durant la retraite ; au cours de ce processus, l'individu doit négocier toute une série de remises en question relatives aux finalités ou aux modalités de cette vie occupationnelle.

Mais, comment concrètement peut-on se préoccuper de ce savoir-être vocationnel ? C'est précisément à cette question centrale que le présent chapitre veut apporter des éléments de réponse.

Il faut auparavant souligner que ce chapitre s'adresse principalement aux praticiens de l'éducation permanente que sont les formateurs d'adultes. Tout en s'inscrivant dans un courant humaniste voulant que l'étudiant adulte soit son propre agent de changement, il n'en demeure pas moins que ce professionnel a un rôle-clé à jouer au sein de l'éducation permanente (Elias et Merriam, 1980) et du savoir-être vocationnel.

Tout en étant relativement spécifique au domaine de l'éducation des adultes, ce chapitre s'adresse également à un grand nombre d'intervenants oeuvrant auprès ce cette clientèle. Par exemple, les suggestions formulées peuvent tout autant convenir aux spécialistes en relations industrielles, dans la mesure où elles traitent abondamment du phénomène du travail vu sous l'angle humain et spécifiquement relié à l'intériorité évolutive de la personne. Ce chapitre rejoint également les intervenants en *management* qui seront appelés à oeuvrer essentiellement auprès de travailleurs en cours de carrière, avec toutes les réalités d'obsolescence ou de motivation au travail qui sont déterminantes dans les interventions à adopter en gestion de ressources humaines. Ce chapitre touche également les praticiens en administration scolaire et en psychopédagogie car ils devront obligatoirement se préoccuper de plus en plus du phénomène croissant de la clientèle adulte institutionnalisée. De plus, ce chapitre rejoint directement les conseillers en orientation ou les psychologues appelés à exercer leur profession auprès d'adultes situés à une étape ou l'autre de leur vie au travail. Par ailleurs, cette liste d'intervenants susceptibles de trouver un intérêt quelconque dans ce chapitre n'est certes pas exhaustive. Mais auparavant, il faut signaler ceci à l'intention des divers spécialistes. Tout en n'utilisant pas nécessairement un vocabulaire strictement spécifique à ces disciplines d'intervention, il n'en demeure pas moins que l'ensemble des suggestions formulées à l'intention des formateurs d'adultes peuvent se traduire aisément au cadre particulier de l'un ou l'autre de ces champs d'application.

Ce chapitre est également dédié à tous les adultes pour deux raisons principales. 1. Ces derniers s'avèrent tous, d'une certaine façon, des formateurs et ce, quotidiennement. Selon Knox (1980, p. 380), on enseigne chaque jour aux autres adultes à apprendre ; par exemple, on aide un étranger à comprendre comment se débrouiller dans notre réseau routier, on assiste un voisin dans l'aménagement de son jardin, etc. 2. La grande majorité des adultes peuvent se définir comme des auto-formateurs ou des autodidactes. Cross (1982) affirme que la population des étudiants adultes peut être représentée par une pyramide dont la base comprend la totalité des adultes. D'ailleurs l'importance de l'autodidaxie a été maintes fois soulignée. Selon la Commission d'étude sur la formation des adultes (CEFA, 1982, p. 407), « à toutes les époques, dans toutes les classes de la société, des individus ont utilisé l'autodidaxie et l'autodidaxie assistée comme façon d'apprendre ; c'est sans doute là, une preuve irréfutable que l'adulte se trouve dans une dynamique d'éducation permanente à travers ses diverses expériences qui l'invitent à s'outiller mieux par des apprentissages appropriés ». Selon Knox (1980), chaque année la majorité des adultes américains s'engagent dans au moins un projet de formation (avec une moyenne de cinq) systématique et planifié. De ce nombre, seulement le cinquième sont des cours ou des ateliers ; tous les autres projets consistent en de l'apprentissage autodirigé (Knox, 1980 p. 378 ; Tough, 1978 ; CEFA, 1982). Enfin, on arrive même à la conclusion que l'autodidaxie peut être déclarée comme un phénomène universel (Coolican, 1974 ; Penland, 1977). Toutefois étant donné que ce dernier chapitre s'adresse principalement au formateur, on demanderait à l'adulte autodidacte de procéder à une adaptation des propos qui y seront tenus. Par exemple, dans les diverses recommandations formulées à l'intention du formateur, au lieu de lire « assister l'adulte à », l'autodidacte devra évidemment traduire ces termes par « s'aider à ».

Quant au contenu de ce chapitre, il faut souligner que les différentes suggestions présentées ici se subdivisent en deux parties. Pour que le formateur soit mieux en mesure de se préoccuper du savoir-être vocationnel, il doit tout d'abord prêter une attention spéciale à certaines considérations générales valables pour l'ensemble des adultes. Il doit également concevoir des interventions différenciées qui soient adaptées spécifiquement aux sous-groupes qui traversent l'une ou l'autre des diverses étapes de vie vocationnelle.

Considérations générales

Ces considérations générales correspondent aux recommandations suivantes : a. inscrire des objectifs de développement vocationnel à l'intérieur des activités d'éducation permanente ; b. revaloriser les remises en question occupationnelles vécues fréquemment et intensément par l'adulte ; c. combattre les préjugés du « biologicisme ».

Inscrire des objectifs de développement vocationnel

Les écrits en éducation permanente font très rarement mention des objectifs spécifiques du savoir-être vocationnel. Tout au plus, on y fait indirectement allusion en traitant de la formation reliée à l'emploi. Ce type spécifique de savoir-être semble parfois inconnu ou du moins, englobé délibérément au sein des propos généraux se rapportant au développement de la personne.

Pour mieux saisir l'importance d'inscrire des objectifs de développement vocationnel dans les activités éducatives, il faut tout d'abord comprendre qu'il y a une relation très étroite entre ces objectifs spécifiques et ceux du savoir-être, les premiers constituant effectivement une partie intégrante des deuxièmes. Selon Blocher et Rapoza (1981, p. 212), le développement vocationnel est un élément du développement personnel, incluant les concepts de soi, les attitudes, les valeurs, les intérêts et les perceptions du travail ou des travailleurs en général. Ce recouvrement entre ces deux types de croissance constitue, selon les mêmes auteurs, une base conceptuelle permettant de faire converger les buts généraux de l'éducation et du développement vocationnel.

Par ailleurs, la nécessité d'inscrire des objectifs spécifiques de développement vocationnel au sein de l'éducation permanente se greffe à celle des finalités reliées au savoir-être. Les écrits pertinents foisonnent à ce sujet. Selon Hutchins (1969), quand il s'agit d'éducation, visez le développement de la personne et le reste viendra par surcroît. Plus récemment, Peterson (1981, p. 324) déclarait que le fait d'élargir les buts éducatifs en incluant la perspective des diverses transitions de vie est un défi majeur urgent. D'une façon plus directive, Kummerow (1978), Schuller (1979) et AAHE (1980) indiquent qu'il faut, pour augmenter la qualité de l'éducation des adultes, faire une plus large application des théories du développement de l'adulte dans les objectifs d'éducation. Selon Nadeau (1982, p. 95), sur le plan personnel, l'éducation permanente participe au développement de l'individu en l'aidant à devenir adulte au plein sens du terme ; ainsi, poursuit l'auteur, est-il important de signaler que le développement de la personne n'est jamais entièrement achevé et que la motivation pour l'éducation devrait être permanente. Selon Tough (1980), pour apprendre à croître, il faut davantage se connaître dans sa propre évolution au fil des âges. Selon Knox (1980, p. 383), une personne qui aide un individu à apprendre cherche à intervenir dans une vie adulte en évolution. Selon Schwarty (1977, p. 70), l'éducation doit intégrer les perspectives de la vie globale de l'individu. Enfin, selon

Lengrand (1977), l'éducation ne s'ajoute pas à la vie ; elle n'est pas du domaine de l'avoir mais celui de l'être.

Mais, à l'intérieur de ce domaine de l'être, l'inscription plus spécifique des objectifs de développement vocationnel est pratiquement omise ou oubliée. Et pourtant, ce type de croissance constitue un des éléments-clés dont il faut tenir compte puisqu'il rejoint les principales motivations de l'adulte à s'engager dans des activités d'apprentissage autodidacte ou institutionnalisé. En effet, comme on l'a vu dans l'introduction, au-delà de la moitié des motifs d'apprentissage sont directement reliés au travail alors que les autres catégories de motifs se partagent les quelques 40 % qui restent. Le formateur se retrouve donc, en général, devant un groupe d'adultes intéressés prioritairement à une partie spécifique de leur évolution, qui est le savoir-être vocationnel. C'est là une réalité que le formateur doit toujours garder en mémoire. En effet, point n'est besoin de rappeler l'importance capitale à accorder à la nature même des motivations essentielles au sein du processus d'apprentissage ; les écrits abondent à ce sujet (Cross, 1982).

En somme, parce que le développement vocationnel et l'éducation permanente sont deux phénomènes si étroitement reliés, il apparaît donc obligatoire d'assurer une inscription élargie des objectifs spécifiquement rattachés à ce type de développement à l'intérieur des buts fondamentaux de l'éducation permanente. Les propos de Blocher et Rapoza (1981, p. 223) résument bien la nécessité immédiate pour le formateur d'adultes de se préoccuper des objectifs spécifiques du savoir-être vocationnel au sein des activités éducatives. Selon ces derniers, l'insertion des besoins et des motivations vocationnels des étudiants adultes doit être une partie centrale du changement vital et dynamique qu'on doit imposer à l'éducation permanente.

Revaloriser les états de remise en question

Une autre implication majeure qui ressort des résultats de la recherche triennale est que le formateur doit prêter une attention très spéciale aux remises en question vécues par l'adulte tout au long de sa vie au travail. Ces états sont, comme on l'a vu lors de l'explicitation du modèle spatial (chapitre IV, processus du développement), des éléments nécessaires à une évolution accélérée au sein du processus du savoir-être vocationnel. Mais qui plus est, ces remises en question se situent également au coeur même de l'éducation permanente. Par exemple, selon Lengrand (1977, p. 74) , l'objectif de l'éducation permanente est :

de substituer à l'esprit logique (réponse) l'esprit dialectique (question) dans l'ensemble de l'entreprise éducative ; c'est ainsi que l'individu de la réponse deviendra l'individu de la question ; et c'est seulement à ce prix que s'élaborera progressivement une société d'adultes.

Selon Pineau (1983), « la personne qui est omniquestionnante est le prototype de celle qui est en plein mouvement d'éducation permanente, et d'auto-éducation permanente ». Selon Opération-départ (1977, p. 104), le questionnement devient la justification fondamentale de l'éducation permanente « dont l'objectif premier est de fournir constamment à la personne les ressources d'appoint dont elle a besoin pour devenir d'imprévisible en imprévisible, de plus en plus elle-même ». De plus, cette nécessité du questionnement semble encore plus justifiée ou capitale pour les années à venir. Selon Toffler (1980, p. 21) :

> Nous assistons à la naissance d'une civilisation qui entraîne dans son sillage de nouveaux modes de structure familiale ; elle modifie nos façons de travailler, d'aimer et de vivre ; elle instaure un nouvel ordre économique, fait surgir de nouveaux conflits politiques aussi et surtout annonce l'avènement d'une nouvelle conscience.

Dans cette perspective, poursuit Toffler, les remises en question deviennent la pierre angulaire d'une saine adaptation dans le monde de demain.

Afin de procéder à une revalorisation des remises en question nécessaires à l'évolution du savoir-être vocationnel, le formateur devrait répondre aux priorités suivantes : 1. identifier sommairement les comportements plus typiques aux états de questionnement et de réorganisation ; 2. adopter une attitude positive à l'égard de l'adulte en état de questionnement ; 3. assister l'adulte à utiliser ces états dans son évolution ; 4. se rapprocher du pragmatisme de l'adulte ; 5. prévenir l'adulte des futures remises en question possibles. Ces priorités seront maintenant détaillées une à une.

1. Identifier sommairement les comportements plus typiques aux états de questionnement ou de réorganisation peut s'avérer une tâche complexe pour l'éducateur. Les différences entre ces deux états sont explicités dans le chapitre IV (cycles intra-étapes) mais certains indices peuvent faciliter grandement cette vérification.

Au sein d'un groupe de tâches, un adulte vivant intensément une période de questionnement peut laisser observer les comportements suivants. Par exemple, il pourra être régulièrement porté à remettre en question non seulement sa carrière mais celle de ses collègues ; il s'interrogera sur la valeur des méthodes de travail en cours, le type de leadership des éducateurs ou des patrons, etc. Durant une réunion, il ira jusqu'à faire douter les participants de l'utilité et du bien-fondé de l'objet même de la rencontre. Il identifiera de nombreuses failles dans la structure sociale ; il aura de sérieux doutes concernant l'utilité socio-économique de son travail ainsi que la raison d'être de son organisme-employeur ou de toute forme organisée d'éducation des adultes.

Ces divers comportements ont certes de nombreux effets positifs au sein d'un groupe de tâches. Mais cet adulte risque de se laisser percevoir comme un individu nuisible, dénotant une diminution de motivation ou d'efficacité au travail. Alors qu'au contraire, cet état de questionnement peut être garant d'une évolution très positive dans le cheminement de carrière de cet adulte ; cela peut s'avérer également des indices sûrs pour identifier un véritable travailleur rentable et efficace ainsi qu'un authentique étudiant adulte toujours à la recherche d'une plus grande évolution.

Par ailleurs, un adulte en période de réorganisation ou de plus grande quiétude peut facilement laisser dégager une ardeur débordante au sein d'un groupe de tâches ou dans son milieu de travail. Il aura même tendance à s'impatienter du rythme de travail de ses collègues ; il se préoccupera de l'enchâssement efficace des diverses tâches. Il jugera très significatif l'élaboration d'un calendrier d'opérations où l'évaluation continue de la marche des projets grâce à divers procédés de cheminement critique, etc. On verra cet adulte avide de son temps et valoriser hautement l'efficacité constructive de ses propres actions ou celles de ses collègues. Il se laissera percevoir comme étant stimulant, voire même essoufflant, parce que très sûr de son plan de travail, des objectifs poursuivis et du type d'utilité socio-économique de ses propres interventions, de celles de ses éducateurs et de son organisme-employeur. On pourrait facilement croire que cet adulte, traversant une période de réorganisaion, est un étudiant adulte ou un employé rêvé. Mais le formateur ne doit pas oublier que cette période sera incessamment suivie d'un autre moment caractérisé par de nombreuses remises en question.

Devant ces deux types de comportement, l'éducateur devrait ressentir davantage la nécessité de former des équipes mettant en présence des adultes traversant différentes étapes de vie au travail ou se situant à des degrés divers dans l'un ou l'autre des deux états de questionnement ou de réorganisation. D'ailleurs, Duley (1981,

p. 602), Keppel et Chickering (1981, p. 623) et Menges (1981, p. 565) déclaraient qu'il est essentiel et stimulant d'avoir des participants très hétérogènes lors des activités éducatives.

Il faut également souligner que le passage d'un état de réorganisation à celui de questionnement risque d'être crucial pour l'adulte si l'unité de travail ou d'activités éducatives lui a confié un mandat trop prolongé comprenant des responsabilités d'envergure. En effet, comment remplir ces différentes fonctions très envahissantes si, par exemple, un adulte ressent en même temps une obligation de remettre en question la nature même de ses fonctions, son propre rôle socio-économique ainsi que sa propre orientation de carrière. Ainsi, tout mandat, quel qu'il soit, devrait toujours être conféré sur une base temporaire afin de permettre à l'adulte une souplesse de rotation nécessaire aux divers états de l'évolution de son savoir-être vocationnel. À cet effet, le formateur a un rôle majeur de sensibilisation à jouer au sein de toute la cité éducative.

2. Adopter une attitude positive à l'égard des adultes vivant des remises en question est une tâche complexe à laquelle l'éducateur est confronté.

Durant une session de formation, par exemple, il se peut qu'un adulte fasse une intervention qui semble vraiment dénoter chez lui beaucoup d'incertitude par rapport à ses tâches, à l'utilisation socio-économique de son plan d'études, etc. L'éducateur devrait recevoir très positivement cette intervention ; du moins, il ne devrait certes pas avoir une attitude de pitié face à cet adulte qui semble désorganisé, mêlé ou désorienté. L'éducateur devrait plutôt considérer cet adulte comme une personne qui a suffisamment d'authenticité pour exprimer à haute voix un état de questionnement très nécessaire à son évolution.

Par ailleurs, selon Knox (1980, p. 381), un des moyens d'aider l'autre à apprendre est de lui donner plus confiance en lui-même. Revaloriser les états de remise en question, avec les sentiments d'insécurité qui les accompagnent, est sûrement une manière d'aider l'autre à apprendre. L'attitude positive de l'éducateur envers les états de remise en question peut permettre à tous les participants d'une activité éducative de ne pas craindre d'être anormaux ou immatures s'ils ressentent également une certaine désorganisation ou instabilité.

3. Assister l'adulte à utiliser pleinement ses remises en question peut s'avérer une tâche ardue pour le formateur.

Ce dernier doit être bien conscient du fait suivant qui est ressorti des entrevues de la recherche triennale. Les propos recueillis ont nettement laissé dégager que, tout en verbalisant ses remises en question, l'adulte semblait victime de l'obligation de maintenir l'illusion de stabilité. En d'autres termes, l'adulte semble ressentir qu'il est tenu d'agir, de se définir et également de se laisser percevoir comme un être stable, parvenu à ses fins, compétent et agissant selon un plan d'action défini et pratiquement immuable. Par ailleurs, l'adulte semble croire, qu'au contraire, une personne incertaine ou désorganisée, ne serait-ce que temporairement, n'est pas un adulte dans le plein sens du terme ; selon lui, un tel individu serait plutôt un éternel adolescent immature. Sa définition même de l'âge adulte semble être une période où sont terminés les remises en question et les nombreux choix ou réaménagements typiques de l'adolescence.

Ainsi beaucoup d'énergies seraient dépensées par l'adulte pour arriver à dégager cette image de stabilisation et d'organisation alors que sa vie quotidienne est remplie de diverses remises en question et de fréquentes périodes de désorganisation. Il semblerait donc urgent de faire prendre conscience à l'adulte du besoin de détruire ce préjugé voulant que stabilité soit synonyme de maturité. Il semblerait, à l'inverse, que ce soient les remises en question se manifestant par des comportements ayant toutes les apparences de désorganisation et d'instabilité, qui sont des indices d'une évolution saine et accélérée du savoir-être vocationnel. Car rappelons-le, ces remises en question sont les conditions nécessaires pouvant mener l'adulte vers un degré d'accomplissement et de réalisation de soi toujours plus grand, tout en reculant sans cesse ses propres limites.

Par ailleurs, un préalable à la valorisation des états de remise en question est la révision des notions de pathologie et de normalité. Selon Colarusso et Nemiroff (1981, p. 217), les critères de ces deux notions doivent constamment être redéfinis à la lumière des résultats des recherches touchant le développement de l'adulte. De plus, certaines valeurs sociales commencent à se réajuster à cet égard. Selon Cross (1982) et le U.S. Bureau of Census (1977, p. 389), alors qu'avant le travailleur était jugé instable s'il changeait trop souvent d'emploi, ce comportement est maintenant devenu une valeur sociale indicative d'une personne plus intéressante et plus aventureuse. En somme, si le formateur réussit à faire rejeter l'adage voulant qu'un adulte mûr soit nécessairement un être stable, alors les remises en question pourront jouer pleinement leur rôle essentiel au sein du savoir-être vocationnel.

4. Une autre façon de valoriser les états de remise en question réside dans la nécessité de se rapprocher davantage du caractère pragmatique de l'adulte.

L'éducation permanente définit généralement l'adulte comme un étudiant qui est essentiellement pratique, c'est-à-dire qui veut une application immédiate de ses connaissances et de ses acquis (Cross, 1982, p. 188 ; Elias et Merriam, 1980, p. 13). Cette réalité faisait conclure à la CEFA (1982, p. 22) que « les pratiques pédagogiques des éducateurs, dans ou hors l'école, sont obligatoirement appelées à se transformer dans le sens de l'ouverture au vécu ou à l'expérience de l'adulte ».

Par ailleurs, à l'intérieur de ces propos insistant sur le pragmatisme de l'adulte, on affirme généralement que la motivation à s'inscrire à des activités d'apprentissage est strictement reliée à l'espoir de solutionner des problèmes. Selon Tough (1971), l'apprentissage adulte commence avec un problème de responsabilité, une remise en question ou un casse-tête ; cet apprentissage commence rarement par un grand souci d'éducation libérale. Selon Knowles (1978, p. 58), l'adulte s'inscrit dans des activités éducatives avec une motivation à apprendre qui est centrée sur un problème (*problem-centered orientation*) ; il veut mettre en pratique demain ce qu'il a appris aujourd'hui ; sa perspective de temps est en terme d'immédiaticité de l'application. Selon Knox (1980, p. 388), une caractéristique de l'éducation permanente est que les adultes participent très rarement à des activités éducatives juste pour accroître leurs connaissances, acquérir une habileté ou modifier leurs attitudes ; le but de l'adulte est habituellement de modifier sa capacité — cela comprend des changements à la fois dans le domaine cognitif, psycho-moteur et affectif afin d'augmenter sa compétence.

Étant donné que le pragmatisme de l'adulte se traduit, entre autres, par un espoir de résoudre des problèmes à l'intérieur d'activités éducatives, il apparaît non seulement justifié mais nécessaire et primordial de se préoccuper des nombreuses remises en question spécifiques aux diverses étapes de vie au travail. Par exemple, si l'adulte de 53-57 ans perçoit que le formateur saisit bien les diverses exigences de sa recherche d'une sortie prometteuse, ce formateur aide, tout d'abord, tout le groupe à mieux comprendre cet adulte ; mais surtout, il assiste cet adulte dans la solution de ses problèmes immédiats. N'est-ce pas là d'ailleurs une intervention qui pourrait faire conclure à cette personne de 53-57 ans que certaines activités éducatives respectent véritablement une partie importante de ses attentes en lui permettant de toucher des préoccupations majeures qui le hantent quotidiennement ?

Par ailleurs, une autre façon de respecter le pragmatisme de l'adulte serait d'aider ce dernier à mieux identifier le type de remise en question ou d'étape qu'il traverse. Le formateur pourrait également, en s'inspirant des premiers chapitres de ce volume, stimuler l'adulte à reconstituer son vécu vocationnel ou à procéder à une reconstitution biographique de son développement vocationnel. La valeur pédagogique de l'utilisation de la biographie a été largement explicitée et démontrée par Pineau (1980) et les travaux remarquables de Dominicé et Fallet (1981) et Fallet 1983).

5. Prévenir l'adulte des futures remises en question possibles s'avère également, pour le formateur, une tâche nécessaire.

Ce dernier devra utiliser toutes les occasions possibles pour sensibiliser l'adulte à l'obligation de se préparer constamment à des changements de modalités de vie vocationnelle. (Pour une meilleure compréhension de ces changements, on réfère le lecteur à la partie du chapitre IV traitant des événements manifestes du développement.) La présence quasi permanente des remises en question s'avèrent, finalement, des manifestations de la nécessité d'une modification dans le cours d'une vie. Pour ce faire, le formateur doit, tout d'abord, éviter d'encourager l'adulte à cristalliser les caractéristiques habituelles de son identité. Par exemple, si un adulte se propose comme secrétaire d'atelier en affirmant qu'il est très habile dans ce genre de tâches, le formateur devrait indiquer à ce dernier qu'il lui serait certes plus profitable d'exercer d'autres rôles afin de développer d'autres habiletés. Plus l'adulte multiplie ses habiletés et vit des rôles occupationnels différents, plus il sera en mesure d'affronter la nécessité des divers changements de modalités de vie vocationnelle et de s'y adapter.

Somme toute, le formateur doit amener graduellement l'adulte à comprendre qu'un vécu vocationnel au fil des âges se caractérise essentiellement et constamment par des modifications occupationnelles, volontaires ou imposées; il lui faut dès lors considérer la nécessité de s'y préparer d'une façon permanente. Ce faisant, il se peut que le formateur assure l'adulte d'une motivation continue à apprendre et à poursuivre l'évolution de son savoir-être vocationnel. Car, selon Cross (1982, p. 144), cette motivation est susceptible d'apparaître à chaque fois qu'il y a nécessité de s'adapter à des circonstances changeantes de vie.

Combattre les préjugés du « biologicisme »

Comme on l'a vu dans les chapitres précédents, le « biologicisme » est le préjugé selon lequel le développement vocationnel suit intégralement la courbe de croissance biologique, c'est-à-dire évolution jusque vers 35 ans, maintien ou stagnation jusque vers 55 ans et déclin par la suite. Les résultats de la recherche triennale ont indiqué jusqu'à quel point les adultes de différents âges semblent avoir été pénalisés dans l'évolution de leur savoir-être vocationnel lorsqu'ils adhèrent au « biologicisme ». (Le lecteur peut se référer aux neuf rubriques relatives aux images du vécu vocationnel dans les chapitres I, II et III.) Ce prix à payer peut, toutefois, se résumer comme suit. Durant la circonvolution pédestre (23-37 ans), l'adulte semble croire qu'il vit les seules heures d'une évolution possible de son savoir-être vocationnel et qu'il doit alors absolument trouver, une fois pour toutes, un chemin occupationnel prometteur. Il en vient même à se croire obligé de se lancer, d'une façon plus ou moins désespérée, dans une lutte contre la montre. Durant la circonvolution orbitale (38-52 ans) et les manoeuvres de transfert de champ gravitationnel (53-67 ans), l'adulte semble prétendre que son potentiel vocationnel et cognitif a atteint la limite de son actualisation ; il s'empêcherait alors de chercher des situations qui faciliteraient la poursuite d'une évolution accélérée et plafonnerait, ainsi, prématurément son développement vocationnel.

Le formateur a ici un rôle très important à jouer. Il ne saurait trop prévenir l'adulte des dangers du « biologicisme » ; cette conception semble réellement avoir des répercussions directement néfastes sur le savoir-être vocationnel et, par conséquent, sur le processus même de l'éducation permanente. En effet, ce préjugé est presque une antithèse à ce savoir-être dont le processus a été défini, dans le chapitre IV, comme une évolution continue ayant un rythme potentiellement équivalent au fil des âges.

Croire en une stagnation (passé le cap des 35-40 ans) ou en une diminution (passé le cap des 55 ans) de son potentiel s'avère une conception très néfaste à l'évolution permanente du savoir-être vocationnel. Selon Cross (1982, p. 125), il est maintenant reconnu que les personnes qui manquent de confiance dans leurs habiletés se défendront de s'engager dans des activités d'apprentissage qui peuvent présenter une menace pour leur estime de soi. D'ailleurs, la motivation à participer à l'éducation des adultes est le résultat de la perception individuelle des forces positives et négatives de la situation (Boshier, 1973 ; Cross, 1982 ; Miller, 1967 ; Rubenson, 1977 ; Tough, 1981).

En faisant mieux saisir les effets négatifs du « biologicisme », l'adulte pourra mieux se prévaloir d'un droit fondamental ; ce droit est celui de continuer à apprendre à chaque étape de vie (CEFA,

1982 ; Gilder, 1979). D'ailleurs, selon Knox (1980), l'apprentissage planifié, voulu et prémédité peut apparaître tout au long de la vie. En s'acharnant à combattre le « biologicisme », le formateur risquerait de voir augmenter le déjà faible pourcentage de gens qui se définissent ou qui osent se reconnaître formellement comme de réels étudiants permanents ; ce pourcentage est de 17 % selon Moon (1980) et de 15 % (sujets-exceptions) selon les résultats de la recherche triennale. De plus, le formateur contribuerait peut-être à accroître la moyenne d'âge de la clientèle de l'éducation des adultes institutionnalisée. En effet, on peut vraiment se demander si le « biologicisme » n'est pas responsable en grande partie du phénomène presque universel de l'inégalité de la représentativité des divers groupes d'âge au sein de cette clientèle.

Pour mieux combattre le « biologicisme », le formateur doit inviter l'adulte à adopter une image de son vécu vocationnel qui s'apparenterait à celle des sujets-exceptions. (Pour ce faire, le formateur devrait s'inspirer des premières parties de ce volume ; il pourrait relire attentivement les neuf rubriques relatives à l'image du vécu vocationnel à l'intérieur des trois premiers chapitres ; de même, aura-t-il avantage à relire, dans le chapitre IV, les thèmes relatifs à la poussée intrinsèque continue, à la permanence du développement et surtout, à l'intensité potentiellement équivalente du développement vocationnel au fil des âges.) Cette image du vécu vocationnel, partagée par les sujets-exceptions, s'apparente à celle d'une trajectoire continue où chaque étape comporte ses propres exigences et commande des façons toujours différentes de s'auto-actualiser. L'adulte doit saisir que ces étapes sont, en soi, des occasions tout aussi riches les unes que les autres, permettant l'évolution de son savoir-être vocationnel. Il n'est donc pas question de prétendre qu'il y a un temps pour se développer et un autre pour stagner ou décliner. D'ailleurs, selon Lengrand (1977, p. 67), « une première conquête de l'éducation permanente serait de ne pas donner une valeur négative au temps mais de le considérer comme un facteur d'enrichissement ». Sur cette base solide, poursuit l'auteur, « l'adulte peut explorer les terrains toujours nouveaux qui lui sont donnés et recueillir les nouvelles moissons qui lui sont offertes ». De plus, selon Pineau (1977, p. 293), l'adulte doit prendre conscience de l'opposition entre un temps physique (sorte de référence externe aux événements et aux phénomènes) et un temps psychologique de la diversité du vécu. Alors, « seulement, on atteint la référence autosynchrone, c'est-à-dire le temps ne coule plus, il jaillit ».

Enfin, une autre façon de combattre le « biologicisme » est de mieux faire comprendre à l'adulte certains éléments du rôle de l'avancement en âge dans l'évolution de son savoir-être vocationnel. Une des difficultés essentielles de l'adulte dans son processus d'éducation permanente est la relation que la personne établit avec sa propre durée (Lengrand, 1977, p. 67). L'avancement en âge, de par sa définition, assure indirectement une présence continue de stimuli susceptibles de provoquer des remises en question nécessaires à la poursuite d'une évolution vocationnelle. Tout d'abord, il remet régulièrement l'individu face à la durée de sa propre existence ; chaque anniversaire de naissance sera plus ou moins agréable ou pénible selon qu'il indique à l'adulte l'ampleur ou la petitesse des années qui lui restent à vivre. De plus, l'avancement en âge contient, implicitement, la probabilité d'expérimenter un plus grand nombre d'événements de vie. Il arrive très souvent que les années apportent avec elles, des expériences nouvelles qui amènent l'adulte à redéfinir constamment les buts et les moyens de poursuivre son savoir-être vocationnel. (Le formateur pourra relire attentivement, à la fin du chapitre IV, les thèmes relatifs au rôle de l'âge avec certains exemples à l'appui.)

En somme, ce préjugé du « biologicisme », qui est ressorti avec tant de force des résultats de la recherche triennale, doit absolument faire l'objet d'une attention spéciale de la part du formateur si ce dernier veut véritablement que l'adulte se préoccupe d'une façon efficace de l'évolution continue de son savoir-être vocationnel.

Interventions différenciées selon les étapes de vie au travail

Se préoccuper du savoir-être vocationnel selon une perspective différenciée signifie, pour le formateur, la nécessité de témoigner une assistance spécifique à l'adulte selon son étape de vie au travail. À la lecture des chapitres antérieurs, on a vu que l'adulte vit des remises en question vocationnelles ayant un contenu bien distinct selon les âges et qui monopolisent toutes, les unes autant que les autres, beaucoup d'énergie ; c'est là une réalité que le formateur ne peut plus désormais ignorer.

Parmi les écrits relatifs à l'éducation permanente, l'importance d'accorder une attitude différenciée se situe à l'intérieur des propos relatifs à la reconnaissance du rôle majeur des différentes étapes de vie personnelle dans l'apprentissage. Selon Knowles (1970), l'adulte n'apprendra pas ce qui n'est pas approprié à son stade de vie ; au contraire, ce qui est pertinent à l'apprentissage est relié au passage d'une étape de vie qui génère des besoins et intérêts faisant apparaître la motivation intrinsèque à apprendre. Cette motivation, rappelons-le, est essentielle selon les éducateurs humanistes, car différemment de la motivation extrinsèque, elle fait partie intégrale du processus d'apprentissage (Elias et Merriam, 1980, p. 133). Par ailleurs, selon la CEFA (1982, p. 370), les événements de vie, qui sont une partie intégrante du développement de l'adulte, s'avèrent eux-mêmes des motivations à l'apprentissage. De plus, il semble communément accepté que la majorité des événements produisent des adaptations inévitables qui conduisent, d'une façon typique, à une plus grande disponibilité et motivation à apprendre (Havighurst et Orr, 1956 ; Hultsch et Plemons, 1979 ; Knox, 1980, p. 383). Enfin, il ne faut pas oublier qu'il y a des moments de vie plus pertinents à l'apprentissage, les *teachable moments* (Aslanian et Brickwell, 1980 ; Havighurst, 1982) qui sont directement basés sur les étapes de développement et qui constituent des forces positives dans la motivation à s'engager dans des activités éducatives (Chickering et Havighurst, 1981 ; Cross, 1982).

Quant à l'importance plus spécifique des motivations reliées aux étapes de vie vocationnelle, elles sont malheureusement très rarissimes. Mais Schwart (1977, p. 133) a tout de même abordé indirectement la question. Selon ce dernier, toute reprise de formation doit partir des expériences professionnelles et des connaissances générales d'une situation de vie. Par ailleurs, selon la CEFA (1982, p. 40), cette expérience et ce vécu sont le détonateur de tout processus éducatif ; la personne doit être considérée comme un être en situation et l'activité éducative doit se guider sur le diagnostic de cette situation (CEFA, 1982, p. 410).

Le formateur ne peut peut-être rien faire pour provoquer le passage à travers diverses étapes de vie, mais en les connaissant, il peut offrir des activités plus adaptées ou pertinentes ; ces transitions pourraient alors s'avérer, selon Cross (1982), non seulement des motivations potentielles à apprendre mais des raisons effectives ou réelles. De plus, la nécessité d'un support social pour vivre tout changement a été maintes fois soulignée (Brammer et Albrego, 1980 ; Frears et Schneider, 1981 ; Gendlin, 1964 ; Kahn et Antonucci, 1980 ; Schlossberg, 1980). Le formateur peut s'avérer un support essentiel et significatif s'il se préoccupe des différences fondamentales entre les motivations d'apprentissage selon les diverses étapes de vie vocationnelle. Comme la signification d'une activité éducative change selon le stade de vie de l'adulte (Brammer et ABrego, 1980, p. 26 ;

Weathersby, 1980), ces perceptions différenciées doivent être prises en considération dans les diverses interventions du formateur (Houle et Houle, 1977, p. 97).

Par ailleurs, le lecteur se souviendra que les résultats de la recherche triennale laissaient dégager ceci : tout en étant généralement inscrits dans une perspective d'apprentissage continu, les sujets accordaient à l'éducation des adultes une place qui variait grandement selon les étapes de vie au travail. Durant la circonvolution pédestre (23-37 ans), ce phénomène apparaissait, quoique très peu accessible, comme un moyen privilégié et très étroitement relié au développement vocationnel. Durant la circonvolution orbitale (38-52 ans), ce phénomène disparaissait brusquement de la réalité vocationnelle ; l'adulte était surtout préoccupé par diverses réflexions sur son vécu vocationnel ; de plus, il semblait valoriser l'apprentissage réalisé strictement par une expérience occupationnelle et très rarement par des activités éducatives organisées. Durant les manoeuvres de transfert de champ gravitationnel (53-67 ans), l'éducation des adultes reprend une place très mineure mais presque idéale ; l'adulte veut alors apprendre pour le bonheur de connaître et obtenir divers éléments de réponse à certaines interrogations fondamentales entretenues tout au long de ses années au travail. (Le lecteur peut se référer ici aux neuf rubriques portant sur les discours reliés à l'apprentissage à l'intérieur des trois premiers chapitres.) D'ailleurs, selon Cross (1982), les personnes âgées constituent la plus grande partie de la clientèle qui s'inscrit à des activités d'apprentissage dans un but récréatif.

En se basant sur les caractéristiques essentielles du savoir-être vocationnel typique aux diverses étapes de vie au travail et sur les éléments communs des remises en question spécifiques à l'une ou l'autre de ces étapes, ce cinquième chapitre suggère donc, au formateur, le type de support différencié qu'il devrait offrir à l'adulte. À la lumière de ces recommandations, présentées sous forme d'une énumération, le formateur pourrait se rapprocher davantage de certains besoins particuliers, tout en respectant l'ensemble des attentes d'un groupe habituellement fort hétérogène. La présentation de ces suggestions sera évidemment reliée à des âges. Mais il faut rappeler ici l'avertissement formulé dans l'introduction de ce volume. L'âge n'est qu'une simple approximation ; l'adulte peut réaliser une évolution vocationnelle très saine tout en vivant ces étapes d'une façon fort distincte et à des âges très différents.

Ainsi, vis-à-vis l'adulte de différents âges, le formateur pourrait se donner les directives suivantes.

Vis-à-vis l'adulte de 23-27 ans

— Favoriser l'expression et l'analyse du décalage entre l'apprentissage réalisé à l'école et celui requis au travail ;
— assister cet adulte dans sa recherche d'une correspondance entre son identité, ses aspirations, ses valeurs vocationnelles et ses premières tâches occupationnelles ;
— encourager sa recherche d'une possibilité, à la fois grande et insoupçonnée, de réaliser un apprentissage intensif en milieu de travail ; cela permettrait à cet adulte de s'inscrire, encore plus fermement, dans un processus d'éducation permanente via des activités occupationnelles ;
— ne pas l'inciter à redéfinir immédiatement ses finalités vocationnelles ; ce serait prématuré étant donné qu'il est encore en pleine interrogation sur les moyens de réaliser des buts antérieurement établis ;
— l'aider à répertorier les nombreux moyens d'exercer ses compétences et de répondre à ses besoins ; cela lui permettrait de considérer son cheminement occupationnel comme devant être polymorphe et très permissif et ce, malgré le fait qu'il se soit préparé pendant plusieurs années à pratiquer un métier ou une profession bien spécifique ;
— adapter les activités éducatives pour qu'elles accentuent son attitude positive vis-à-vis la mobilité occupationnelle qu'il considère comme un élément-clé dans l'augmentation des possibilités d'apprendre au travail ;
— respecter l'adulte de 23-27 ans dans ses efforts de concrétisation de son identité vocationnelle ; ces efforts se manifestent souvent par des changements d'emplois fréquents visant à mettre à l'épreuve la perception qu'il a de lui-même en tant que membre actif de la société économique ;
— l'inciter à percevoir la nécessité de demeurer toujours inscrit dans une perspective d'éducation permanente.

Vis-à-vis l'adulte de 28-32 ans

— Respecter davantage l'adulte de cet âge dans ses efforts de recherche d'un chemin vocationnel prometteur ;
— favoriser, chez l'adulte de 28-32 ans, une réflexion nécessaire à une redéfinition de ses finalités vocationnelles ; prévenir ce dernier que les objectifs visant à maintenir un statu quo absolu peuvent être néfastes parce que contraires au processus de son développement ;

— lui faire saisir que ces périodes de recul peuvent être des moments garants d'une efficacité supérieure parce qu'il est susceptible de devenir plus assuré et plus conscient de la réelle direction à suivre dans son évolution occupationnelle ;

— l'assister à reconnaître et à tolérer ses remises en question ; cela lui éviterait peut-être de rejeter ou de renier ces périodes stressantes mais nécessaires à plusieurs égards ; cette acceptation l'aiderait également à vivre d'une façon plus sereine et positive ce questionnement afin de poursuivre un développement vocationnel accéléré ;

— inciter cet adulte à tolérer l'ambiguïté de son état de questionnement et ce, malgré les pressions sociales voulant que les gens de cet âge soient déjà rangés ou établis ;

— être conscient que son besoin d'apprendre est souvent associé à l'expression d'une soif de relever des défis et de vérifier ses capacités ;

— l'aider à développer davantage sa capacité d'auto-analyse de ses compétences ; cela lui permettrait, peut-être, d'éviter le piège de la suppléance de l'évaluation d'autrui à son propre jugement ;

— reconnaître que son besoin d'apprendre peut s'apparenter à la motivation de parvenir, vers 35 ans, à un faîte occupationnel ; faire saisir à ce dernier l'importance d'envisager, déjà à son âge, l'évolution de son savoir-être vocationnel comme devant être essentiellement continu et potentiellement distinct au fil des années ;

— l'encourager dans sa recherche d'un emploi où il peut apprendre et évoluer ;

— l'aider à faire la différence entre ses motivations personnelles à s'engager dans des activités éducatives et les pressions sociales ou les exigences de l'organisme-employeur l'incitant fortement à se perfectionner sans cesse ;

— reconnaître qu'à cet âge, l'éducation des adultes est souvent perçue, malgré son inaccessibilité encore trop répandue, comme un moyen privilégié d'apprendre d'une façon intense, de relever un type valorisant de défis et de se situer dans un secteur de pointe ;

— lui faire voir l'importance de ne pas négliger ses intérêts malgré la prépondérance qu'il accorde à l'actualisation de ses capacités et compétences dans la recherche de son chemin prometteur ; l'assister plutôt à restituer le rôle majeur des intérêts dans l'acquisition et l'amélioration constante des diverses habiletés ;

— éviter que l'adulte de cet âge n'identifie l'éducation des adultes comme un strict moyen de faire valoir publiquement sa reconnaissance sociale par l'obtention d'un diplôme ou d'une attestation d'études ; l'assister à identifier des motivations davantage intrinsèques à l'apprentissage.

Vis-à-vis de l'adulte de 33-37 ans

— Respecter l'obligation ressentie par cet adulte d'effectuer une course occupationnelle ;

— être conscient que l'adulte de 33-37 ans voit souvent en l'éducation des adultes un des moyens les plus sûrs de pouvoir se classer, vite et bien, sur la carte des plus prestigieux parmi ses pairs et de pouvoir s'affirmer dans des rôles-clés ;

— l'aider à moins percevoir les activités d'apprentissage comme une bouée de sauvetage ou comme une dernière chance ; ce serait là accentuer cette conception « biologiciste » du développement selon laquelle, au-delà de 35 ans, il y a très peu de possibilité d'évoluer ou d'apprendre ;

— faire prendre conscience que cet âge n'est pas nécessairement la période de summum de la performance occupationnelle au-delà de laquelle il y aurait nécessairement un plateau ;

— être conscient que cet adulte espère parfois, par l'inscription à des activités éducatives institutionnalisées, se prémunir contre des moments de défaillance ou d'obsolescence contraires aux exigences de la course occupationnelle qu'il poursuit ;

— savoir que l'adulte risque à l'occasion de comparer le rôle du formateur à celui d'un bon entraîneur lui permettant d'augmenter les chances de réussir sa course occupationnelle ;

— respecter sa motivation à fournir un rendement optimal tout en amenuisant le stress accompagnant cet effort intensifié et en relativisant sa perception d'un déterminisme absolu du présent sur l'avenir ;

— lui faire davantage prendre conscience que le trophée idéal au bout de sa course occupationnelle devrait moins se définir en termes de prestige social mais plutôt en l'atteinte d'une plus grande actualisation de son savoir-être vocationnel ;

— l'assister à concevoir la période qu'il traverse comme une des nombreuses étapes ayant un apport à la fois spécifique et important sur le cheminement vocationnel au fil des âges ;

— l'amener à réfléchir sur les finalités de sa course occupationnelle même si les préoccupations relatives aux moyens de la réussir semblent plus impératives.

Vis-à-vis l'adulte de 38-42 ans

— Respecter l'adulte de 38-42 ans dans ses efforts d'élaboration et d'essai de nouvelles lignes directrices ;
— reconnaître l'intolérance et parfois même le refus de cet adulte à s'attarder sur la nature de ces nouvelles règles vocationnelles ; comprendre sa hâte fébrile, voire même impatiente, d'effectuer immédiatement l'essai de nouvelles lignes directrices ;
— le mettre en garde contre les réorientations radicales de carrière étant donné qu'à cette étape de vie, les finalités vocationnelles redéfinies sont encore mal intégrées ou articulées et que le choix de carrière pourrait être inadéquat ;
— l'aider à réévaluer ses compétences en identifiant tous les éléments positifs afin d'éviter qu'il ne se donne des lignes directrices visant un plafonnement occupationnel prématuré et donc nuisible à l'évolution de son savoir-être vocationnel ;
— être conscient que cet adulte remet souvent son savoir en cause et qu'il est porté à prétendre que ses habiletés seront rapidement déclassées par celles des plus jeunes ;
— savoir que, généralement, l'éducation des adultes lui apparaît comme un phénomène très éloigné et étranger ou même un rêve désormais irréalisable ;
— lui faire voir le rôle négatif qu'il confère à l'âge dans la poursuite de son développement vocationnel et dans le processus de son éducation continue ;
— reconnaître que l'engouement pour les activités éducatives institutionnalisées semble fortement disparu à cet âge ; respecter la conviction de cet adulte voulant que l'expérience occupationnelle soit presque le seul moyen d'apprentissage vraiment valable pour son savoir-être vocationnel ; cela permettrait peut-être d'assurer la poursuite d'une éducation permanente en respectant essentiellement les moyens choisis par l'adulte lui-même ;
— reconnaître que le fait de procéder à l'essai de nouvelles lignes directrices, en ayant en arrière-plan une recomposition d'une philosophie de vie au travail, est une préoccupation qui exige beaucoup de réflexion de la part de l'adulte de cet âge ; cela le laisse souvent très peu disponible pour absorber toute une série de connaissances livrées au sein des diverses activités éducatives organisées ;
— respecter cet adulte qui se définit plutôt en fonction de ses habiletés de praticien et nettement moins en regard de diplômes ou de spécialités accréditées par l'institution ;

— l'aider à s'inscrire davantage dans un processus d'éducation continue en l'incitant à se préoccuper très sérieusement des suites à donner aux nombreuses remises en question actuelles inhérentes à son savoir-être vocationnel ;

— l'assister dans l'identification de nouveaux défis vocationnels à la lumière de son expérience occupationnelle passée et de ses intérêts encore cachés ou non actualisés ;

— l'amener à conférer à l'âge un rôle accélérateur et non nuisible à son développement vocationnel ;

— le sensibiliser aux conséquences de la teneur de ses nouvelles lignes directrices en l'incitant à réfléchir sur leur réelle nature ainsi que sur leur bien-fondé ;

— l'assister pour que cette période soit l'occasion d'un nouveau départ permettant la poursuite de l'évolution de son savoir-être vocationnel selon un rythme tout aussi accéléré que par le passé ;

— intervenir auprès des structures organisationnelles pour qu'elles élargissent les possibilités d'un cheminement de carrière intéressant pour l'adulte de cet âge ; par exemple, questionner la majorité des échelles salariales ayant une parenté très étroite avec la courbe biologique de développement.

Vis-à-vis l'adulte de 43-47 ans

— Assister l'adulte de 43-47 ans dans son processus de recherche du fil conducteur de son histoire occupationnelle permettant d'identifier une explication fondamentale cohérente reliant toutes ses démarches ou intentions vocationnelles ;

— être conscient qu'à cet âge, les discours spontanément reliés à l'apprentisssage sont généralement rarissimes ou évités ;

— faire valoir que les activités de l'éducation des adultes, non seulement peuvent mais doivent, de par leur définition, aider cet adulte à réfléchir tant sur son unicité, sur l'intégration de toutes ses expériences que sur la compréhension de son vécu vocationnel passé, présent et futur ; ceci contribuerait peut-être à abolir le préjugé voulant qu'à cet âge, les soucis soient trop personnels ou uniques pour qu'aucune activité éducative organisée ne puisse les aborder ;

— comprendre que cet adulte vit une étape où il ressent un sentiment de finitude dans sa vie occupationnelle qui risque d'éteindre toute motivation à planifier la suite de l'évolution de son savoir-être vocationnel ;

— l'aider à dépasser les déceptions, les frustrations ou même les injustices du passé relatives à l'absence généralisée de possibilités de s'engager dans des activités d'apprentissage ;

— être conscient que le fait d'aller chercher d'autres acquis, par le biais d'activités éducatives organisées, apparaît parfois à l'adulte de cet âge, une juxtaposition, une superposition et même un superflu de connaissances et d'expériences ; l'intégration de ces dernières semble apparaître d'autant plus complexe qu'elle s'ajouterait au processus actuel de compréhension d'éléments de son vécu vocationnel déjà fort nombreux ;

— tenter de détruire le préjugé voulant qu'à cet âge, les capacités d'apprendre commencent à péricliter ;

— sensibiliser cet adulte à protéger, avec acharnement, son droit de poursuivre son cheminement occupationnel et à combattre les préjugés voulant qu'il vive actuellement une période de stabilité ou de fixité ;

— lui faire prendre conscience de sa croyance ferme, mais à la fois fausse et nuisible, en une certaine condamnation l'obligeant à vivre et à supporter l'obsolescence au travail et ce, parce qu'il aurait, socialement, dépassé l'âge de se tailler des défis occupationnels intéressants ;

— l'amener graduellement à percevoir les activités d'apprentissage continues comme étant une garantie d'une évolution vocationnelle accélérée et un antidote au vieillissement occupationnel et intellectuel prématuré ;

— l'assister à planifier ses horizons vocationnels dans un sens de divergence et d'élargissement afin d'être toujours en mesure d'identifier des modalités de vie vocationnelle pertinentes à l'une ou l'autre des futures étapes qu'il est susceptible de traverser ;

— faire prendre conscience qu'il est probable qu'il se sente désormais moins attiré par le pôle magnétique de son futur comme c'était le cas dans les débuts de sa vie occupationnelle ; faire prendre conscience, parallèlement, qu'il devra plutôt se sentir propulsé vers la suite de son évolution vocationnelle grâce à cette génératrice d'électricité que constitue le bagage ou l'héritage de son passé occupationnel et ce, peu importe si ce passé s'avère éblouissant ou attristant ;

— assister l'adulte à adopter une vision davantage réaliste de son futur occupationnel immédiat ; une telle analyse signifiera une lecture plus optimiste ou défaitiste de cet avenir, selon le cas ; dans le premier cas, assister l'adulte à s'engager d'une façon plus intense dans son travail et à planifier des activités éducatives convergentes à une amélioration de sa situation occupationnelle et à un sentiment intensifié d'être sur la voie d'une saine évolution de son savoir-être vocationnel ; dans le deuxième cas, l'assister à reconnaître lucidement et froidement la situation ; songer si possible à des modifications heureuses des tâches occupationnelles car une augmentation d'intérêt pour sa vie vocationnelle pourrait rehausser, simultanément, sa motivation à se réengager dans un processus d'éducation permanente ; planifier des activités éducatives parallèles diversifiées qui représenteraient une bouffée d'air frais nécessaire à sa survie vocationnelle ;

— sensibiliser les entreprises à concevoir des politiques visant à favoriser un nouvel élan occupationnel pour l'adulte de 43-47 ans ; la rentabilité de l'entreprise et la satisfaction de l'adulte seraient ainsi potentiellement accrues ;

— sensibiliser l'adulte de cet âge à la nécessité de négocier, avec les instances concernées, des conditions de réorientation ou de perfectionnement de carrière spécifiquement conçues pour son étape de vie occupationnelle ;

— l'aider à réagir contre les personnes significatives qui partagent le préjugé de la diminution des capacités d'apprentissage à cet âge (relativement à cette question, le lecteur pourrait relire, au chapitre IV, la rubrique portant sur le développement potentiellement équivalent au fil des âges) ; cette attitude permettrait de contrer un des facteurs démotivant la poursuite de l'évolution de son savoir-être vocationnel.

Vis-à-vis l'adulte de 48-52 ans

— Accentuer la reconnaissance et la mise en valeur de l'apprentissage réalisé en milieu de travail ; cela permettrait à l'adulte de 48-52 ans de reconsidérer ses points forts et pourrait augmenter son estime de soi à un point suffisamment élevé pour le motiver davantage à s'inscrire dans des activités éducatives adéquates ;

— accentuer l'idée de la mobilité occupationnelle comme étant une garantie de la présence de conditions favorables au développement vocationnel et à un apprentissage continu ;

— remettre en valeur publiquement la riche spécificité de l'adulte de cet âge afin que ce dernier soit assuré d'être aussi bien considéré ou respecté que les plus jeunes étudiants ;

— être conscient que, dans son affairement à une modification de trajectoire, l'adulte ne perçoit pas du tout que les activités organisées de l'éducation des adultes puissent lui être d'un quelconque secours ;

— l'assister à garder un esprit toujours ouvert ou disponible aux nouveautés qui assurent la survie vocationnelle et la présence de motivation continue à apprendre ;

— l'aider à comprendre que l'avancement en âge ne doit certes pas être conçu comme un synonyme de finitude de vie vocationnelle ou comme une absence, de plus en plus totale, d'occasions d'apprentissage ; l'aider à adopter la juste conviction (verbalisée par un sujet-exception de la recherche) que « plus on vieillit, plus on sait des choses, mais plus il faut en apprendre » ;

— assister l'adulte de cet âge à exploiter au maximum sa position privilégiée aux confins de la jeunesse et de la sagesse pour mieux accélérer l'évolution de son savoir-être vocationnel ;

— éviter que la modification de sa trajectoire ne s'effectue dans le sens d'une adaptation passive ;

— l'assister à procéder à un examen des buts visés par cette modification de sa trajectoire, à analyser l'origine de la motivation à ce changement et à évaluer l'impact possible de l'éventualité de cette modification ;

— l'inciter à exploiter le regain d'énergie ou à utiliser cette période vocationnelle charnière en jetant les bases de la suite de l'évolution de son savoir-être vocationnel, et non celles d'un déclin hâtif ou prématuré et très rarement justifiable ;

— faire valoir, auprès des entreprises, la nécessité et l'urgence de l'adoption de politiques favorisant la concrétisation d'une modification infime ou manifeste de sa trajectoire ; contribuer à sensibiliser les instances concernées à la nécessité d'éliminer la réalité néfaste, et insuffisamment décriée, de la diminution proportionnelle des chances de mobilité occupationnelle avec l'avancement en âge.

Vis-à-vis l'adulte de 53-57 ans

— Respecter l'adulte de cet âge dans son processus de recherche d'une sortie prometteuse, car cette démarche fondamentale est susceptible de permettre, après avoir effectué un premier bilan, de replanifier la suite de l'évolution de son savoir-être vocationnel ;

— insister pour faire comprendre à l'adulte que le potentiel de son savoir-être vocationnel lui permet, sans difficultés particulières, de s'engager avec succès dans des activités éducatives ;

— lui faire prendre conscience que les activités éducatives ne sont pas toutes basées, comme par le passé, sur des efforts inouïs de mémorisation ; l'insistance de certaines méthodes pédagogiques actuelles sur la compréhension de phénomènes pourrait même l'avantager étant donné son expérience de vie ;

— faire saisir que les activités éducatives se réalisent tout au long de la vie quotidienne et qu'il est déjà, de par les nombreuses interrogations qu'il affronte, inscrit dans une perspective d'éducation permanente ;

— l'amener à une auto-analyse des apprentissages réalisés quotidiennement afin de le rendre conscient de cette inscription souvent insoupçonnée dans une démarche d'éducation permanente ; de plus, cela lui permettrait peut-être de pouvoir davantage se définir en tant qu'étudiant adulte et de se sentir plus concerné par les activités éducatives organisées ou autres ;

— l'inciter à exploiter davantage sa capacité méconnue de planifier et d'organiser ses activités éducatives grâce à son expérience de gestion acquise au fil des ans ;

— l'amener à concevoir ses projets de retraite à l'aide d'une préparation adéquate, via des activités éducatives ;

— l'assister dans ses réflexions parfois très angoissantes sur la finitude de sa vie et sur la présence de la mort ;

— lui faire prendre conscience que son évolution doit, précisément, être poursuivie jusqu'à cette mort et qu'il doit éviter de sonner son propre glas vocationnel ;

— assister l'adulte de 53-57 ans dans la détermination de ses finalités vocationnelles ; ces dernières doivent être suffisamment généralisées pour être en mesure d'englober toutes les activités occupationnelles réalisées autant sur le marché du travail qu'en dehors de ce monde économique dit actif ;

— s'efforcer de le guider dans un choix de tâches occupationnelles le mettant déjà sur la piste d'une modification nécessaire de ses activités vocationnelles lors de la retraite ;

— lui faire prendre conscience de l'importance exagérée qu'il accorde à autrui dans l'évaluation de ses actes occupationnels ; cela l'aiderait à éviter d'interpréter cette évaluation comme une composante centrale du bilan ultime de sa carrière ;

— l'assister à se définir lui-même comme le seul être vraiment en mesure de tracer un bilan valable et honnête de l'ensemble de son cheminement occupationnel ;

— conscientiser tout employeur à l'urgence d'adopter des politiques dénotant une réelle sensibilisation aux aspirations spécifiques de l'adulte de 53-57 ans, qui permettraient d'éviter qu'il ne devienne un travailleur las et obsolescent.

Vis-à-vis l'adulte de 58-62 ans

— Respecter l'adulte de cet âge dans ses efforts de transfert de lieux de réalisation ou d'évolution de son savoir-être vocationnel ;

— être conscient que, face à ce transfert, l'adulte a différentes réactions ; il peut tenter de s'accrocher ou de se détacher du marché du travail ; il cherche des moyens permettant de retarder l'approche de la retraite ou de devancer cette échéance ;

— l'assister à éviter les états d'âme chargés d'une plus grande insécurité émotive et d'une diminution flagrante de confiance en soi ;

— l'amener à remettre en évidence les éléments positifs de cette étape ; les sujets-exceptions de cet âge se définissent comme ayant une plus grande sécurité affective, une confiance accrue en eux-mêmes et une capacité supérieure d'adaptation ; ils se perçoivent également comme plus humains et plus vifs d'esprit ;

— lui faire prendre conscience de la nécessité d'activer constamment ses habiletés d'apprentissage ;

— lui expliquer que des activités éducatives constitueraient peut-être une thérapie préventive contre un vieillissement occupationnel et intellectuel prématuré ;

— lui faire prendre conscience que même si ses enfants sont inscrits très activement dans une démarche éducative, cela ne lui assure pas automatiquement une satisfaction de sa propre soif d'apprendre ;

— lui faire comprendre que les démarches éducatives ne doivent pas être nécessairement associées à la possibilité de se décrocher un statut social convenable ; cette association risquerait d'annuler toute motivation à l'apprentissage car l'adulte de cet âge juge que ce statut social n'est plus ni à faire, ni à refaire ;

— l'aider à éviter qu'il ne se définisse dans une période de déclin ;

— sensibiliser les entreprises à modifier leurs structures et organigrammes afin que cet adulte puisse trouver des emplois adaptés à sa condition physique ainsi qu'à ses aspirations vocationnelles ;

— assister l'adulte de cet âge ainsi que le syndicat à négocier des modalités d'emploi adaptables telles que les horaires flexibles, le temps partiel, le travail à la maison, etc. ;

— inciter les entreprises à adopter des politiques spécifiques pour cet adulte qui accentueraient son sentiment de participation à la bonne marche de l'entreprise.

Vis-à-vis l'adulte de 63-67 ans

— Assister l'adulte de cet âge à reconnaître et accepter l'attraction vocationnelle de la planète retraite, c'est-à-dire comprendre que certains intérêts occupationnels doivent être poursuivis afin de conserver une certaine vitalité et de s'assurer un engagement continu dans la poursuite de l'évolution de son savoir-être vocationnel ;

— diagnostiquer, préalablement à toute intervention, le type de réactions que l'adulte de cet âge manifeste lorsqu'il est aux prises avec l'attraction de la planète retraite ; fréquemment, l'adulte refuse cette attraction et il essaie, par divers moyens, de neutraliser cette gravité ; parfois, cet adulte peut démontrer une acceptation ou une utilisation positive de cette attraction afin d'accélérer l'évolution de son savoir-être vocationnel ;

— l'assister à percevoir l'héritage de son passage sur le marché du travail car c'est là une des conditions essentielles à un développement vocationnel continu ;

— l'aider à remodeler les activités vocationnelles pour les adapter à sa condition de retraité ;

— l'amener à éviter la dichotomie entre travail et retraite lorsqu'il est question de développement vocationnel afin de bien faire saisir que ce développement doit se poursuivre jusqu'à la mort ;

— être conscient que cet adulte est aux prises avec trois sortes de survie essentielles : soit la survie biologique, économique et occupationnelle ;

— tenter d'associer davantage « apprentissage et retraite » en éduquant l'adulte à non seulement entrevoir la possibilité, mais surtout la nécessité de la poursuite d'une évolution possible de son savoir-être vocationnel durant cette période ;

— renforcer l'emballement des sujets-exceptions pour des activités éducatives qu'ils entreprennent uniquement par intérêt personnel ;

— insister auprès des entreprises pour que soient adoptées des politiques de découpage de tâches occupationnelles favorisant la présence d'aînés sur le marché du travail ; selon Hall (1976), une entreprise devrait être consciente de cette mine d'informations qu'elle possède par l'intermédiaire de ses employés âgés qui ont accumulé des attitudes et des comportements efficaces tout au long de leur vie au travail ;

— sensibiliser les syndicats à revendiquer, pour l'adulte de cet âge, le droit d'occuper des emplois adaptés et de pouvoir profiter de

mesures spéciales de protection pour l'aider à surmonter ses difficultés spécifiques (le Bureau international du travail insiste beaucoup là-dessus, 1979);
— sensibiliser les instances concernées à l'effet que les problèmes de survie économique de cet adulte sont réels et qu'ils nuisent considérablement à la possibilité de garantir la poursuite sereine de son savoir-être vocationnel.

Voilà autant d'interventions spécifiques à concrétiser par le formateur (ou tout autre intervenant) dépendamment des étapes de vie au travail actuellement traversées par le groupe d'adultes dont il est responsable. En somme, se préoccuper du savoir-être vocationnel selon une perspective différenciée et adaptée à ces diverses étapes de vie semble exiger beaucoup de la part du formateur. Mais ces exigences s'avèrent toutes autant de compétences personnelles nécessaires pour que ce dernier soit en mesure de mettre en relief sa propre disponibilité devant tout désir ou attente de l'étudiant adulte. Elles touchent également une dimension essentielle du rôle qu'il doit exercer s'il veut entretenir une relation positive et efficace avec l'adulte.

Conclusion

Ce volume a permis de mettre en lumière les diverses étapes de la trajectoire continue de l'adulte au travail. Les principales conclusions ressorties peuvent se résumer comme suit :
1. L'adulte vit constamment des remises en question qui diffèrent au fil des âges et ce, peu importe si le bilan graduel de sa vie au travail est positif ou négatif ;
2. Ces remises en question constituent, potentiellement, les principales motivations de l'adulte à poursuivre son développement vocationnel tout au long de ces étapes de vie et à apprendre d'une façon continue ;
3. Le formateur d'adulte ou l'autodidacte pourront, grâce à des interventions appropriées, traduire ces remises en question en des motivations réelles pour la poursuite constante de l'évolution du savoir-être vocationnel ;
4. La préoccupation de ce savoir-être doit faire partie intégrante des priorités de l'éducation permanente ;
5. La connaissance des étapes de vie au travail s'avère essentielle à la conception d'activités éducatives respectueuses du vécu de

l'adulte. Selon Chickering et Havighurst (1981, p. 17), la recherche et la théorie concernant les cycles de la vie sont très importants pour la planification de toute intervention en éducation des adultes ;

6. La compréhension de ces étapes est également essentielle pour l'élaboration de tout type d'intervention visant le développement du potentiel humain du travailleur au sein d'une société qui se veut progressiste et avant-gardiste.

Par ailleurs, nous souhaitons que ce volume ait pu contribuer, un tant soit peu, à la cause si grandiose de l'éducation permanente ; nous basons nos espoirs sur une affirmation de deux auteurs très reconnus en ce domaine. Selon Houle et Houle (1977, p. 85), toute tentative sérieuse en vue de cerner les changements intervenant au cours des années de vie, est à verser au compte d'une meilleure compréhension du processus d'éducation propre à l'adulte. Enfin, nous espérons surtout que ce volume puisse ajouter à une meilleure compréhension du phénomène si complexe de l'évolution personnelle de l'adulte au travail.

Annexe A
Méthodologie

Schéma de recherche

Quant au devis expérimental, rappelons que cette recherche a utilisé une des trois approches développementales, soit l'approche mixte
qui emprunte aux méthodes transversale et longitudinale (Baltes et
Schaie, 1973). Cette même approche se situe dans le devis expérimental étiqueté par Campbell et Stanley (1966), le devis « récur-
rent » (*the recurrent institutional design*), lui-même classé dans les
schémas quasi expérimentaux. L'approche mixte est très recomman-
dée dans la littérature (Livson, 1973 ; Nunnally, 1973 ; Nunnally,
1982). Elle permet de diminuer la confusion entre les effets de génération et ceux de l'âge (danger des études longitudinales). Cette
approche permet également d'éliminer le plus possible la confusion
entre les effets des changements culturels et ceux de l'âge (danger
des études transversales) (Nunnally, 1973, p. 107 ; 1982).

L'approche utilisée dans la recherche triennale utilise donc la
prospective et la rétrospective dans la cueillette des données. Cela
permet habituellement d'enrichir sensiblement les études un peu plus
axées sur l'approche transversale (Ahammer, 1973 ; Baltes et Goulet,
1970 ; Nardi, 1973, p. 296 ; Nunnally, 1982). Comme on le verra plus
en détail dans la partie « cueillette des données », la présente étude
a demandé aux sujets comment ils ont vécu une partie de leur passé

sur le plan du travail et comment ils prévoient vivre une partie de leurs années à venir. Ainsi, l'utilisation de la prospective et de la rétrospective dans l'approche transversale permet d'étudier davantage la continuité et le développement, deux notions se reliant strictement à un processus qu'il serait difficile d'étudier par l'observation de comportements à des moments spécifiques (Livson, 1973). L'utilisation de la prospective et de la rétrospective permet également d'être davantage attentif à l'analyse des détails séquentiels de l'interaction entre l'environnement et l'organisme et par là, de diminuer l'aspect statique de l'approche transversale (Baltes et Nesselroade, 1973).

Population-échantillon

L'échantillon était composé de 786 adultes au travail, âgés entre 23 et 67 ans de la région administrative 03 (Québec). Cet échantillon, choisi au hasard, a été l'objet d'une stratification a priori selon les variables suivantes : l'âge, le sexe, le statut socio-économique et le secteur de travail.

Les entrevues se sont déroulées durant les années 1980-81, juste avant l'état déclaré de la crise économique au Québec et au Canada. La procédure de sélection au hasard se faisait habituellement à partir d'une liste fournie par l'employeur où n'apparaissaient que le nom, le sexe, la date de naissance et l'emploi. Cette liste était retournée à l'employeur qui vérifiait la justesse de la scolarité déduite à partir de la nature de l'emploi. Selon les endroits visités, l'employeur ou l'équipe de recherche contactait personnellement tous les sujets et les convoquait à une rencontre. Il y a eu environ 97 % des sujets qui ont accepté de se prêter à l'entrevue. Il faut souligner que ces entrevues se sont déroulées très majoritairement sur les lieux du travail. Nous rendons ici témoignage à tous les employeurs (la liste paraît en annexe B) qui ont collaboré au projet.

Cueillette des données

La cueillette des données s'est exécutée au moyen d'entrevues semi-structurées. Les observations directes sont les modalités de cueillette des données qui fournissent le matériel le plus pertinent pour indiquer les dimensions développementales, c'est-à-dire pour fournir un éclairage sur « comment » le développement se réalise

(Baughman, 1972 ; Livson, 1973 ; Nunnally, 1982). Parmi ces auteurs, les propos de Livson sur l'importance de l'observation directe sont représentatifs : « Laissez-moi réaffirmer ma conviction que les observations directes telles des entrevues sont la seule méthode valable de découvrir des dimensions de la dynamique du développement « (Livson, 1973, p. 103). Les entrevues ont porté sur une rétrospective des cinq années antérieures et sur une prospective des cinq prochaines années. Cette utilisation est la meilleure façon de découvrir comment les conditions historiques ont un impact sur les conditions actuelles et comment elles sont perçues par le sujet comme ayant possiblement un effet sur le futur immédiat ou médiat de leur vécu professionnel ou autre (Baltes et Schaie, 1973).

Quant au nombre d'années sur lesquelles porteront la prospective et la rétrospective, il a été choisi pour deux raisons : l'égalité d'intervalle de temps chez tous les sujets et le nombre d'années correspondant à un intervalle idéal pour l'utilisation de la prospective et de la rétrospective. Relativement à la première raison, Schaie (1973) mentionnait qu'un problème majeur de l'utilisation de la rétrospective et de la prospective est la nécessité de comparer des groupes d'âge ayant une représentation inégale en tant qu'intervalles de temps passé ou à vivre. Ce problème est dû au fait que dans une rétrospective, chaque épisode antérieur sera affecté par le vécu d'épisodes plus récents ou par la condition actuelle du sujet. Parallèlement, dans la prospective, chaque projet prévu sera affecté par le vécu des épisodes ultérieurs. Ainsi, le nombre inégal d'intervalles de temps devient un problème majeur dans l'interprétation des données, comme l'a souligné Selltiz (1977). Pour pallier à ce problème, Nardi (1973) propose que la rétrospective et la prospective soient fixées sur un nombre égal d'années. Quant à la détermination du nombre cinq en ce qui concerne les années de rétrospective et de prospective, elle est basée sur les suggestions de Nardi (1973). Ce dernier propose que la rétrospective et la prospective soient demandées sur une période relativement courte (2 à 5 ans par exemple) pour éviter les fantaisies des plus jeunes dans leur prospective et celles des plus vieux dans leur rétrospective. En outre, Higgins-Trenk (1972) recommande plutôt une période de six ans.

Rationnel de la procédure opérationnelle

La spécificité de la technique d'entrevue semi-structurée s'apparente en partie aux interrogatoires indirects ou projectifs selon la nomenclature de Selltiz (1977). En effet, selon cet auteur, une des façons d'aider les gens à traiter de sujets qu'il est difficile de verbaliser, surtout en ce qui a trait à des attitudes, opinions ou témoignages, est d'utiliser des interrogatoires indirects ou projectifs. En d'autres termes, la technique d'entrevue emprunte en partie à des modes « expérientiels ». Ces modes sont des stratégies visant à ce que les contenus considérés par le sujet soient d'un ordre perceptif, imaginaire, subjectif, émotif, comportemental plutôt que d'un ordre symbolique et sémantique au sens de Guilford (1967)... Ces modes expérientiels visent à « rendre matériels les idées, les concepts, les faits psychiques, etc. » (Pelletier, Noiseux et Bujold, 1974,p. 90).

Ainsi, la technique d'entrevue s'inspire de trois modes expérientiels. L'un deux est la « connotation » dont une des techniques la mieux connue est celle de la sémantique différentielle d'Osgood (1956). La technique d'entrevue s'inspire également d'un autre mode expérientiel qui est la « figuration » ; une des techniques de ce mode utilisée dans l'étude du développement de l'adulte est celle de la technique de la charte évaluative de la vie (*Life Evaluation Chart*) de Thurnher (1973). De plus, la technique fait appel à une des techniques de l'utilisation d'accessoires visuels dont la plus classique est l'utilisation de la classification de cartes (Selltiz, 1977). (Pour plus de détails sur l'utilisation de ces trois modes expérientiels, on suggère au lecteur la référence suivante : Riverin-Simard, D., « Développement vocationnel de l'adulte : Méthodologie de la validation d'un modèle », *in L'Orientation profesionnelle*, vol. 17, n° 4, 1981, p. 7-32).

Traitement des données

Le type de traitement des données a été essentiellement l'analyse de contenu. Les entrevues ayant été enregistrées, les données à analyser sont disponibles sur cassettes. Les données ont été codées à l'aide d'une grille d'analyse. (Le lecteur intéressé aux détails de cette grille peut consulter la référence tout juste signalée dans les paragraphes précédents). Puisque la codification exige une part de jugement, on a fait appel à trois analystes. Il est nécessaire que ces derniers soient des spécialistes en sciences de l'éducation et aient une certaine expérience dans ce genre de travail. L'utilisation des juges dans l'étude du développement est très cotée et le jugement clinique est privilégié par rapport au jugement statistique (Livson, 1973).

C'est moins le nombre exact de comportements opérationnels qu'il faut noter dans des recherches sur le développement, mais plutôt se fier au jugement clinique des juges expérimentés... D'ailleurs, des recherches indiquent que l'élégance mathématique ou statistique peut boycotter les données développementales.

Livson, 1973, p. 105 et 110

Lors de la codification, les analystes ont été sensibilisés aussi bien aux effets de génération qu'aux indicateurs du développement comme tel. Car, selon Eckensberger (1973), lorsque l'emphase de la psychologie transversale est mise sur les aspects développementaux, elle doit non seulement traiter de la comparaison des comportements durant la vie d'un individu à des âges donnés mais elle doit également s'occuper de l'expression de ces comportements en tenant compte des conditions culturelles qui varient. Dans le cadre de la présente recherche, l'avertissement de Eckensberger semble signifier ceci : tout en étant sensibilisés aux effets de génération, les juges doivent essayer de déterminer quels comportements dans la société québécoise sont indicateurs du développement vocationnel de l'adulte.

Pour la codification, les juges ont été soumis à une procédure d'entraînement. On a tout d'abord vu à ce qu'ils aient une bonne connaissance de la nomenclature des thèmes. Il se sont familiarisés avec la liste des thèmes identifiés ainsi qu'avec quelques réponses possibles (transcription textuelle prévue) incluses dans ces thèmes. Ensuite on a vérifié, tout au long de la correction, si elle était concordante au moyen de la technique du « W » de Kendall (Siegel et autres, 1957). On a calculé également l'indice de fidélité intra-juge à l'aide d'une dizaine d'extraits d'entrevues de cinq (5) minutes chacune et à cinq (5) semaines d'intervalle ; le « W » de Kendall était de 0,81.

De plus, l'analyse qualitative s'est inspirée de l'approche heuristique. Dans ce type de recherche, la troisième phase (après celles de l'identification de la question et de l'exploration du problème) correspond, selon Craig (1978), à un processus de clarification, de conceptualisation et d'intégration des résultats. Dans cette troisième phase, le chercheur rassemble tout le matériel, c'est-à-dire les événements entourant les entrevues avec les sujets et le contenu de ces entrevues elles-mêmes. Cet assemblage a comme finalité de développer une impression globale ou « holistique » (Maslow, 1970, p. 152) ou une vision intégrée suivant une appropriation intuitive du matériel (Moustaka, 1968, p. 112).

Assistanat de recherche

Il faut souligner que les différentes étapes de la cueillette des données ont été réalisées avec les assistantes de recherche suivantes. Nous leur rendons ici un témoignage de notre gratitude.

— Responsable de l'équipe d'assistanat : Morneau C.

— Assistantes de 2e et 3e cycles : Bilodeau S., Boily C., Fortin L., Guénard G., Morneau C., Racine M., Riverin A., Robitaille S., Tremblay C., Wilscam M.

— Assistantes de 1er cycle : Bernier L., Grenier M., Lavoie V., Lemay D., Losier L., Pelletier J., Tardif D., Tremblay L.

Annexe B
Employeurs des sujets rencontrés

Secteur privé

Agence au Féminin ;
Benoît Lavoie enr. ;
Caisse populaire Laurier ;
Caméra 2 ;
Clinique d'électrolyse ;
Club automobile du Québec ;
Collège Mérici ;
Communikart Graphistes ;
Confédération des caisses populaires et d'économie Desjardins du Québec ;
Eau de source Boischatel ;
Fédération des caisses populaires Desjardins du Québec ;
Gauthier, Guité, Roy, architectes ;
Institut de beauté Jeannine Lemelin ;
Institut Serge Cretesco ;
Jacques Beaudet et associées, ltée ;
La Laurentienne ;
Laliberté et frères ;
Les ateliers Maritimes de St-Antoine de Tilly ;

L'idée à coudre ;
Robert Lavoie assurances ;
Salon de beauté 333 ;
Samson, Bélair et associées ;
Télé-Capitale ;
Turcotte, A. et frères,inc. ;
Vibreck inc. ;
Yacht Club de Québec.

Secteur public

Commission de Santé et Sécurité au Travail ;
Ministère des Affaires culturelles ;
Ministère des Affaires municipales ;
Ministère des Affaires sociales ;
Ministère de l'Agriculture ;
Ministère de l'Éducation ;
Ministère de l'Énergie et des Ressources ;
Ministère de l'Environnement ;
Ministère de la Justice ;
Ministère des Transports ;
Office du Recrutement et de la Sélection du personnel.

Secteur para-public

Centre hospitalier de l'Université Laval ;
Conseil des Universités ;
École nationale d'Administration publique ;
Foyer St-Antoine ;
Hôpital Laval ;
Hôpital St-Sacrement ;
Institut national de la recherche scientifique ;
Services communautaires hospitaliers du Québec ;
Société des alcools ;
Société de cartographie ;
Société de développement industriel du Québec ;
Société québécoise d'exploitation minière ;
Télé-Université ;
Université Laval ;
Ville de Ste-Foy.

Bibliographie

Abeles, R.P., Steel, L. et Wise, L.L., « Patterns and implications of life-course organization: studies from project talent », dans Baltes, P.B. et Brim Jr., O.G., *Life-span development and behavior*, N.Y., Academic Press, 1980, vol. 3, p. 307-337.

Ahammer, J.M., « Social-learning theory as a framework for the study of adult personality development », dans Baltes, P.B. et Schaie, K.W. (Eds.), *Life-span developmental psychology: personality and scolarization*, N.Y., Academic Press, 1973, p. 253-283.

Albrecht, G.L. et Gift, H.C., « Adult socialization: ambiguity and adult life crisis », dans Datan, N. et Ginsberg, L.H. (Eds.), *Life-span developmental psychology: normative life crisis*, N.Y., Academic Press, 1975, p. 237-253.

American Association for Higher Education, « Integrating adult development theory with higher education practice », dans *Current issues in higher education*, vol. 2, n° 5, 1980.

Arbeiter, S. et autres, *40 million Americans in career transitions: the need for information*, N.Y., Future directions for a learning society, College Board, 1978.

Argyris, C. et Schon, D.A., *Theory in practice: increasing professional effectiveness*, San Francisco, Jossey-Bass, 1976.

Aslanian, C.B. et Brickell, H.M., *Americans in transition: life changes as reasons for adult learning*, N.Y., Future directions for a learning society, College Board, 1980.

Baltes, P.B. et Goulet, L.R., « Status and issues of a life-span developmental psychology », dans Goulet, L.R. et Baltes, P.B. (Eds.), *Life-span developmental psychology: research and theory*, N.Y., Academic Press, 1970.

Baltes, P.B. et Nesselroade, J.R., « The developmental analysis of individual differences on multiple measures », dans Nesselroade, J.R. et Reese, H.W. (Eds.), *Life-span developmental psychology: methodological issues*, N.Y., Academic Press, 1973, p. 219-253.

Baltes, P.B. et Schaie, K.W., « Epilogue: on life-span developmental research paradigms: retrospects and prospects », dans Baltes, P.B. et Schaie, K.M. (Eds.), *Life-span developmental psychology: personality and socialization*, N.Y., Academic Press, 1973, p. 366-393.

Baltes, P.M. et Schaie, K.W. (Eds.), *Life-span developmental psychology: personality and socialization*, N.Y., Academic Press, 1973.

Baltes, P.B. et Willis, S.L., « Toward psychological theories of aging and development », dans Birren, J.E. et Schaie, K.W. (Eds.), *Handbook of the psychology of aging*, N.Y., Van Nostrand Reinhord, 1977, p. 128-154.

Bamundo, P.J. et Kopelman, R.E., « The moderating effects of occupation, age and urbanisation on the relationship between job satisfaction and life satisfaction », dans *Journal of vocational behavior*, vol. 17, 1980, p. 106-123.

Baughman, E.E., *Personality: the study of the individual*, Englewook Cliffs, Prentice-Hall, 1972.

Bengston, U.L. et Black, K.D., « Intergenerational relations and continuities in socialization », dans Baltes, P.B. et Schaie, K.W. (Eds.), *Life-span developmental psychology: personality and socialization*, N.Y., Academic Press, 1973, p. 208-231.

Bergman, J., « Ageism in today's society and schools », dans *Contemporary education*, vol. 54, n° 4, 1980, p. 197-201.

Blocher, D.H. et Rapoza, R.S., « Professional and vocational preparation », dans Chickering, A.W. et autres (Eds.), *The modern American college*, San Francisco, Jossey-Bass, 1981, p. 212-232.

Boshier, R., « Motivational orientations of adult education participants: a factor analytic exploration of Houle's typology », dans
Adult education, vol. 21, 1973, p. 3-26.

Brammer, L.M. et Abrego, P.J., « Intervention strategies for coping
with transitions », dans *The Counseling Psychologist*, vol. 9,
n° 2, 1980, p. 19-36.

Brim, O.G., « Theories of the male mid-life crises », dans *The Counseling Psychologist*, vol. 6, n° 1, 1976, p. 2-10.

Brim, O.G. Jr. et Kagan, J., *Constancy and change in human development*, Cambridge, Harvard University Press, 1982.

Brim, O.G. Jr. et Ryff, C.D., « On the properties of life events », dans
Baltes, P.B. et Brim, O.G. Jr. (Eds.), *Life-span development and
behavior*, N.Y., Academic Press, 1980, p. 367-388.

Buhler, C., « Developmental psychology », dans Wolman, B.B. (Ed.),
Handbook of general psychology, Englewood Cliffs, N.J.,
Prentice-Hall, 1973, p. 861-917.

Buhler, C., « Human life as a whole as a central subject of humanistic
psychology », dans Bugental, J.F.T. (Ed.), *Challenges of humanistic psychology*, N.Y., McGraw-Hill, 1967.

Bujold, C.E., *Théories du développement vocationnel I et II*, Sainte-
Foy, Faculté des sciences de l'éducation, Université Laval, 1975.

Bureau international du travail de Genève, *Travailleurs âgés : travail
et retraite*, 6ᵉ question à l'ordre du jour, Conférence internationale du travail, 65ᵉ session, 1979.

Campbell, D. et Stanley, J.C., *Experimental and quasi-experimental
designs for research*, Chicago, Rand McNally, 1966.

Canter, D.V. et Craik, K.H., « Environmental psychology », dans
Journal of Environmental Psychology, vol. 1, 1981, p. 1-11.

Caplan, R.D., « Social support, person-environment fit and coping »,
dans Furman, L. et Gordus, J. (Eds.), *Mental health and the eco-
nomy*, Kalamazoo, Upjohn Foundation, 1981.

Carp, A., Peterson, R. et Roelfs, P., « Adult learning interests and
experiences », dans Cross, K.P., Valley, J.R. et associés (Eds.),
*Planning non-traditional programs: an analysis of the issues for
post-secondary education*, San Francisco, Jossey-Bass, 1974.

Carr, A.C., « Bereavement as a relative experience », dans Schoenberg, B. et autres (Eds.), *Bereavement: its psychological aspects*,
N.Y., Columbia University Press, 1975.

Cassem, N., « Bereavement as indispensable for growth », dans Schoenberg, B. et autres (Eds.), *Bereavement: its psychological aspects*, N.Y., Columbia University Press, 1975.

C.E.F.A., *Apprendre : une action volontaire et responsable : abrégé*, Montréal, édition du ministère des Communications, 1982.

Cherniss, C., *Staff burnout: job stress in human services*, Beverly Hills, Calif., Sage publications, 1980.

Cherns, A., « Travail et valeurs : changements dans les sociétés industrielles », dans *Revue internationale des sciences sociales*, 1980, XXX, II, n° 3.

Chickering, A.W. et autres, *The modern American college: responding to the new realities of diverse students and a changing society*, San Francisco, Jossey-Bass, 1981.

Chickering, A.W. et Havighurst, J.R., « The life cycle », dans Chickering, A.W. et autres (Eds.), *The modern American college*, San Francisco, Jossey-Bass, 1981, p. 16-51.

Clopton, W., « Personality and career change », dans *Industrial Gerontology*, 1973, p. 9-17.

Cohen, A.C., « Human service », dans Chickering, A.W. et autres (Eds.), *The modern American college*, San Francisco, Jossey-Bass, 1981.

Colaruso, C.A. et Nemiroff, R.A., *Adult development: a new dimension in psycho-dynamic theory and practice*, N.Y., Plenum Press, 1981.

Coolican, P.M., *Self-planned learning: implications for the future of adult education*, Syracuse, N.Y., Educational policy research center, Syracuse University Research Corporation, 1974.

Corey, J.H., « How to overcome the "transient manager" syndrome », dans *Management Review*, 1982, p. 51-54.

Costa, P.T. et McCrae, R.R., « Still after all these years: personality as a key to some issues in adulthood and old age », dans Baltes, P.B. et Brim, O.G. Jr., *Life-span development and behavior*, N.Y., Academic Press, 1980, vol. 3, p. 65-102.

Côté, M., *Le vieillissement, mythe ou réalité*, Montréal, Agence d'arc inc., 1980.

Craig, E., *The heart of the teacher: an heuristic study in the inner world of teaching*, Thèse de doctorat, Université de Boston, Ann Arbor, Microfilms de l'université, 780-8056, 1978.

Crain, W.C., *Theories of development: concepts and applications*, N.J., Prentice-Hall, 1980.

Crites, J.O., *Career counseling*, N.Y., McGraw-Hill, 1981 ; *Vocational psychology*, N.Y., McGraw-Hill, 1969.

Cross, K.P., « Adult learners: characteristics, needs and interests », dans Peterson, R.E. et autres (Eds.), *Lifelong learning in America: an overview of current practices, available resources and future prospects*, San Francisco, Jossey-Bass, 1979.

Cross, K.P., *Adults as learners*, San Francisco, Jossey-Bass, 1982.

Dalton, G.W., Thompson, P.H. et Price, R.L., « The four stages of professional careers: a new look at performance by professionals », dans *Organizational dynamics*, vol. 6, 1977, p. 19-42.

Danish, S.H. et D'augelli, A.R., « Promoting competence and enchancing development through life development intervention », dans Bond, L.A. et Rosen, J.C. (Eds.), *Primary prevention of psychopedagogy (vol. 4)*, Hanover, N.H., University Press of New England, 1980.

Danish, S.J., Smyer, M.A. et Nowak, C.A., « Development intervention: enchancing life-event processes », dans Baltes, P.B. et Brim, O.G. Jr. (Eds.), *Life-span development and behavior*, N.Y., Academic Press, 1980, p. 339-366.

Darnley, F., « Adjustment to retirement: integrity of despair », dans *The family coordinator*, vol. 24, 1975, p. 217-226.

Dauphinais, S.M. et Bradley, R.W., « IQ change and occupational level: a longitudinal study with third Harvard group study participants », dans *Journal of vocational behavior*, vol. 15, 1979, p. 367-375.

Davis, F.W. et Barret, M.C., « Supervision for management of worker stress », dans *Administration and social work*, vol. 5, n° 1, 1981, p. 55-64.

Dawis, R.V. et Lofquist, I.H., « Personality style and the process of work adjustment », dans *Journal of counseling psychology*, 1976, vol. 23, n° 1, p. 55-59.

Denney, N.W., « Aging and cognitive changes », dans Wolman, B.B. et Stricker, B. (Eds.), *Handbook of developmental psychology*, N.J., Prentice-Hall, 1982, p. 807-828.

Dominicé, P. et Fallet, M., *Exploration biographique des processus de formation*, Genève, Université de Genève, Cahiers de la section des sciences de l'éducation, Série recherches n° 1, 1981.

Duley, J.S., « Field experience », dans Chickering, A.W. et autres (Eds.), *The modern American college*, San Francisco, Jossey-Bass, 1981, p. 600-614.

Dumazedier, J., « Loisir-éducation permanente-développement culturel », dans Pineau, G. (Ed.), *Éducation ou aliénation permanente*, Montréal, Dunod, 1977, p. 107-125.

Eckensberger, L.H., « Methodological issues of cross-cultural research in developmental psychology », dans Nesselroade, J.R. et Reese, H.W. (Eds.), *Life-span developmental psychology: methodological issues*, N.Y., Academic Press, 1973.

Egan, G. et Cowan, M.A., *People in systems : a model for development in the human-service professions and education*, Belmont, California ,Wadsworth Inc., 1979.

Elias, J.L. et Merriam, S., *Philosophical foundations of adult education*, N.Y., R.E. Krieger Pub., 1980.

Erikson, E.H., *Young Man Luther*, N.Y., W.W. Norton and Co., Inc., 1958.

Fallet, M., *La formation continue des adultes dans les professions sociales, un outil d'investigation : l'entretien biographique*, Genève, Université de Genève, GRAPA, 1983.

Forgaty, M.P., « Forty to sixty, how the waste the middle-aged », dans *Industrial gerontology*, 1976, p. 212-214.

Frears, L.H. et Schneider, J.M., « Exploring loss and grief within a wholistic framework », dans *The personnel and guidance journal*, vol. 59, n° 6, 1981, p. 341-346.

Galinsky, M.D. et Fast, I., « Vocational choice as a focus of the identity search », dans *Journal of counseling psychology*, 1966, vol. 13, p. 89-92.

Gelpi, E., « Pour une politique internationale de l'éducation permanente », dans Pineau, G. (Ed.), *Éducation ou aliénation permanente*, Montréal, Dunod, 1977, p. 267-277.

Gendlin, E., « A theory of personality change », dans Worchel, P. et Byrne, D. (Eds.), *Personality change*, N.Y., John Wiley and Sons, 1964, p. 100-148.

Gergen, K.J., « Toward a generative theory », dans *Journal of Personality and social psychology*, 1978, 36, p. 1344-1360.

Gergen, K.J., « The emerging crisis in life-span developmental theory », dans Baltes, P.B. et Brim, O.G. Jr. (Eds.), *Life-span development and behavior*, N.Y., Academic Press, 1980, vol. 3, p. 32-63.

Gilbert, R., « Le vieillissement et les pratiques de l'entreprise », dans *Le vieillissement, mythe et réalité*, Montréal, Agence d'arc inc., 1980, p. 47-61.

Gilder, J., *Policies for lifelong education*, Washington, D.C., American association of community and junior colleges, 1979.

Gould, R., « Growth toward self-tolerance », dans *Psychology today*, fév. 1975, p. 74-78.

Gould, R.L., *Transformations*, N.Y., Simon et Schuster, 1978.

Grand'Maison, J., *Au seuil critique d'un nouvel âge*, Ottawa, Leméac, 1979.

Guilford, J.P., *The nature of human intelligence*, N.Y., McGraw-Hill, 1967.

Hall, D.T., *Career in organization*, California Goodyear, Pacific Palisades, 1976.

Hall, D. et Lerner, P., « Work organizations : research and practice », *Professional psychology*, vol. II, n° 3, 1980, p. 428-435.

Havighurst, R.J., « Youth in exploration and man emergent », dans Borow, H. (Ed.), *Man in a world at work*, Boston, Houghton Mifflin, 1964, p. 215-236.

Havighurst, R.J., « The world of work », dans Wolman, B.B. et Stricker, G. (Eds.), *Handbook of developmental psychology*, N.J., Prentice-Hall, 1982, p. 771-791.

Havighurst, R.J. et Orr, B., *Adult education and adult needs*, Chicago, Center for the study of liberal education for adults, 1956.

Headington, B.J., « Understanding a core experience : loss », dans *The Personnel and guidance journal*, vol. 59, n° 6, 1981, p. 338-341.

Hedaa, L., « Danish survey suggests demonition for "obsolete" managers : finds execs prefer lesser jobs to retirement », dans *World of work report/92*, vol.3, n° 11, 1978, p. 92-93.

Heer, E.L. et Cramer, S.H., *Career guidance through the life-span : systematic approaches*, Toronto, Little Brown and Company, 1982.

Heikinen, C.A., « Loss resolution for growth », dans *The Personnel and guidance journal*, vol. 59, n° 6, 1981, p. 327-331.

Higgins, Trenck, A., *An adolescent is an adolescent : stereotype or reality ?*, thèse de maîtrise non publiée, Université du Wisconsin, 1972.

Hopson, B. et Scally, M., *The adult as a developing person : Implications for helpers*, NICEC Conference on counselling adults (mimeo), Cambridge, 1979.

Horn, J.L., « The aging of human abilities », dans Wolman, B.B. et Stricker, G. (Eds.), *Handbook of developmental psychology*, N.J., Prentice-Hall, 1982, p. 847-871.

Houle C.O. et Houle, B.E., « La continuité de la vie », dans Pineau, G. (Ed.), *Éducation ou aliénation permanente*, Montréal, Dunod, 1977, p. 85-100.

Hultsch, D.F. et Plemons, J.K., « Life events and life-span development », dans Baltes, P.B. et Brim, O.G. (Eds.), *Life-span development and behavior vol. 2*, N.Y., Academic Press, 1979.

Hutchins, R., *The learning society, a mentor book*, N.Y., The New American Library, 1969.

Jago, A.G., « Leadership : perspectives in theory and research », dans *Management science*, vol.28, n° 3, 1982, p. 315-336.

Jersild, O., *Child psychology*, N.J., Prentice-Hall, 1963.

Johnstone, J.W. et Rivera, J.R., *Volunteers for learning*, Chicago, Aldine, 1965.

Kahn, R.L. et Antonucci, T.C., « Convoys over the life-course : attachment, roles and social support », dans Baltes, P.B. et Brim, O.G. (Eds.), *Life-span development and behavior*, N.Y., Academic Press, 1980, vol. 3, p. 253-286.

Kastenbaum,R. et Aisenberg, R., *The psychology of death*, N.Y., Springer publishers, 1976.

Keppel, F. et Chickering, A.W., « Mediated instruction », dans Chickering, A.W. et autres (Eds.), *The modern American college*, San Francisco, Jossey-Bass, 1981, p. 614-631.

Kessen, W., « Research design in the study of development problems », dans Mussen, P.H. (Ed.), *Handbook of research methods in child development*, N.Y., John Wiley, 1960.

Kets de Vries, M.F.R., « The mid-career conundrum », dans *Organizational dynamics*, vol. 7, n° 2, 1978, p. 45-62.

Kohlberg, L., « Continuities in childhood and adult moral development revisited », dans Baltes, P.B. et Schaie, K.W. (Eds.), *Life-span developmental psychology : personality and socialization*, N.Y., Academic Press, 1973, p. 180-201.

Kohlberg, L., *The meaning and measurement of moral development*, série de cours, Clark University, 1979.

Kohn, M.L. et Schooler, C., « The reciprocal effects of the substantive complexity of work and intellectual flexibility : a longitudinal assessment », dans *American journal of sociology*, 1978, vol. 84, p. 24-52.

Knowles, M.S., *The modern practice of adult education : andragogy versus pedagogy*, N.Y., Association Press, 1970.

Knowles, M.S., *The adult learner : a neglected species*, Houston, Gulf, 1978.

Knox, A.B., « Proficiency theory of adult learning », dans *Contemporary educational psychology*, vol. 5, 1980, p. 378-404.

Kummerow, J.M. et autres, *Programming for adult development*, Minneapolis, Université du Minnesota, « Education career development Office », 1978, 26 p.

Labouvie-Vief, G., « Adaptative dimensions of adult cognition », dans Datan, N. et Lohman, N. (Eds.), *Transitions of aging*, N.Y., Academic Press, 1980, p. 3-27.

Labouvie-Vief, G. et Chandler, M.J., « Cognitive development and life-span developmental theory : idealistic versus contextual perspectives », dans Baltes, P.B. (Ed.), *Life-span developmental and behavior*, N.Y., Academic Press, 1978.

Labouvie-Vief, G. et Schell, D.S., « Learning and memory in later life », dans Wolman B.B. et Stricker, G. (Eds.), *Handbook of developmental psychology*, N.J., Prentice-Hall, 1982, p. 828-847.

Lacy, W.B. et Hendricks, J., « Developmental models of adult life : myth or reality », dans *International journal of aging and human development*, vol. 11, n° 2, 1980, p. 89-110.

LaRue, A. et Jarvik, L.F., « Old age and biobehavioral changes », dans Wolman, B.B. et Stricker, G. (Eds.), *Handbook of developmental psychology*, N.J., Prentice-Hall, 1982, p. 79-807.

Le Bouedec, G., « L'attitude des jeunes face au travail », dans *L'orientation scolaire et professionnelle*, 1982, vol. 11, n° 1, p. 63-78.

Lehman, T. et Lester, V., *Adult learning in the context of adult development : life cycle research*, N.Y., Empire State College, 1978.

Lengrand, P., « Le manifeste de l'éducation permanente : l'hommme de la réponse et l'homme de la question », dans Pineau, G. (Ed.), *Éducation ou aliénation permanente*, Montréal, Dunod, 1977, p. 64-75.

Lerner, R.M., *Concepts and theories of human development*, Ontario, Addison-Wesley, 1976.

Lerner, R.M. et Busch-Rossnagel, N.A., *Individuals as producers of their development : a life-span perspective*, N.Y., Academic Press, 1981.

Lesage, P.B. et Rice, J.A., « Le vieillissement, dimension individuelle, âge versus motivation, satisfaction et valeurs », dans Côté, M. (Ed.), *Le vieillissement, mythe et réalité*, Montréal, Agence d'arc inc., 1980, p. 9-28.

Levinson, D.J., Darrow, C.M., Klein, E.B., Levinson, M.H. et McKee, B., « Periods in the adult development of men : ages 18 to 45 », dans *The counseling psychologist*, vol. 6, n° 1, 1976, p. 21-25.

Levinson, D.J., *The seasons of a man's life*, N.Y., A.A. Knopf, 1978.

Levinson, D.J., « Tasks and periods in the evolution of the life structure », dans McCoy, V.R. et autres (Eds.), *A life transitions reader*, Lawrence, Université du Kansas, 1980, p. 13-15.

Lewis, N., *Les travailleurs âgés : examen de littérature*, Centre de recherche et de statistiques sur le marché du travail, ministère de la Main-d'oeuvre du Québec, 1979.

Lewis, R.A. et Gilhousen, M.R., « Myths of career development : a cognitive approach to vocational counseling », dans *The Personnel and guidance journal*, vol. 59, n° 5, 1981, p. 296-299.

Lieberman, M.A., « Adaptative processes in late life », dans McCoy, V.R. et autres (Eds.), *A life transitions reader*, Lawrence, Université du Kansas, 1980, p. 29-32.

Lieberman, M.A., « Adaptative processes in late life », dans Datan, N. et Ginsberg, I.H. (Eds.), *Life-span developmental psychology : normative life crisis*, N.Y., Academic Press, 1975, p. 135-161.

Lipman-Blurmen, J., Leavitt, H.J., « Vicarious and direct achievement patterns in adulthood », *The counseling psychologist*, vol. 6, n° 1, 1976, p. 26-32.

Livson, N., « Developmental dimensions of personality : a life-span formulation », dans Baltes, P.B. et Schaie, K.W. (Eds.), *Life-span developmental psychology : personality and socialization*, N.Y., Academic Press, 1973, p. 98-124.

Loewenstein, S.F., « Preparing social work students for life-transition counseling within the human behavior sequence », dans McCoy, V.R. et autres (Eds.), *A life transitions reader*, Lawrence, Université du Kansas, 1980, p. 62-69.

Loewenstein, S.F., *Searching for competence : a perspective from one moment in midlife*, Cambridge, Mass., Askwith Symposium, Harvard Graduate School of Education, 1980.

Looft, W.R., « Socialization and personality throughout the lifespan : an examination of contemporary approaches », dans Baltes, P.B. et Schaie, K.W. (Eds.), *Life-span developmental psychology : personality and socialization*, N.Y., Academic Press, 1973, p. 26-53.

Lurie, H.J., « Life planning : an educational approach to change », dans *American journal of psychiatry*, vol. 134, n° 8, 1977, p. 878-882.

March, J.G., « Making artists out of pedants », dans Stodgill, R.M. (Ed.), *The process of model building in the behavioral sciences*, chap. IV, Columbus, Ohio, Ohio State University Press, 1970.

Maslow, A.H., « Problem-centering versus means-centering in science », dans Schultz , D. (Ed.), *The science of psychology : critical reflexions*, N.Y., Appleton-century-crafts, 1970, p. 340-346.

McCoy, V.R., Ryan, C., Sutton, R., Winn, N., *Life transitions reader*, Kansas, étude indépendante, Division of continuing education, Université du Kansas, 1980, p. 1-4.

McCoy, V.R., Ryan, C., Sutton, R., Winn, N., « Letting go and taking hold », dans McCoy, V.R. et autres (Eds.), *A life transitions reader*, Lawrence, Université du Kansas, 1980, p. 16-18.

Menges, R.J., « Instructional methods », dans Chickering, A.W. et autres (Eds.), *The modern American college*, San Francisco, Jossey-Bass, 1981, p. 556-582.

Merriam, S., *Coping with male life-crisis : a systematic analysis using literature as a data source*, Washington, D.C., University Press of America, 1980.

Miller, H.L., *Participation of adults in education : a force-field analysis*, Boston, Center for study of liberal education for adults, Université de Boston, 1967.

Miller, D.C. et Form, W.H., *Industrial sociology*, N.Y., Harper and Row, 1964.

Montessori, M., *The Montessori method*, New York, Schocken books, 1964.

Moon, R.G., « Adult life transitions and future societal trends : the learning strategies to link them », dans McCoy, V.R. et autres (Eds.), *A life transitions reader*, Lawrence, Université du Kansas, 1980, p. 84-87.

Mortimer, J.T. et Lorence, J., « Occupational experience and the self-concept : a longitudinal study », dans *Social psychology quaterly*, 1979, vol. 42, n° 4, p. 307-323.

Moustakas, C., « Heuristic research », dans *Individuality and encounter*, Cambridge, Howard, A., Doyle publishing Company, 1968, p. 103-116.

Nadeau, J.-R., *L'éducation permanente dans une cité éducative*, Québec, Presses de l'Université Laval, 1982.

Nardi, A.H., « Person-perception research and the perception of the life-span development », dans Baltes, P.B. et Schaie, K.W. (Eds.), *Life-span developmental psychology : personality and socialization*, N.Y., Academic Press, 1973.

Nunnaly, J.C., « The Study of human change : measurement, research strategies and method analysis », dans Wolman, B.B. et Stricker, G. (Eds.), *Handbook of developmental psychology*, N.J., Prentice-Hall, 1982, p. 133-149.

Neugarten, B.L., Datan, N., « Sociological perspective in the life cycle », dans Baltes, P.B. et Schaie, K.W. (Eds.), *Life-span developmental psychology : personality and socialization*, N.Y., Academic Press, 1973, p. 53-68.

Neugarten, B.L., *Middle age and aging*, Chicago, The University of Chicago Press, 1975.

Neugarten, B.L., « Time, age and the life cycle », dans McCoy, V.R. et autres (Eds.), *A life transitions reader*, Lawrence, Université du Kansas, 1980, p. 8-12.

Newman, B.M., « Mid-life development », dans Wolman, B.B. et Stricker, G. (Eds.), *Handbook of developmental psychology*, N.J., Prentice-Hall, 1982, p. 617-636.

Nunally, J.C., « The study of human change : measurement, research strategies and method of analysis », dans Wolman, B.B. et autres (Eds.), *Handbook of developmental psychology*, N.J., Prentice-Hall, 1982, p. 133-149.

Nunally, J.C., « Research strategies and measurement methods for investigating human development », dans Nesselroade, J.R. et Reese, H.W. (Eds.), *Life-span developmental psychology : methodological issues*, 1973, p. 87-111.

Opération-départ, « Le couple s'éduquant-environnement », dans Pineau, G. (Ed.), *Éducation ou aliénation permanente*, Montréal, Dunod, 1977, p. 100-106.

Osterrieth, P., *Introduction à la psychologie de l'enfant*, P.U.F,, 1967.

Osgood, C.E., « Behavior theory and the social sciences », dans *Behavioral sciences*, vol.1, 1956, p. 167-185.

Overton, W.F. et Reese, H.W., « Models of development: methodological implications », dans Nesselroade, J.R. et Reese, J.W. (Eds.), *Life-span developmental psychology : methodological issues*, N.Y., Academic Press, 1973.

Overton, W.F. et Reese, H.W., « Conceptual prerequisites for an understanding of stability change and continuity-discontinuity », dans *International journal of behavioral development*, 1981, 4, p. 99-123.

Paoli, C., « Les travailleurs et la maternité », dans *Revue internationale du travail*, vol. 121, n° 1, janvier-février 1982, p. 1-16.

Parkes, C.M., *Bereavement : studies of grief in adult life*, N.Y., International University Press, 1972.

Parkes, C.M., « Psychological transitions : a field for study », dans *Journal of social science and medicine*, vol. 5, 1971, p. 101-115.

Parad, H.J., *Crisis intervention : selected readings*, New York, Family Service Association, 1965.

Pelletier, D., « Approche opératoire du développement personnel et vocationnel : ses fondements et ses valeurs », dans *Conseiller canadien*, vol. 12, n° 4, juillet 1978.

Pelletier, D., Noiseux, G et Bujold, C., *Développement vocationnel et croissance personnelle*, Montréal, McGraw-Hill, 1974.

Penland, P., *Individual self-planned learning in America*, Washington, D.C., Office of Education, U.S. Department of Health, Education and Welfare, 1977,.

Perry, W.G., « Cognitive and ethical growth : the making of meaning », dans Chickering, A.W. et autres (Eds.), *The modern American college : responding to the new realities of diverse students and a changing society*, San Francisco, Jossey-Bass, 1981.

Peterson, R.E., « Opportunities for adult learners », dans Chickering, A.W. et autres (Eds.), *The modern American college*, San Francisco, Jossey-Bass, 1981, p. 306-328.

Piaget, J., « Intellectual evolution from adolescence to adulthood », dans *Human development*, 1972, 15, p. 1-12.

Pineau, B, « Discours idéologique/discours scientifique », dans Pineau, G. (Ed.), *Éducation ou aliénation permanente*, Montréal, Dunod, 1977, p. 277-297.

Pineau, G., « Histoire de vivre », dans *Revue internationale d'action communautaire*, vol. 9, n° 49, 1983, p. 7-9.

Reinart, G., « Educational psychology in the context of human life-span », dans Baltes, P.B. et Brim, O.G. Jr.(Eds.), *Life-span development and behavior*, N.Y., Academic Press, 1980, vol. 3, p. 2-29.

Riegel, K.F., « Developmental psychology and society : some historical and ethical considerations », dans Nesselroade, J.R. et Reese, H.W. (Eds.), *Life-span developmental psychology : methodological issues*, N.Y., Academic Press, 1973.

Riegel, K.F., « The dialectics of human development », dans Rogers, V. et autres (Eds.), *Developing through relationships*, Lawrence, Université du Kansas, 1982, p. 19-25.

Riverin-Simard, D., « Développement vocationnel de l'adulte : vers un modèle escalier », dans *Revue des sciences de l'éducation*, vol. VI, n° 2, 1980, p. 325-351.

Rogers, V. (Ed.), *Developing through relationships*, Lawrence, Université du Kansas, 1982, p. 1-4.

Rosen, B. et Jerdee, T.H., « The nature of job-related age stereotypes », dans *Journal of applied psychology*, 1976, p. 180-186.

Rossi, A.S., « Life-span theories and women's lives », dans *Signs*, vol. 6, n° 1, 1980, p. 13-17.

Rothstein, W.G., « The signifiance of occupations in work careers : an empirical and theorical review », dans *Journal of vocational behavior*, vol. 17, 1980, p. 328-343.

Rousselet, J., *Nouvelles attitudes face au travail : que va devenir le travail ?*, Paris, Entreprise moderne d'édition, 1978.

Rubenson, K., *Participation in recurrent education : a research review*, texte présenté au congrès des délégués nationaux sur les progrès en éducation permanente, Paris, mars 1977.

Rush, J.C., Peacock, A.C. et Milkovich, G.T., « Careers stages : a partial test of Levinson's model of life stages », dans *Journal of vocational behavior*, 1980, vol. 16, p. 347-359.

Ryan, C., « The dialogue with self », dans Rogers, V. et autres (Eds.), *Developing through relationships : a reader*, Lawrence, Université du Kansas, 1982, p. 37-40.

Sameroff, A., « Transactional models in early social relations », dans *Human Development*, vol. 18, 1975, p. 65-79.

Schaie, K.W., « Methodological problems in descriptive developmental research on adulthood and aging », dans Nesselroade, J.R. et Reese, H.W. (Eds.), *Life-span developmental psychology : methodological issues*, N.Y., Academic Press, 1973, p. 253-280.

Schaie, K.W. et Hertzog, C., « Longitudinal methods », dans Wolman, B.B. et Stricker, G. (Eds.), *Handbook of developmental psychology*, N.J., Prentice-Hall, 1982, p. 91-116.

Schein, E.H., *Career dynamics : matching individuals and organizational needs*, California, Addison-Wesley, 1978.

Schlossberg, N.K., « The case of counseling adults », dans *The counseling psychologist*, vol. 6, n° 1, 1976, p. 33-36.

Schlossberg, N.K., « A model for analyzing human adaptation to transition », dans *The counseling psychologist*, vol. 9, n° 2, 1980, p. 2-19.

Schuller, T., *Recurrent education and lifelong learning : world yearbook of education*, N.Y., Nichols Publishing Co., 1979.

Schwartz , B., *Une autre école*, Flammarion, La rose au point, Paris, 1977.

Selltiz, C. et autres, *Les méthodes de recherche en sciences sociales*, Montréal, Éditions H.R.W., 1977.

Selye, H., « The Evolution of the stress concept », dans *American scientist*, 1973, 61, p. 692-699.

Sheehy, B ., *Passages : crises prévisibles de l'âge adulte*, Montréal, Éditions Select, 1977.

Shoben, E.J., Jr., « Psychology : natural science or humanistic discipline ? », dans *Journal of humanistic psychology*, 1965, 5, p. 210-218.

Shontz, F.C., « Single-organism designs », dans Bentler, P.M., Lettieri, D.J. et Austin, G.A. (Eds.), *Data analysis, strategies and designs for substance abuse research*, Washington, D.C., U.S. Governement Printing Office, 1976.

Siegel, S., *Nonparametric statistics for behavior science*, Toronto, McGraw-Hill, 1957.

Sinick, D., *Counseling older persons : careers, retirement, dying*, Ann Arbor, Mich, ERIC Clearing House on counseling and personnel services, C G 400-129, 1975.

Smith, R.M. et HaverKamp, K.K., « Towards a theory of learning how to learn », dans *Adult education*, vol. 28, n° 1, 1977, p. 3-21.

Spicuzza, F.J. et Dewe, M.W., « Burnout in the helping professions : mutual aid as self-help », dans *The Personnel and guidance journal*, vol. 61, n° 2, 1982, p. 95-99.

Stein, M.I., « Creativity », dans M.I. Stein (Ed.), *Handbook of personality : theory and research*, Chicago, Rand McNally, 1968, p. 900-940.

Super, D.E., *The psychology of careers*, N.Y., Harper and Row, 1957.

Super, D.E., « A life-span, life-space approach to career development », dans *Journal of vocational behavior*, vol. 16, 1980, p. 282-298.

Super, D.E., « The relative importance of work », dans *Conseiller canadien*, numéro spécial, 1981, p. 26-36.

Super, D.E., « Assessment in career guidance : toward truly developmental counseling », dans *The Personnel and guidance journal*, vol. 61, n° 9, 1983, p. 555-563.

Super, D.E. et Knasel, E.G., *The development of a model, specifications and sample items for measuring career adaptability (vocational maturity) in young blue-collar workers*, National Institute for careers education and counseling, rapport final au ministère de l'Emploi et de l'Immigration du Canada, 1979.

Tharenou, P., « Employee self-esteem : a review of the literature », dans *Journal of vocational behavior*, vol. 15, n° 3, 1979, p. 316-346.

Thomas, L.E., « A typology of mid-life career changes », dans *Journal of vocational behavior*, vol. 16, n° 2, avril 1980, p. 173-182.

Thurnher, M., « Adaptability of life history interviews to the study of adult development », dans Jarvix, L.F., Eisdorfer, C., C., Blum, J.E. (Eds.), *Intellectual functionning in adults*, N.Y., Springler Publ. Co., 1973, p. 137-142.

Toffler, A., *La troisième vague*, Paris, Denoël, 1980.

Tough, A., *The adult's learning projects : a fresh approach to theory and practice in adult learning*, Research in Education, Series n° 1, Toronto, Ontario Institute for Studies in Education, 1971.

Tough, A., « Major learning efforts : recent research and future directions », dans *Adult education*, 1978, vol. 28, n° 4, p. 250-263.

Tough, A., « Interests of adult learners », dans Chickering, A.W. et autres (Eds.), *The modern American college*, San Francisco, Jossey-Bass, 1981, p. 296-306.

U.S. Bureau of the Census, « School Enrollment : social and economic characteristics of students », dans *Current population Reports*, Series P-20, n° 335, Washington, D.C., U.S. Government Printing Office, 1979, b.

Van Gennep, A., *The rites of passage*, Chicago, University of Chicago Press, 1960.

Vondracek, F.W. et Lerner, R.M., « Vocational role development in adolescence », dans Wolman, B.B. et Stricker, G. (Eds.), *Handbook of developmental psychology*, N.J., Prentice-Hall, 1982, p. 602-617.

Weathersby, R.P., « Education for adult development : the components of qualitative change », dans McCoy, V.R. et autres (Eds.), *A life transitions reader*, Lawrence, Université du Kansas, 1980, p. 73-83.

Weathersby, R.P., « Ego development », dans Chickering, A.W. et autres (Eds.), *The modern American college : responding to the new realities of diverse students and a changing society*, San Francisco, Jossey-Bass, 1981.

Werner, H., *Comparative psychology of mental development*, N.Y., International University Press, 1948.

Whithbourne, S.K. et Weinstock, C.S., *Adult development : the differenciation of experience*, N.Y., Holt, Rinehart and Winston, 1979.

Wilensky, H.L., « Orderly careers and social participation : the impact of work history on social integration in the middle mass », *American Sociological Review*, 1961, vol. 26, n° 4, p. 521-539.

Wirtz , W.W., *The boundless resource : a prospectus for an education work policy*, Washington, D.C., New Republic Book Co., 1975.

Wohlwill, J.F., « Methodology and research strategy in the study of developmental change », dans Goulet, L.R. et Baltes, P.B. (Eds.), *Life-span developmental psychology*, N.Y., Academic Press, 1970, p. 149-191.

Wolman, B.B., (Ed.), *Handbook of developmental psychology*, N.J., Prentice-Hall, 1982.

Wright, J.D. et Hamilton, R., « Work satisfaction and age : some evidence for the "job change" hypothesis », dans *Social forces*, vol. 56, n° 4, 1978, p. 1140-1158.

Table des matières